余秋雨 著

文化苦旅

东方出版中心

图书在版编目（CIP）数据

文化苦旅/余秋雨著.—上海：东方出版中心,1992.3
（2000重印）
（文化大散文系列）
ISBN 7-80627-201-1

Ⅰ.文… Ⅱ.余… Ⅲ.散文–作品集–中国–当代
Ⅳ.I 267

中国版本图书馆 CIP 数据核字（2000）第 17030 号

文化苦旅

出版发行：东方出版中心
地址：上海市仙霞路 335 号
电话：62417400
邮政编码：200336
经销：新华书店上海发行所
印刷：昆山市亭林印刷总厂
开本：850×1168 毫米 1/32
字数：234 千字
印张：10.25 插页：5
印数：432,001 – 442,000
版次：1992 年 3 月第 1 版 2001 年 1 月第 16 次印刷
ISBN 7 – 80627 – 201 – 1/I·80
定价：20.00 元

目　录

自 序

我在好些年以前写过一些史论专著,记得曾有几位记者在报纸上说我写书写得轻松潇洒,其实完全不是如此。那是一种很给自己过不去的劳累活,一提笔就感觉到年岁陡增。不管是春温秋肃,还是大喜悦大悲愤,最后总得要闭一闭眼睛,平一平心跳,回归于历史的冷漠,理性的严峻。由此,笔下也就一派端肃板正,致使海内外不少读者一直认为我是一个白发老人。

我想,任何一个真实的文明人都会自觉不自觉地在心理上过着多种年龄相重叠的生活,没有这种重叠,生命就会失去弹性,很容易风干和脆折。但是,不同的年龄经常会在心头打架,有时还会把自己弄得挺苦恼。例如连续几个月埋首于砖块般的典籍中之后,从小就习惯于在山路上奔跑的双脚便会默默地反抗,随之而来,满心满眼满耳都会突涌起向长天大地释放自己的渴念。我知道,这是不同于案头年龄的另一种年龄在捣乱了。助长这种捣乱的外部诱惑也很多,你看眼前就有一个现成的例子,纽约大学的著名教授 Richard Schechner 比我大二十多岁,却冒险般地游历了我国西南许多少数民族地区,回到上海仍毫无倦色,逛城隍庙时竟象顽童一样在人群中骑车而双手脱把、引吭高歌!那天他送给我一部奇怪的新著,是他与刚满八岁的小儿子合著的,父子俩以北冰洋的企鹅为话题,痴痴地编着一个又一个不着边际的童话。我把这本书插在他那厚厚一叠名扬国际的学术著作中间,端详良久,不能不开始嘲笑自己。

即便是在钻研中国古代线装本的时候,耳边也会响起一批大诗人、大学者放达的脚步声,苏东坡曾把这种放达称之为"老夫聊发少年狂"。你看他右手牵猎狗,左手托苍鹰,一任欢快的马蹄纵情奔驰。其实细说起来,他自称"老夫"那年才三十七岁,因此他是同时在享受着老年、中年和少年,把日子过得颠颠倒倒又有滋有味。

我们这些人,为什么稍稍做点学问就变得如此单调窘迫了呢?如果每宗学问的弘扬都要以生命的枯萎为代价,那么世间学问的最终目的又是为了什么呢?如果辉煌的知识文明总是给人们带来如此沉重的身心负担,那么再过千百年,人类不就要被自己创造的精神成果压得喘不过气来?如果精神和体魄总是矛盾,深邃和青春总是无缘,学识和游戏总是对立,那么何时才能问津人类自古至今一直苦苦企盼的自身健全?

我在这种困惑中迟迟疑疑地站起身来,离开案头,换上一身远行的装束,推开了书房的门。走惯了远路的三毛唱道:"远方有多远?请你告诉我!"没有人能告诉我,我悄悄出发了。

当然不会去找旅行社,那种扬旗排队的旅游队伍到不了我要去的地方。最好是单身孤旅,但眼下在我们这儿还难于实行:李白的轻舟、陆游的毛驴都雇不到了,我无法穿越那种似现代又非现代、由拥塞懒怠白眼敲诈所连结成的层峦叠嶂。最方便的当然是参加各地永远在轮流召开着的种种"研讨会",因为这种会议的基本性质是在为少数人提供扬名机会的同时为多数人提供公费旅游,可惜这种旅游又都因嘈杂而无聊。好在平日各地要我去讲课的邀请不少,原先总以为讲课只是重复早已完成的思维,能少则少,外出讲课又太耗费时日,一概婉拒了,这时便想,何不利用讲课来游历呢?有了接待单位,许多恼人的麻烦事也就由别

2

人帮着解决了，又不存在研讨会旅游的烦嚣。于是理出那些邀请书，打开地图，开始研究路线。我暗笑自己将成为靠卖艺闯荡江湖的流浪艺人。

就这样，我一路讲去，行行止止，走的地方实在不少。旅途中的经历感受，无法细说，总之到了甘肃的一个旅舍里，我已觉得非写一点文章不可了。

原因是，我发现自己特别想去的地方，总是古代文化和文人留下较深脚印的所在，说明我心底的山水并不完全是自然山水而是一种"人文山水"。这是中国历史文化的悠久魅力和它对我的长期熏染造成的，要摆脱也摆脱不了。每到一个地方，总有一种沉重的历史气压罩住我的全身，使我无端地感动，无端地喟叹。常常象傻瓜一样木然伫立着，一会儿满脑章句，一会儿满脑空白。我站在古人一定站过的那些方位上，用与先辈差不多的黑眼珠打量着很少会有变化的自然景观，静听着与千百年前没有丝毫差异的风声鸟声，心想，在我居留的大城市里有很多贮存古籍的图书馆，讲授古文化的大学，而中国文化的真实步履却落在这山重水复、莽莽苍苍的大地上。大地默默无言，只要来一二个有悟性的文人一站立，它封存久远的文化内涵也就能哗的一声奔泻而出；文人本也萎靡柔弱，只要被这种奔泻所裹卷，倒也能吞吐千年。结果，就在这看似平常的伫立瞬间，人、历史、自然浑沌地交融在一起了，于是有了写文章的冲动。我已经料到，写出来的会是一些无法统一风格、无法划定体裁的奇怪篇什。没有料到的是，我本为追回自身的青春活力而出游，而一落笔却比过去写的任何文章都显得苍老。

其实这是不奇怪的。"多情应笑我早生华发"，对历史的多情总会加重人生的负载，由历史沧桑感引发出人生沧桑感。也许正是这个原因，我在山水历史间跋涉的时候有了越来越多的人生回忆,这种回忆又渗入了笔墨之中。我想,连历史本身也不会否认一切真切的人生回忆会给它增添声色和情致,但它终究还是要以自己的漫长来比照出人生的短促,以自己的粗线条来勾勒出人生的局限。培根说历史使人明智,也就是历史能告诉我们种种不可能,给每个人在时空坐标中点出那让人清醒又令人沮丧的一点。不知天高地厚的少年英气是以尚未悟得历史定位为前提的,一旦悟得,英气也就消了大半。待到随着年岁渐趋稳定的人伦定位、语言定位、职业定位以及其他许多定位把人重重叠叠地包围住,最后只得象《金色池塘》里的那对夫妻,不再企望迁徙,听任蔓草埋路,这便是老。

我就这样边想边走,走得又黑又瘦,让唐朝的烟尘宋朝的风洗去了最后一点少年英气,疲惫地伏在边地旅舍的小桌子上涂涂抹抹,然后向路人打听邮筒的所在,把刚刚写下的那点东西寄走。走一程寄一篇,逛到国外也是如此,这便成了《收获》上的那个专栏,以及眼下这本书。记得专栏结束时我曾十分惶恐地向读者道歉,麻烦他们苦苦累累地陪我走了好一程不太愉快的路。

当然事情也有较为乐观的一面。真正走得远、看得多了,也会产生一些超拔的想头,就象我们在高处看蚂蚁搬家总能发现它们在择路上的诸多可议论处。世间的种种定位毕竟都还有一些可选择的余地,也许,正是对这种可选择性的承认与否和容忍的幅度,最终决定着一个人的心理年龄,或者说大一点,决定着一种文化、一种历史的生命潜能和更新可能。事实上,即便是在一种近似先天的定位中,往往也能追寻到前人徘徊的身影,那我们又何必把这种定位看成天生血缘呢?

其实,所有的故乡原本不都是异乡吗?所谓故乡不过是我们祖先漂泊旅程中落脚的最后一站。

我抛弃了所有的忧伤与疑虑,去追逐那无家的潮水,因为那永恒的异乡人在召唤我,他正沿着这条路走来。

既然是漂泊旅程,那么,每一次留驻都不会否定新的出发。基于此,我的笔下也出现了一些有关文化走向的评述。

我无法不老,但我还有可能年轻。我不敢对我们过于庞大的文化有什么祝祈,却希望自己笔下的文字能有一种苦涩后的回味,焦灼后的会心,冥思后的放松,苍老后的年轻。

当然,希望也只是希望罢了,何况这实在已是一种奢望。

道 士 塔

一

莫高窟大门外,有一条河,过河有一溜空地,高高低低建着几座僧人圆寂塔。塔呈圆形,状近葫芦,外敷白色。从几座坍弛的来看,塔心竖一木桩,四周以黄泥塑成,基座垒以青砖。历来住持莫高窟的僧侣都不富裕,从这里也可找见证明。夕阳西下,朔风凛冽,这个破落的塔群更显得悲凉。

有一座塔,由于修建年代较近,保存得较为完整。塔身有碑文,移步读去,猛然一惊,它的主人,竟然就是那个王圆箓!

历史已有记载,他是敦煌石窟的罪人。

我见过他的照片,穿着土布棉衣,目光呆滞,畏畏缩缩,是那个时代到处可以遇见的一个中国平民。他原是湖北麻城的农民,逃荒到甘肃,做了道士。几经转折,不幸由他当了莫高窟的家,把持着中国古代最灿烂的文化。他从外国冒险家手里接过极少的钱财,让他们把难以计数的敦煌文物一箱箱运走。今天,敦煌研究院的专家们只得一次次屈辱地从外国博物馆买取敦煌文献的微缩胶卷,叹息一声,走到放大机前。

完全可以把愤怒的洪水向他倾泄。但是,他太卑微,太渺小,太愚昧,最大的倾泄也只是对牛弹琴,换得一个漠然的表情。让

1

他这具无知的躯体全然肩起这笔文化重债,连我们也会觉得无聊。

这是一个巨大的民族悲剧。王道士只是这出悲剧中错步上前的小丑。一位年轻诗人写道,那天傍晚,当冒险家斯坦因装满箱子的一队牛车正要启程,他回头看了一眼西天凄艳的晚霞。那里,一个古老民族的伤口在滴血。

二

真不知道一个堂堂佛教圣地,怎么会让一个道士来看管。中国的文官都到哪里去了,他们滔滔的奏折怎么从不提一句敦煌的事由?

其时已是20世纪初年,欧美的艺术家正在酝酿着新世纪的突破。罗丹正在他的工作室里雕塑,雷诺阿、德加、塞尚已处于创作晚期,马奈早就展出过他的《草地上的午餐》。他们中有人已向东方艺术投来歆羡的目光,而敦煌艺术,正在王道士手上。

王道士每天起得很早,喜欢到洞窟里转转,就像一个老农,看看他的宅院。他对洞窟里的壁画有点不满,暗乎乎的,看着有点眼花。亮堂一点多好呢,他找了两个帮手,拎来一桶石灰。草扎的刷子装上一个长把,在石灰桶里蘸一蘸,开始他的粉刷。第一遍石灰刷得太薄,五颜六色还隐隐显现,农民做事就讲个认真,他再细细刷上第二遍。这儿空气干燥,一会儿石灰已经干透。什么也没有了,唐代的笑容,宋代的衣冠,洞中成了一片净白。道士擦了一把汗憨厚地一笑,顺便打听了一下石灰的市价。他算来算去,觉得暂时没有必要把更多的洞窟刷白,就刷这几个吧,他达观地放下了刷把。

当几面洞壁全都刷白,中座的塑雕就显得过分惹眼。在一个干干净净的农舍里，她们婀娜的体态过于招摇，她们柔美的浅笑有点尴尬。道士想起了自己的身份，一个道士，何不在这里搞上几个天师、灵官菩萨？他吩咐帮手去借几个铁锤，让原先几座塑雕委曲一下。事情干得不赖，才几下，婀娜的体态变成碎片，柔美的浅笑变成了泥巴。听说邻村有几个泥匠，请了来，拌点泥，开始堆塑他的天师和灵官。泥匠说从没干过这种活计，道士安慰道，不妨，有那点意思就成。于是，像顽童堆造雪人，这里是鼻子，这里是手脚，总算也能稳稳坐住。行了，再拿石灰，把它们刷白。画一双眼，还有胡子，像模像样。道士吐了一口气，谢过几个泥匠，再作下一步筹划。

今天我走进这几个洞窟，对着惨白的墙壁、惨白的怪像，脑中也是一片惨白。我几乎不会言动，眼前直晃动着那些刷把和铁锤。"住手！"我在心底痛苦地呼喊，只见王道士转过脸来，满眼困惑不解。是啊，他在整理他的宅院，闲人何必喧哗？我甚至想向他跪下，低声求他："请等一等，等一等……"但是等什么呢？我脑中依然一片惨白。

三

1900 年 5 月 26 日清晨，王道士依然早起，辛辛苦苦地清除着一个洞窟中的积沙。没想到墙壁一震，裂开一条缝，里边似乎还有一个隐藏的洞穴。王道士有点奇怪，急忙把洞穴打开，嗬，满满实实一洞的古物！

王道士完全不能明白，这天早晨，他打开了一扇轰动世界的门户。一门永久性的学问，将靠着这个洞穴建立。无数才华横溢的学者，将为这个洞穴耗尽终生。中国的荣耀和耻辱，将由这个洞穴吞吐。

现在，他正衔着旱烟管，扒在洞窟里随手捡翻。他当然看不懂这些东西，只觉得事情有点蹊跷。为何正好我在这儿时墙壁裂缝了呢？或许是神对我的酬劳。趁下次到县城，捡了几个经卷给县长看看，顺便说说这桩奇事。

县长是个文官，稍稍掂出了事情的分量。不久甘肃学台叶炽昌也知道了，他是金石学家，懂得洞窟的价值，建议藩台把这些文物运到省城保管。但是东西很多，运费不低，官僚们又犹豫了。只有王道士一次次随手取一点出来的文物，在官场上送来送去。

中国是穷。但只要看看这些官僚豪华的生活排场，就知道绝不会穷到筹不出这笔运费。中国官员也不是都没有学问，他们也已在窗明几净的书房里翻动出土经卷，推测着书写朝代了。但他们没有那副赤肠，下个决心，把祖国的遗产好好保护一下。他们文雅地摸着胡须，吩咐手下："什么时候，叫那个道士再送几件来！"已得的几件，包装一下，算是送给哪位京官的生日礼品。

就在这时，欧美的学者、汉学家、考古家、冒险家，却不远万里，风餐露宿，朝敦煌赶来。他们愿意变卖掉自己的全部财产，充作偷运一两件文物回去的路费。他们愿意吃苦，愿意冒着葬身沙漠的危险，甚至作好了被打、被杀的准备，朝这个刚刚打开的洞窟赶来。他们在沙漠里燃起了股股炊烟，而中国官员的客厅里，也正茶香缕缕。

没有任何关卡，没有任何手续，外国人直接走到了那个洞窟跟前。洞窟砌了一道砖、上了一把锁，钥匙挂在王道士的裤腰带上。外国人未免有点遗憾，他们万里冲刺的最后一站，没有遇到森严的文物保护官邸，没有碰见冷漠的博物馆馆长，甚至没有遇到看守和门卫，一切的一切，竟是这个肮脏的土道士。他们只得幽默地耸耸肩。

略略交谈几句，就知道了道士的品位。原先设想好的种种方案纯属多余，道士要的只是一笔最轻松的小买卖。就像用两枚针换一只鸡，一颗钮扣换一篮青菜。要详细地复述这笔交换帐，也许我的笔会不太沉稳，我只能简略地说：1905年10月，俄国人勃奥鲁切夫用一点点随身带着的俄国商品，换取了一大批文书经卷；1907年5月，匈牙利人斯坦因用一叠子银元换取了24大箱经卷、5箱织绢和绘画；1908年7月，法国人伯希和又用少量银元换去了10大车、6 000多卷写本和画卷；1911年10月，日本人吉川小一郎和橘瑞超用难以想象的低价换取了300多卷写本和两尊唐塑；1914年，斯坦因第二次又来，仍用一点银元换去了5大箱、600多卷经卷；……

道士也有过犹豫，怕这样会得罪了神。解除这种犹豫十分简单，那个斯坦因就哄他说，自己十分崇拜唐僧，这次是倒溯着唐僧的脚印，从印度到中国取经来了。好，既然是洋唐僧，那就取走吧，王道士爽快地打开了门。这里不用任何外交辞令，只需要几句现编的童话。

一箱子，又一箱子。一大车，又一大车。都装好了，扎紧了，吁——，车队出发了。

没有走向省城，因为老爷早就说过，没有运费。好吧，那就运到伦敦，运到巴黎，运到彼得堡，运到东京。

王道士频频点头，深深鞠躬，还送出一程。他恭敬地称斯坦因为"司大人讳代诺"，称伯希和为"贝大人讳希和"。他的口袋里有了一些沉甸甸的银元，这是平常化缘时很难得到的。他依依惜别，感谢司大人、贝大人的"布施"。车队已经驶远，他还站在路口。沙漠上，两道深深的车辙。

斯坦因他们回到国外，受到了热烈的欢迎。他们的学术报告和探险报告，时时激起如雷的掌声。他们的叙述中常常提到古怪的王道士，让外国听众感到，从这么一个蠢人手中抢救出这笔遗产,是多么重要。他们不断暗示,是他们的长途跋涉,使敦煌文献从黑暗走向光明。

他们都是富有实干精神的学者,在学术上,我可以佩服他们。但是,他们的论述中遗忘了一些极基本的前提。出来辩驳为时已晚,我心头只是浮现出一个当代中国青年的几行诗句,那是他写给火烧圆明园的额尔金勋爵的:

> 我好恨
> 恨我没早生一个世纪
> 使我能与你对视着站立在
> 　阴森幽暗的古堡
> 　晨光微露的旷野
> 要么我拾起你扔下的白手套
> 要么你接住我甩过去的剑
> 要么你我各乘一匹战马
> 远远离开遮天的帅旗
> 　离开如云的战阵
> 　决胜负于城下

对于这批学者,这些诗句或许太硬。但我确实想用这种方式,拦住他们的车队。对视着,站立在沙漠里。他们会说,你们无力研究;那么好,先找一个地方,坐下来,比比学问高低。什么都成,就是不能这么悄悄地运走祖先给我们的遗赠。

我不禁又叹息了,要是车队果真被我拦下来了,然后怎么办呢?我只得送缴当时的京城,运费姑且不计。但当时,洞窟文献不是确也有一批送京的吗?其情景是,没装木箱,只用席子乱捆,沿途官员伸手进去就取走一把,在哪儿歇脚又得留下几捆,结果,到京城时已零零落落,不成样子。

偌大的中国,竟存不下几卷经文!比之于被官员大量糟践的情景,我有时甚至想狠心说一句:宁肯存放在伦敦博物馆里!这句话终究说得不太舒心。被我拦住的车队,究竟应该驶向哪里?这里也难,那里也难,我只能让它停驻在沙漠里,然后大哭一场。

我好恨!

四

不止是我在恨。敦煌研究院的专家们,比我恨得还狠。他们不愿意抒发感情,只是铁板着脸,一钻几十年,研究敦煌文献。文献的胶卷可以从外国买来,越是屈辱越是加紧钻研。

我去时,一次敦煌学国际学术讨论会正在莫高窟举行。几天会罢,一位日本学者用沉重的声调作了一个说明:"我想纠正一个过去的说法。这几年的成果已经表明,敦煌在中国,敦煌学也在中国!"

中国的专家没有太大的激动,他们默默地离开了会场,走过王道士的圆寂塔前。

莫　高　窟

一

　　莫高窟对面，是三危山。《山海经》记，"舜逐三苗于三危"。可见它是华夏文明的早期屏障，早得与神话分不清界线。那场战斗怎么个打法，现在已很难想象，但浩浩荡荡的中原大军总该是来过的。当时整个地球还人迹稀少，哒哒的马蹄声显得空廓而响亮。让这么一座三危山来做莫高窟的映壁，气概之大，人力莫及，只能是造化的安排。

　　公元 366 年，一个和尚来到这里。他叫乐樽，戒行清虚，执心恬静，手持一支锡杖，云游四野。到此已是傍晚时分，他想找个地方栖宿。正在峰头四顾，突然看到奇景：三危山金光灿烂，烈烈扬扬，像有千佛在跃动。是晚霞吗？不对，晚霞就在西边，与三危山的金光遥遥对应。

　　三危金光之谜，后人解释颇多，在此我不想议论。反正当时的乐樽和尚，刹那间激动万分。他怔怔地站着，眼前是腾燃的金光，背后是五彩的晚霞，他浑身被照得通红，手上的锡杖也变得水晶般透明。他怔怔地站着，天地间没有一点声息，只有光的流溢，色的笼罩。他有所憬悟，把锡杖插在地上，庄重地跪下身来，朗声发愿，从今要广为化缘，在这里筑窟造像，使它真正成为圣地。和尚发愿完毕，两方光焰俱黯，苍然暮色压着茫茫沙原。

不久，乐樽和尚的第一个石窟就开工了。他在化缘之时广为播扬自己的奇遇，远近信士也就纷纷来朝拜胜景。年长日久，新的洞窟也一一挖出来了。上至王公，下至平民，或者独筑，或者合资，把自己的信仰和祝祈，全向这座陡坡凿进。从此，这个山岙的历史，就离不开工匠斧凿的叮当声。

工匠中隐潜着许多真正的艺术家。前代艺术家的遗留，又给后代艺术家以默默的滋养。于是，这个沙漠深处的陡坡，浓浓地吸纳了无量度的才情，空灵灵又胀鼓鼓地站着，变得神秘而又安详。

二

从哪一个人口密集的城市到这里，都非常遥远。在可以想象的将来，还只能是这样。它因华美而矜持，它因富有而远藏。它执意要让每一个朝圣者，用长途的艰辛来换取报偿。

我来这里时刚过中秋，但朔风已是铺天盖地。一路上都见鼻子冻得通红的外国人在问路，他们不懂中文，只是一叠连声地喊着："莫高！莫高！"声调圆润，如呼亲人。国内游客更是拥挤，傍晚闭馆时分，还有一批刚刚赶到的游客，在苦苦央求门卫，开方便之门。

我在莫高窟一连呆了好几天。第一天入暮，游客都已走完了，我沿着莫高窟的山脚来回徘徊。试着想把白天观看的感受在心头整理一下，很难；只得一次次对着这堵山坡傻想，它究竟是个什么样的存在？

比之于埃及的金字塔，印度的山奇大塔，古罗马的斗兽场遗迹，中国的许多文化遗迹常常带有历史的层累性。别国的遗迹一般修建于一时,兴盛于一时,以后就以纯粹遗迹的方式保存着,让人瞻仰。中国的长城就不是如此,总是代代修建、代代拓伸。长城,作为一种空间的蜿蜒,竟与时间的蜿蜒紧紧对应。中国历史太长、战乱太多、苦难太深,没有哪一种纯粹的遗迹能够长久保存,除非躲在地下,躲在坟里,躲在不为常人注意的秘处。阿房宫烧了,滕王阁坍了,黄鹤楼则是新近重修。成都的都江堰所以能长久保留,是因为它始终发挥着水利功能。因此,大凡至今轰传的历史胜迹,总是生生不息、吐纳百代的独特秉赋。

莫高窟可以傲视异邦古迹的地方,就在于它是一千多年的层层累聚。看莫高窟,不是看死了一千年的标本,而是看活了一千年的生命。一千年而始终活着,血脉畅通、呼吸匀停,这是一种何等壮阔的生命!一代又一代艺术家前呼后拥向我们走来,每个艺术家又牵连着喧闹的背景,在这里举行着横跨千年的游行。纷杂的衣饰使我们眼花缭乱,呼呼的旌旗使我们满耳轰鸣。在别的地方,你可以蹲下身来细细玩索一块碎石、一条土埂,在这儿完全不行,你也被裹卷着,身不由主,踉踉跄跄,直到被历史的洪流消融。在这儿,一个人的感官很不够用,那干脆就丢弃自己,让无数双艺术巨手把你碎成轻尘。

因此,我不能不在这暮色压顶的时刻,在山脚前来回徘徊,一点点地找回自己,定一定被震撼了的惊魂。晚风起了,夹着细沙,吹得脸颊发疼。沙漠的月亮,也特别清冷。山脚前有一泓泉流,汩汩有声。抬头看看,侧耳听听,总算,我的思路稍见头绪。

白天看了些什么,还是记不大清。只记得开头看到的是青褐浑厚的色流,那应该是北魏的遗存。色泽浓厚沉着得如同立体,笔触奔放豪迈得如同剑戟。那个年代故事频繁,驰骋沙场的又多北方骠壮之士,强悍与苦难汇合,流泻到了石窟的洞壁。当工匠们正在这些洞窟描绘的时候,南方的陶渊明,在破残的家园里喝

10

着闷酒。陶渊明喝的不知是什么酒,这里流荡着的无疑是烈酒,没有什么芬芳的香味,只是一派力,一股劲,能让人疯了一般,拔剑而起。这里有点冷,有点野,甚至有点残忍;

色流开始畅快柔美了,那一定是到了隋文帝统一中国之后。衣服和图案都变得华丽,有了香气,有了暖意,有了笑声。这是自然的,隋炀帝正乐呵呵地坐在御船中南下,新竣的运河碧波荡漾,通向扬州名贵的奇花。隋炀帝太凶狠,工匠们不会去追随他的笑声,但他们已经变得大气、精细,处处预示着,他们手下将会奔泻出一些更惊人的东西;

色流猛地一下涡漩卷涌,当然是到了唐代。人世间能有的色彩都喷射出来,但又喷得一点儿也不野,舒舒展展地纳入细密、流利的线条,幻化为壮丽无比的交响乐章。这里不再仅仅是初春的气温,而已是春风浩荡,万物甦醒,人们的每一缕筋肉都想跳腾。这里连禽鸟都在歌舞,连繁花都裹卷成图案,为这个大地欢呼。这里的雕塑都有脉搏和呼吸,挂着千年不枯的吟笑和娇嗔。这里的每一个场面,都非双眼能够看尽,而每一个角落,都够你留连长久。这里没有重复,真正的欢乐从不重复。这里不存在刻板,刻板容不下真正的人性。这里什么也没有,只有人的生命在蒸腾。一到别的洞窟还能思忖片刻,而这里,一进入就让你燥热,让你失态,让你只想双足腾空。不管它画的是什么内容,一看就让你在心底惊呼,这才是人,这才是生命。人世间最有吸引力的,莫过于一群活得很自在的人发出的生命信号。这种信号是磁,是蜜,是涡卷方圆的魔井。没有一个人能够摆脱这种涡卷,没有一个人能够面对着它们而保持平静。唐代就该这样,这样才算唐代。我们的民族,总算拥有这么一个朝代,总算有过这么一个时刻,驾驭如此瑰丽的色流,而竟能指挥若定;

色流更趋精细,这应是五代。唐代的雄风余威未息,只是由炽热走向温煦，由狂放渐趋沉着。头顶的蓝天好像小了一点，野外的清风也不再鼓荡胸襟；

终于有点灰黯了，舞蹈者仰首看到变化了的天色，舞姿也开始变得拘谨。仍然不乏雅丽，仍然时见妙笔，但欢快的整体气氛，已难于找寻。洞窟外面，辛弃疾、陆游仍在握剑长歌，美妙的音色已显得孤单，苏东坡则以绝世天才，与陶渊明呼应。大宋的国土，被下坡的颓势，被理学的层云，被重重的僵持，遮得有点阴沉；

色流中很难再找到红色了，那该是到了元代；

……

这些朦胧的印象，稍一梳理，已颇觉劳累，像是赶了一次长途的旅人。据说，把莫高窟的壁画连起来，整整长达60华里。我只不信，60华里的路途对我轻而易举，哪有这般劳累？

夜已深了，莫高窟已经完全沉睡。就像端详一个壮汉的睡姿一般，看它睡着了，也没有什么奇特，低低的、静静的，荒秃秃的，与别处的小山一样。

三

第二天一早，我又一次投入人流，去探寻莫高窟的底蕴，尽管毫无自信。

游客各种各样。有的排着队，在静听讲解员讲述佛教故事；有的捧着画具，在洞窟里临摹；有的不时拿出笔记写上几句，与身旁的伙伴轻声讨论着学术课题。他们就像焦距不一的镜头，对着同一个拍摄对象，选择着自己所需要的清楚和模糊。

莫高窟确实有着层次丰富的景深(depth of field)，让不同的游客摄取。听故事，学艺术，探历史，寻文化，都未尝不可。一切伟大的艺术，都不会只是呈现自己单方面的生命。它们为观看者存在，它们期待着仰望的人群。一堵壁画，加上壁画前的唏嘘和叹息，才是这堵壁画的立体生命。游客们在观看壁画，也在观看自己。于是，我眼前出现了两个长廊：艺术的长廊和观看者的心灵长廊；也出现了两个景深：历史的景深和民族心理的景深。

如果仅仅为了听佛教故事，那么它多姿的神貌和色泽就显得有点浪费。如果仅仅为了学绘画技法，那么它就吸引不了那么多普通的游客。如果仅仅为了历史和文化，那么它至多只能成为厚厚著述中的插图。它似乎还要深得多，复杂得多，也神奇得多。

它是一种聚会，一种感召。它把人性神化，付诸造型，又用造型引发人性，于是，它成了民族心底一种彩色的梦幻，一种圣洁的沉淀，一种永久的向往。

它是一种狂欢，一种释放。在它的怀抱里神人交融、时空飞腾，于是，它让人走进神话，走进寓言，走进宇宙意识的霓虹。在这里，狂欢是天然秩序，释放是天赋人格，艺术的天国是自由的殿堂。

它是一种仪式，一种超越宗教的宗教。佛教理义已被美的火焰蒸馏，剩下了仪式应有的玄秘、洁净和高超。只要是知闻它的人，都会以一生来投奔这种仪式，接受它的洗礼和熏陶。

这个仪式如此宏大，如此广袤。甚至，没有沙漠，也没有莫高窟，没有敦煌。仪式从沙漠的起点已经开始，在沙窝中一串串深深的脚印间，在一个个夜风中的帐篷里，在一具具洁白的遗骨中，在长毛飘飘的骆驼背上。流过太多眼泪的眼睛，已被风沙磨钝，但是不要紧，迎面走来从那里回来的朝拜者，双眼是如此晶亮。我相信，一切为宗教而来的人，一定能带走超越宗教的感受，在一生的潜意识中蕴藏。蕴藏又变作遗传，下一代的苦旅者又浩浩荡荡。为什么甘肃艺术家只是在这里撷取了一个舞姿，就能引起全国性的狂热？为什么张大千举着油灯从这里带走一些线条，

13

就能风靡世界画坛？只是仪式，只是人性，只是深层的蕴藏。过多地捉摸他们的技法没有多大用处，他们的成功只在于全身心地朝拜过敦煌。蔡元培在本世纪初提出过以美育代宗教，我在这里分明看见，最高的美育也有宗教的风貌。或许，人类的将来，就是要在这颗星球上建立一种有关美的宗教？

四

离开敦煌后，我又到别处旅行。

我到过另一个佛教艺术胜地，那里山清水秀，交通便利。思维机敏的讲解员把佛教故事与今天的社会新闻、行为规范联系起来，讲了一门古怪的道德课程。听讲者会心微笑，时露愧色。我还到过一个山水胜处，奇峰竞秀，美不胜收。一个导游指着几座略似人体的山峰，讲着一个个贞节故事，如画的山水立时成了一座座道德造型。听讲者满怀兴趣，扑于船头，细细指认。

我真怕，怕这块土地到处是善的堆垒，挤走了美的踪影。

为此，我更加思念莫高窟。

什么时候，哪一位大手笔的艺术家，能告诉我莫高窟的真正奥秘？日本井上靖的《敦煌》显然不能令人满意，也许应该有中国的赫尔曼·黑塞，写一部《纳尔齐斯与歌尔德蒙》(Narziss und Goldmund)，把宗教艺术的产生，刻划得如此激动人心，富有现代精神。

不管怎么说，这块土地上应该重新会聚那场人马喧腾、载歌载舞的游行。

我们，是飞天的后人。

阳 关 雪

中国古代，一为文人，便无足观。文官之显赫，在官场而不在文，他们作为文人的一面，在官场也是无足观的。但是事情又很怪异，当峨冠博带早已零落成泥之后，一杆竹管笔偶尔涂划的诗文，竟能镌刻山河，雕镂人心，永不漫漶。

我曾有缘，在黄昏的江船上仰望过白帝城，顶着浓冽的秋霜登临过黄鹤楼，还在一个冬夜摸到了寒山寺。我的周围，人头济济，差不多绝大多数人的心头，都回荡着那几首不必引述的诗。人们来寻景，更来寻诗。这些诗，他们在孩提时代就能背诵。孩子们的想象，诚恳而逼真。因此，这些城，这些楼，这些寺，早在心头自行搭建。待到年长，当他们刚刚意识到有足够脚力的时候，也就给自己负上了一笔沉重的宿债，焦渴地企盼着对诗境实地的踏访。为童年，为历史，为许多无法言传的原因。有时候，这种焦渴，简直就像对失落的故乡的寻找，对离散的亲人的查访。

文人的魔力，竟能把偌大一个世界的生僻角落，变成人人心中的故乡。他们褪色的青衫里，究竟藏着什么法术呢？

今天，我冲着王维的那首《渭城曲》，去寻阳关了。出发前曾在下榻的县城向老者打听，回答是："路又远，也没什么好看的，倒是有一些文人辛辛苦苦找去。"老者抬头看天，又说："这雪一时下不停，别去受这个苦了。"我向他鞠了一躬，转身钻进雪里。

一走出小小的县城，便是沙漠。除了茫茫一片雪白，什么也

15

没有,连一个皱折也找不到。在别地赶路,总要每一段为自己找一个目标,盯着一棵树,赶过去,然后再盯着一块石头,赶过去。在这里,睁疼了眼也看不见一个目标,哪怕是一片枯叶,一个黑点。于是,只好抬起头来看天。从未见过这样完整的天,一点儿也没有被吞食,边沿全是挺展展的,紧扎扎地把大地罩了个严实。有这样的地,天才叫天。有这样的天,地才叫地。在这样的天地中独个儿行走,侏儒也变成了巨人。在这样的天地中独个儿行走,巨人也变成了侏儒。

天竟晴了,风也停了,阳光很好。没想到沙漠中的雪化得这样快,才片刻,地上已见斑斑沙底,却不见湿痕。天边渐渐飘出几缕烟迹,并不动,却在加深,疑惑半响,才发现,那是刚刚化雪的山脊。

地上的凹凸已成了一种令人惊骇的铺陈,只可能有一种理解:那全是远年的坟堆。

这里离县城已经很远,不大会成为城里人的丧葬之地。这些坟堆被风雪所蚀,因年岁而坍,枯瘦萧条,显然从未有人祭扫。它们为什么会有那么多,排列得又是那么密呢?只可能有一种理解:这里是古战场。

我在望不到边际的坟堆中茫然前行,心中浮现出艾略特的《荒原》。这里正是中华历史的荒原:如雨的马蹄,如雷的呐喊,如注的热血。中原慈母的白发,江南春闺的遥望,湖湘稚儿的夜哭。故乡柳荫下的诀别,将军圆睁的怒目,猎猎于朔风中的军旗。随着一阵烟尘,又一阵烟尘,都飘散远去。我相信,死者临亡时都是面向朔北敌阵的;我相信,他们又很想在最后一刻回过头来,给熟悉的土地投注一个目光。于是,他们扭曲地倒下了,化作沙堆一座。

这繁星般的沙堆,不知有没有换来史官们的半行墨迹?史官

16

们把卷帙一片片翻过，于是，这块土地也有了一层层的沉埋。堆积如山的二十五史，写在这个荒原上的篇页还算是比较光彩的，因为这儿毕竟是历代王国的边远地带，长久担负着保卫华夏疆域的使命。所以，这些沙堆还站立得较为自在，这些篇页也还能哗哗作响。就像干寒单调的土地一样，出现在西北边陲的历史命题也比较单纯。在中原内地就不同了，山重水复、花草掩荫，岁月的迷宫会让最清醒的头脑胀得发昏，晨钟暮鼓的音响总是那样的诡秘和乖戾。那儿，没有这么大大咧咧铺张开的沙堆，一切都在重重美景中发闷，无数不知为何而死的怨魂，只能悲愤懊丧地深潜地底。不像这儿，能够袒露出一帙风干的青史，让我用 20 世纪的脚步去匆匆抚摩。

远处已有树影。急步赶去，树下有水流，沙地也有了高低坡斜。登上一个坡，猛一抬头，看见不远的山峰上有荒落的土墩一座，我凭直觉确信，这便是阳关了。

树愈来愈多，开始有房舍出现。这是对的，重要关隘所在，屯扎兵马之地，不能没有这一些。转几个弯，再直上一道沙坡，爬到土墩底下，四处寻找，近旁正有一碑，上刻"阳关古址"四字。

这是一个俯瞰四野的制高点。西北风浩荡万里，直扑而来，踉跄几步，方才站住。脚是站住了，却分明听到自己牙齿打战的声音，鼻子一定是立即冻红了的。呵一口热气到手掌，捂住双耳用力蹦跳几下，才定下心来睁眼。这儿的雪没有化，当然不会化。所谓古址，已经没有什么故迹，只有近处的烽火台还在，这就是刚才在下面看到的土墩。土墩已坍了大半，可以看见一层层泥沙，一层层苇草，苇草飘扬出来，在千年之后的寒风中抖动。眼下是西北的群山，都积着雪，层层叠叠，直伸天际。任何站立在这儿的人，都会感觉到自己是站在大海边的礁石上，那些山，全是冰海冻浪。

王维实在是温厚到了极点。对于这么一个阳关,他的笔底仍然不露凌厉惊骇之色,而只是缠绵淡雅地写道:"劝君更尽一杯酒,西出阳关无故人。"他瞟了一眼渭城客舍窗外青青的柳色,看了看友人已打点好的行囊,微笑着举起了酒壶。再来一杯吧,阳关之外,就找不到可以这样对饮畅谈的老朋友了。这杯酒,友人一定是毫不推却,一饮而尽的。

这便是唐人风范。他们多半不会洒泪悲叹,执袂劝阻。他们的目光放得很远,他们的人生道路铺展得很广。告别是经常的,步履是放达的。这种风范,在李白、高适、岑参那里,焕发得越加豪迈。在南北各地的古代造像中,唐人造像一看便可识认,形体那么健美,目光那么平静,神采那么自信。在欧洲看蒙娜丽莎的微笑,你立即就能感受,这种恬然的自信只属于那些真正从中世纪的梦魇中甦醒、对前路挺有把握的艺术家们。唐人造像中的微笑,只会更沉着、更安详。在欧洲,这些艺术家们翻天覆地地闹腾了好一阵子,固执地要把微笑输送进历史的魂魄。谁都能计算,他们的事情发生在唐代之后多少年。而唐代,却没有把它的属于艺术家的自信延续久远。阳关的风雪,竟越见凄迷。

王维诗画皆称一绝,莱辛等西方哲人反复论述过的诗与画的界线,在他是可以随脚出入的。但是,长安的宫殿,只为艺术家们开了一个狭小的边门,允许他们以卑怯侍从的身份躬身而入,去制造一点娱乐。历史老人凛然肃然,扭过头去,颤巍巍地重又迈向三皇五帝的宗谱。这里,不需要艺术闹出太大的局面,不需要对美有太深的寄托。

于是,九州的画风随之黯然。阳关,再也难于享用温醇的诗句。西出阳关的文人还是有的,只是大多成了谪官逐臣。

即便是土墩、是石城,也受不住这么多叹息的吹拂,阳关坍弛了,坍弛在一个民族的精神疆域中。它终成废墟,终成荒原。身后,沙坟如潮,身前,寒峰如浪。谁也不能想象,这儿,一千多年之前,曾经验证过人生的壮美,艺术情怀的弘广。

这儿应该有几声胡笳和羌笛的,音色极美,与自然浑和,夺人心魄。可惜它们后来都成了兵士们心头的哀音。既然一个民族都不忍听闻,它们也就消失在朔风之中。

回去罢,时间已经不早。怕还要下雪。

沙 原 隐 泉

　　沙漠中也会有路的,但这儿没有。远远看去,有几行歪歪扭扭的脚印。顺着脚印走罢,但不行,被人踩过了的地方,反而松得难走。只能用自己的脚,去走一条新路。回头一看,为自己长长的脚印高兴。不知这行脚印,能保存多久?

　　挡眼是几座巨大的沙山。只能翻过它们,别无他途。上沙山实在是一项无比辛劳的苦役。刚刚踩实一脚,稍一用力,脚底就松松地下滑。用力越大,陷得越深,下滑也越加厉害。才踩几脚,已经气喘,浑身恼怒。我在浙东山区长大,在幼童时已能欢快地翻越大山。累了,一使蛮劲,还能飞奔峰巅。这儿可万万使不得蛮劲。软软的细沙,也不硌脚,也不让你磕撞,只是款款地抹去你的全部气力。你越发疯,它越温柔,温柔得可恨之极。无奈,只能暂息雷霆之怒,把脚底放轻,与它厮磨。

　　要腾腾腾地快步登山,那就不要到这儿来。有的是栈道,有的是石阶,千万人走过了的,还会有千万人走。只是,那儿不给你留下脚印,属于你自己的脚印。来了,那就认了罢,为沙漠行走者的公规,为这些美丽的脚印。

　　心气平和了,慢慢地爬。沙山的顶越看越高,爬多少它就高多少,简直像儿时追月。已经担心今晚的栖宿。狠一狠心,不宿也罢,爬!再不理会那高远的目标了,何必自己惊吓自己。它总在的,不看也在。还是转过头来看看自己已经走过的路罢。我竟然走了那么长，爬了那么高。脚印已像一条长不可及的绸带，平静而飘逸地划下了一条波动的曲线，曲线一端，紧系脚下。完全是大手笔，不禁钦佩起自己来了。不为那山顶，只为这已经划下的曲线，爬。不管能抵达哪儿，只为已耗下的生命，爬。无论怎么说，我始终站在已走过的路的顶端。永久的顶端，不断浮动的顶端，自我的顶端，未曾后退的顶端。沙山的顶端是次要的。爬，只管爬。

　　脚下突然平实，眼前突然空阔，怯怯地抬头四顾，山顶还是被我爬到了。完全不必担心栖宿，西天的夕阳还十分灿烂。夕阳下的绵绵沙山是无与伦比的天下美景。光与影以最畅直的线条流泻着分割，金黄和黛赭都纯净得毫无斑驳，像用一面巨大的筛子筛过了。日夜的风，把山脊、山坡塑成波荡，那是极其款曼平适的波，不含一丝涟纹。于是，满眼皆是畅快，一天一地都被铺排得大大方方、明明净净。色彩单纯到了圣洁，气韵委和到了崇高。为什么历代的僧人、俗民、艺术家要偏偏选中沙漠沙山来倾泄自己的信仰，建造了莫高窟、榆林窟和其他洞窟？站在这儿，我懂了。我把自身的顶端与山的顶端合在一起，心中鸣起了天乐般的梵呗。

　　刚刚登上山脊时，已发现山脚下尚有异相，舍不得一眼看全。待放眼鸟瞰一过，此时才敢仔细端详。那分明是一弯清泉，横卧山底。动用哪一个藻饰词汇，都会是对它的亵渎。只觉它来得莽撞，来得怪异，安安静静地躲坐在本不该有它的地方，让人的眼睛看了很久还不大能够适应。再年轻的旅行者，也会像一位年迈慈父责斥自己深深钟爱的女儿一般，道一声：你怎么也跑到这里！

　　是的，这无论如何不是它来的地方。要来，该来一道黄浊的激流，但它是这样的清澈和宁谧。或者，干脆来一个大一点的湖泊，但它是这样的纤瘦和婉约。按它的品貌，该落脚在富春江畔，雁荡山间，或是从虎跑到九溪的树荫下。漫天的飞沙，难道从未把它填塞？夜半的飓风，难道从未把它吸干？这里可曾出没过强盗的足迹，借它的甘泉赖以为生？这里可曾蜂聚过匪帮的马队，在它身边留下一片污浊？

我胡乱想着，随即又愁云满面。怎么走近它呢？我站立峰巅，它委身山底；向着它的峰坡，陡峭如削。此时此刻，刚才的攀登，全化成了悲哀。向往峰巅，向往高度，结果峰巅只是一道刚能立足的狭地。不能横行，不能直走，只享一时俯视之乐，怎可长久驻足安坐？上已无路，下又艰难，我感到从未有过的孤独与惶恐。世间真正温煦的美色，都熨帖着大地，潜伏在深谷。君临万物的高度，到头来只构成自我嘲弄。我已看出了它的讥谑，于是急急地来试探下削的陡坡。人生真是艰难，不上高峰发现不了它，上了高峰又不能与它近乎。看来，注定要不断地上坡下坡、上坡下坡。

咬一咬牙，狠一狠心。总要出点事了，且把脖子缩紧，歪扭着脸上肌肉把脚伸下去。一脚，再一脚，整个骨骼都已准备好了一次重重的摔打。然而，奇了，什么也没有发生。才两脚，已嗤溜下去好几米，又站得十分稳当。不前摔，也不后仰，一时变作了高加索山头上的普罗米修斯。再稍用力，如入慢镜头，跨步若舞蹈，只十来下就到了山底。实在惊呆了：那么艰难地爬了几个时辰，下来只是几步！想想刚才伸脚时的悲壮决心，哑然失笑。康德所说的滑稽，正恰是这种情景。

来不及多想康德了，急急向泉水奔去。一湾不算太小，长可三四百步，中间最宽处，相当一条中等河道。水面之下，飘动着丛丛水草，使水色绿得更浓。竟有三只玄身水鸭，轻浮其上，带出两翼长长的波纹。真不知它们如何飞越万里关山，找到这儿。水边有树，不少已虬根曲绕，该有数百岁高龄。总之，一切清泉静池所应该有的,这儿都有了。至此,这湾泉水在我眼中又变成了独行侠,在荒漠的天地中,全靠一己之力,张罗出了一个可人的世界。

树后有一陋屋,正迟疑,步出一位老尼。手持悬项佛珠,满脸皱纹布得细密而宁静。她告诉我,这儿本来有寺,毁于20年前。我不能想象她的生活来源,讷讷动问,她指了指屋后一路,淡淡说:会有人送来。我想问她的事情自然很多,例如为何孤身一人,长守此地?什么年岁,初来这里?终于觉得对于佛家,这种追问过于钝拙,掩口作罢。眼光又转向这脉静池。答案应该都在这里。

茫茫沙漠,滔滔流水,于世无奇。惟有大漠中如此一湾,风沙中如此一静,荒凉中如此一景,高坡后如此一跌,才深得天地之韵律,造化之机巧,让人神醉情驰。以此推衍,人生、世界、历史,莫不如此。给浮嚣以宁静,给躁急以清冽,给高蹈以平实,给粗犷以明丽。惟其这样,人生才见灵动,世界才显精致,历史才有风韵。然而,人们日常见惯了的,都是各色各样的单向夸张。连自然之神也粗粗糙糙,懒得细加调配,让人世间大受其累。

因此,老尼的孤守不无道理。当她在陋室里听够了一整夜惊心动魄的风沙呼啸,明晨,即可借明静的水色把耳根洗净。当她看够了泉水的湛绿,抬头,即可望望粲然的沙壁。

——山,名为鸣沙山;泉,名为月牙泉。皆在敦煌县境内。

柳侯祠

一

客寓柳州，住舍离柳侯祠仅一箭之遥。夜半失眠，迷迷顿顿，听风声雨声，床边似长出齐膝荒草，柳宗元跨过千年飘然孑立，青衫灰黪，神色孤伤。第二天一早，我便向祠中走去。

挡眼有石塑一尊，近似昨夜见到神貌。石塑底座镌《荔子碑》《剑铭碑》，皆先生手迹。石塑背后不远处是罗池，罗池东侧有柑香亭，西侧乃柳侯祠，祠北有衣冠墓。这些名目，只要粗知宗元行迹，皆耳熟能详。

祠为粉墙灰瓦，回廊构架。中庭植松柏，东厢是碑廊。所立石碑，皆刻后人凭吊纪念文字，但康熙前的碑文，都已漫漶不可辨识。由此想到，宗元离去确已很远，连通向他的祭祀甬道，也已截截枯朽。时值清晨，祠中寥无一人，只能静听自己的脚步声，在回廊间回响，从漫漶走向清晰，又从清晰走向漫漶。

二

柳宗元到此地，是公元 815 年夏天。当时这里是远未开化的南荒之地，朝廷贬放罪人的所在，一听地名就叫人惊栗，就像后来俄国的西伯利亚。西伯利亚还有那份开阔和银亮,这里却整个被原始野林笼罩着,潮湿蒸郁,暗无天日,人烟稀少,瘴疫猖獗。去西伯利亚的罪人,还能让雪橇划下两道长长的生命曲线,这里没有,投下多少具文人的躯体,也消蚀得无影无踪。面南而坐的帝王时不时阴惨一笑,御笔一划,笔尖遥指这座宏大无比的天然监狱。

柳宗元是赶了长路来到这里的。他的被贬,还在10年之前,贬放地是湖南永州。他在永州呆了10年,日子过得孤寂而荒凉。亲族朋友不来理睬,地方官员时时监视。灾难使他十分狼狈,一度蓬头垢面,丧魂落魄。但是,灾难也给了他一份宁静,使他有足够的时间与自然相晤,与自我对话。于是,他进入了最佳写作状态,中国文化史拥有了《永州八记》和其他篇什,华夏文学又一次凝聚出了高峰性的构建。

照理,他可以心满意足,不再顾虑仕途枯荣。但是,他是中国人,他是中国文人,他是封建时代的中国文人。他已实现了自己的价值,却又迷惘着自己的价值。永州归还给他一颗比较完整的灵魂,但灵魂的薄壳外还隐伏着无数诱惑。这年年初,一纸诏书命他返回长安,他还是按捺不住,欣喜万状,急急赶去。

当然会经过汨罗江,屈原的形貌立即与自己交叠起来。他随口吟道:

> 南来不做楚臣悲,
> 重入修门自有期。
> 为报春风汨罗道,
> 莫将波浪枉明时。

《汨罗遇风》

25

这样的诗句出自一位文化大师之手,读着总让人不舒服。他提到了屈原,有意无意地写成了"楚臣",倒也没有大错。同是汨罗江畔,当年悲悲戚戚的屈原与今天喜气洋洋的柳宗元,心境不同,心态相仿。

个人是没有意义的,只有王朝宠之贬之的臣吏,只有父亲的儿子或儿子的父亲,只有朋友间亲疏网络中的一点,只有战栗在众口交铄下的疲软肉体,只有上下左右排行第几的坐标,只有社会洪波中的一星波光,只有种种伦理观念的组合和会聚。不应有生命实体,不应有个体灵魂。

到得长安,兜头一盆冷水,朝廷厉声宣告,他被贬到了更为边远的柳州。

朝廷像在给他做游戏,在大一统的版图上挪来移去。不能让你在一处滞留太久,以免对应着稳定的山水构建起独立的人格。多让你在长途上颠颠簸簸吧,让你记住:你不是你。

柳宗元凄楚南回,同路有刘禹锡。刘禹锡被贬到广东连州,不能让这两个文人呆在一起。到衡阳应该分手了,两位文豪牵衣拱手,流了很多眼泪。宗元赠别禹锡的诗句是:"今朝不用临河别,垂泪千行便濯缨。"到柳州时,泪迹未干。

嘴角也绽出一丝笑容,那是在嘲谑自己:"十年憔悴到秦京,谁料翻为岭外行。"悲剧,上升到滑稽。

这年他43岁,正当盛年。但他预料,这个陌生的柳州会是他的丧葬之地。他四处打量,终于发现了这个罗池,池边还有一座破损不堪的罗池庙。

他无法预料的是,这个罗池庙,将成为他的祭祠,被供奉千年。

不为什么,就为他破旧箱箧里那一札皱巴巴的诗文。

三

屈原自没于汨罗江,而柳宗元则走过汨罗江回来了。幸好回来,柳州、永州无所谓,总比在长安强。什么也不怕,就怕文化人格的失落。中国,太寂寞。

在柳州的柳宗元,宛若一个鲁滨逊。他有一个小小的贬谪官职,利用着,挖了井,办了学,种了树,修了寺庙,放了奴婢。毕竟劳累,在 47 岁上死去。

柳宗元晚年所干的这些事,一般被称为政绩。当然也对,但他的政绩有点特别,每件事,都按着一个正直文人的心意,依照所遇所见的实情作出,并不考据何种政治规范;作了,又花笔墨加以阐释,疏浚理义,文采斐然,成了一种文化现象。在这里,他已不是朝廷棋盘中一枚无生命的棋子,而是凭着自己的文化人格,营筑着一个可人的小天地。在当时的中国,这种有着浓郁文化气息的小天地,如果多一些,该多好。

时间增益了柳宗元的魅力。他死后,一代又一代,许多文人带着崇敬和疑问仰望着这位客死南荒的文豪。重蹈他的覆辙的贬官,在南下的路途中,一想到柳宗元,心情就会平适一点。柳州的历代官吏,也会因他而重新检点自己的行止。这些,都可以从柳侯祠碑廊中看到。柳宗元成了一个独特的形象,使无数文官或多或少地强化了文人意识,询问自己存在的意义。如今柑香亭畔还有一石碑,为光绪十八年间柳州府事蒋兆奎立,这位长沙籍官员写了洋洋洒洒一大篇碑文,说他从柳宗元身上看到了学识文章、自然游观与政事的统一。"夫文章政事,不判两途。侯固以文章而能政事者,而又以游观为为政之具,俾乱虑滞志,无所容入,然后理达而事成,故其惠化至今。"为此,他下决心重修柑香亭,没有钱,就想方设法,精打细算,在碑文中报了一笔筹款明细帐。

亭建成后,他便常来这里思念柳宗元,所谓"每于公退之暇,登斯亭也,江山如是,蕉荔依然,见实闻花,宛如当日"。不能不说,这位府事的文化意识和文化人格,因柳宗元而有所上升。

更多的是疑问。重重石碑发出了重重感叹、重重疑问,柳宗元不断地引发着后人苦苦思索:

> 文字由来重李唐,
> 如何万里竟投荒?
>
> 池枯犹滴投荒泪,
> 邈古难传去国神……
>
> 自昔才名天所扼,
> 文章公独耀南荒……
>
> 旧泽尚能传柳郡,
> 新亭谁为续柑香?

这些感叹和疑问,始终也没有一个澄明的归结。旧石碑模糊了,新石碑又续上去。最新的石碑树在衣冠墓前,郭沫若题,时间是1974年12月。当时,柳宗元变成了"法家",衣冠墓修得很漂亮。

倒是现任柳州市副市长的几句话使我听了眼睛一亮。他说:"这两年柳州的开放和崛起,还得感谢柳宗元和其他南下贬官。他们从根子上使柳州开通。"这位副市长年岁尚轻,大学毕业,也是个文人。

四

我在排排石碑间踽踽独行。中国文人的命运，在这里裸裎。

但是，日近中天了，这里还是那样宁静。游人看是一个祠堂，不大愿意进来。几个少年抬起头看了一会石碑，他们读不懂那些碑文。石碑固执地怆然肃立，少年们放轻脚步，离它们而去。

静一点也好，从柳宗元开始，这里历来宁静。京都太嘈杂了，面壁十年的九州学子，都曾向往过这种嘈杂。结果，满腹经纶被车轮马蹄捣碎，脆亮的吆喝填满了疏朗的胸襟。唯有在这里，文采华章才从朝报奏摺中抽出，重新凝入心灵，并蔚成方圆。它们突然变得清醒，浑然构成张力，生气勃勃，与殿阙对峙，与史官争辩，为普天皇土留下一脉异音。世代文人，由此而增添一成傲气，三分自信。华夏文明，才不至全然黯暗。朝廷万万未曾想到，正是发配南荒的御批，点化了民族的精灵。

好吧，你们就这么固执地肃立着吧。明天，或许后天，会有一些游人，一些少年，指指点点，来破读这些碑文。

白 莲 洞

一

写完《柳侯祠》，南去 20 里，去看白莲洞。

先我 30 余年，两位古人类学家到这里作野外考察。他们拿着小耙东掘掘、西挖挖。突然，他们的手停住了，在长时间的静默中，3 万年光阴悄悄回归，人们终于知道，这个普通的溶洞，曾孕育过远古人类的一个重要系脉。

今天，至少亚洲的许多人类学家都在研究他们的种族与"白莲洞人"的血缘关系。更浪漫的学者甚至把联系的长线拉上了南美洲的地图。

在我看来，诸般学问中，要数考古学最有诗意。难怪不少中外大诗人兼通此道。白莲洞要末不进，进去便是半个诗人。

二

我走进洞口。

不知是哪一天，哪一个部落，也偶然走进了洞口。一声长啸，一片欢腾。他们惊惧地打量过洞内黑森森的深处，野兽的鸣叫隐隐传出。他们疑虑地仰望过洞顶的钟乳石，不知它们会带来什么灾祸。但是，不管了，握起尖利的石块朝前走，这里是该我们的家。

洞内的猛兽早已成群结队，与人类争夺这个天地。一场恶斗，一片死寂。一个部落被吞没了，什么也没有留下。又不知过了多少年月，又一个部落发现了这个洞穴，仍然是一场恶斗，一片死寂。终于，有一次，在血肉堆中第一个晃晃悠悠站起来的，是人而不是兽。人类，就此完成了一次占有。

我跌跌撞撞往里走。

有声响了。头顶有"吱吱"的叫声，那是蝙蝠，盘旋在洞顶；脚下有"喇喇"的水声，那是盲鱼，窜游在伏流。洞里太黑，它们都失去了眼睛，瞎撞了多少万年。洞边有火坑遗迹，人在这里点燃了火炬，成了唯一光明的动物。深深的黑洞在火光下映入瞳孔，这一人种也就有了乌黑的眼珠。

想起了一篇作品《野古马》，写成吉思汗留下的一个马群始终活着，奔驰游观，直至如今。蝙蝠和盲鱼也该是先民留下的伙伴吧？那末，我是在探寻祖宅。要与蝙蝠和盲鱼对话，实在显得矫情；但是，我直盯盯地看着它们，确也心事沉沉。

论安逸，是它们。躲在这么个洞子里，连风暴雨雪也没挨到一次，一代又一代，繁衍至今。人类自从与它们揖别，闯出洞口，真无一日安宁。凶猛的野兽被一个个征服了，不少伙伴却成了野兽，千万年来征战不息。在这个洞中已经能够燃起火炬，在洞外却常有人把火炬踩灭，把寥廓的天地变成一个黑洞，长年累月无路可寻。无数的奇迹被创造出来，机巧的罪恶也骇人听闻。宏大的世界常常变成一个孤岛，喧腾的人生有时比洞中还要冷清。

洞中有一石幔，上嵌珊瑚、贝壳、海螺化石无数，据测定，几亿年前，这儿曾是海底。对这堵石幔来说，人类的来到、离去、重返，确实只是一瞬而已。

温软的手指触摸着坚硬的化石，易逝的生命叩问着无穷的历史。理所当然，几万年前的祖先也触摸过它，发出过疑问。我的疑问，与他们相差无几：我们从何处来到这里？又从这里走向何处？

三

也许是对洞穴的早期占有，使人类与洞穴有了怪异的缘分。据1987年世界民意测验研究所对800万美国人的调查，许多濒死复生的人追述，临近死亡时，人的朦胧意识也就是进入一个黑洞：

> 它们觉得自己被一股旋风吸到了一个巨大的黑洞口，并且在黑魆魆的洞里飞速向前冲去。而且觉得自己的身体被牵拉、挤压，洞里不时出现嘈杂的音响。这时，他们的心情更加平静。
>
> ……黑洞尽头隐隐约约闪烁着一束光线，当他们接近这束光线时，觉得它给予自己一种纯洁的爱情。

可见，人类最后还得回到洞穴中的老家。我们的远祖辛辛苦苦找到了这个家，流血流汗经营了这个家，总得回去，也算叶落归根。据天文学家说，茫茫宇宙间也有一个深不可测的黑洞，神奇地吸纳着万物，裹卷着万物，吞噬着万物。地球和人类，难保哪一天不投入它的怀抱。

依我看，神秘的太极图，就像一个涡卷万物的洞口。一阴一阳呈旋转形，什么都旋得进去。太极图是无文字的先民的隆重遗留，人类有文字才数千年，而在无文字的天地里却摸索了数十万年。再笨，再傻，数十万年的捉摸也够凝结成至高的智慧。

……

不管怎么说，走向文明的人类，深层意识中也会埋藏着一个洞穴的图腾。

"芝麻，开门！"一个巨大的宝库就在洞穴之中。几乎是各民族的民间传说，都把自己物欲乃至精神的理想，指向一个神秘的洞穴。无数修道者在洞穴中度过一生，在那里构造着人生与宇宙的平衡。嫉世愤俗的基度山伯爵，会聚着新兴资产者的理想，向一个洞穴进发，然后又在那里，指挥若定，挥洒着人性的伟力。

别有洞天，是中国人创造的一个成语。中国人重义轻利，较少痴想洞中财宝，更想以洞穴为门径，走进一个栖息精神的天地。陶渊明的《桃花源记》轰传百代，就在于它开凿了这样一个洞口。

> 林尽水源，便得一山。山有小口，仿佛若有光。便
> 舍船从口入。初极狭，才通人。复行数十步，豁然开朗
> ……

这个武陵人终于来到一个理想国。从此，哪一个中国人的心底，都埋下了一个桃花源。

桃花源，是对恶浊乱世的一个挑战。这个挑战十分平静，默默地对峙着，一声不吭。待到实在耐不住的时候，中国人又开掘出一个水帘洞。这个洞口非同小可，大闹天宫的力量正在这儿孕育。

四

桃花源和水帘洞，气氛不同，性质相仿，都是群众意志的会

聚。桃花源中人惘然于时间，也惘然于空间，融洽怡和，不见个体冲撞。孙悟空有点个性，却也只是某种整体意向的象征，水帘洞里的秩序，倒是宁谧无波。

这是白莲洞人气质的遗留，先民生态的重温。白莲洞人与野兽征战，与自然搏斗，只回荡着一个观念：为着我们这种种类的动物。如果他们也有思想家，摸着海底生物的化石低头沉思，那么，他沉思的主体只是我们，而不是我。

我是什么？历史终于逼迫人们回答。

白莲洞已经蕴藏着一个大写的人字。数万年来，常有层层乌云要把这个字荫掩，因此，这个字也总是显得那么辉煌、挺展，勾发人们焦渴的期待。当非人的暴虐压顶而降，挑战者号航天飞机突然爆炸，不明飞行物频频出现，这个字还会燃起人们永久的热念。但是，这个字倘若总被大写，宽大的羽翼也会投下阴影。时代到了这一天，这群活活泼泼的生灵要把它析解成许多闪光的亮点。有多少生灵就有多少亮点，这个字才能幻化成熙熙攘攘的世界。

既然人们还得返回黑洞，为什么还要披荆斩棘地出来？出来，就是要自由地享用这个宽阔的空间；出来，就是要让每个生灵从精神到筋骨都能舒展；出来，就是要让每个个体都蒸发出自己的世界。这样，当人们重进黑洞，才不会对着蝙蝠和盲鱼羞惭。

此时我已走出白莲洞口，面对着一片绿水青山。洞口有石，正可坐下歇脚，极目鸟瞰。

我想起了张晓风的《武陵人》。晓风袭用了陶渊明的题材，却把那个偶入桃花源的武陵人作为一个单个人细细磨研。他享尽了桃花源的幸福，比照出了原籍武陵的痛苦。但是，奇怪的是，他还是毅然返回。原因是：

> 武陵不是天国，但在武陵的痛苦中，我会想起天国，但在这里，我只会遗忘。忘记了我自己，忘记了身家，忘记了天国，这里的幸福取消了我思索的权利。

于是他苦苦寻找，钻出了那个洞口。

赖声川博士的《暗恋桃花源》异曲同工，让这位进桃花源而复返的武陵人与现代生活相交杂，在甜酸苦辣中品尝一个人切实的情感价值。

台湾作家不谋而合地揶揄桃花源，正倾诉了现代中国人对神仙洞府的超越。

又想起了上海一群青年艺术家写的《山祭》。愚公的家属，在一个别有洞天的王国辛勤挖山，这个王国里有棕褐色的和谐，和无可指摘的纪律。没想到，一个现代色彩的姑娘飘然而至，诱人的风姿和一连串傻兮兮的疑问，竟使愚公的后代一一反省自身的意义，结果，庄严的洞天发生了纷乱。

还想起了《魔方》中的一段，三个大学生误入一个深深的山洞而找不到出口，生死攸关的时刻，一一迸发出真实的自我。这个山洞应和白莲洞相仿，人类走了几万年，终于会在山洞里吐露个性的哲学。纵然死了吧，也没把这几万年白活。不久前在新加坡，一群华裔青年在深夜邀我看他们的排演，演的竟然就是《魔方》中的这一段。演完，这群青年挥汗微笑，像是获得了一种摆脱。

为什么中国艺术家们总缠着山洞死死不放呢？终于，在我眼前出现了一个长长的隧洞，其间奔逐着一个古老的民族。

都 江 堰

一

我以为,中国历史上最激动人心的工程不是长城,而是都江堰。

长城当然也非常伟大,不管孟姜女们如何痛哭流涕,站远了看,这个苦难的民族竟用人力在野山荒漠间修了一条万里屏障,为我们生存的星球留下了一种人类意志力的骄傲。长城到了八达岭一带已经没有什么味道,而在甘肃、陕西、山西、内蒙一带,劲厉的寒风在时断时续的颓壁残垣间呼啸,淡淡的夕照、荒凉的旷野溶成一气,让人全身心地投入对历史、对岁月、对民族的巨大惊悸,感觉就深厚得多了。

但是,就在秦始皇下令修长城的数十年前,四川平原上已经完成了一个了不起的工程。它的规模从表面上看远不如长城宏大,却注定要稳稳当当地造福千年。如果说,长城占据了辽阔的空间,那么,它却实实在在地占据了邈远的时间。长城的社会功用早已废弛,而它至今还在为无数民众输送汩汩清流。有了它,旱涝无常的四川平原成了天府之国,每当我们民族有了重大灾难,天府之国总是沉着地提供庇护和濡养。因此,可以毫不夸张地说,它永久性地灌溉了中华民族。

有了它，才有诸葛亮、刘备的雄才大略，才有李白、杜甫、陆游的川行华章。说得近一点，有了它，抗日战争中的中国才有一个比较安定的后方。

它的水流不像万里长城那样突兀在外，而是细细浸润、节节延伸，延伸的距离并不比长城短。长城的文明是一种僵硬的雕塑，它的文明是一种灵动的生活。长城摆出一副老资格等待人们的修缮，它却卑处一隅，像一位绝不炫耀、毫无所求的乡间母亲，只知贡献。一查履历，长城还只是它的后辈。

它，就是都江堰。

二

我去都江堰之前，以为它只是一个水利工程罢了，不会有太大的游观价值。连葛洲坝都看过了，它还能怎么样？只是要去青城山玩，得路过灌县县城，它就在近旁，就乘便看一眼吧。因此，在灌县下车，心绪懒懒的，脚步散散的，在街上胡逛，一心只想看青城山。

七转八弯，从简朴的街市走进了一个草木茂盛的所在。脸面渐觉滋润，眼前愈显清朗，也没有谁指路，只向更滋润、更清朗的去处走。忽然，天地间开始有些异常，一种隐隐然的骚动，一种还不太响却一定是非常响的声音，充斥周际。如地震前兆，如海啸将临，如山崩即至，浑身起一种莫名的紧张，又紧张得急于趋附。不知是自己走去的还是被它吸去的，终于陡然一惊，我已站在伏龙馆前，眼前，急流浩荡，大地震颤。

即便是站在海边礁石上，也没有像这里这样强烈地领受到水的魅力。海水是雍容大度的聚会，聚会得太多太深，茫茫一片，让人忘记它是切切实实的水，可掬可捧的水。这里的水却不同，要说多也不算太多,但股股叠叠都精神焕发,合在一起比赛着飞奔的力量,踊跃着喧嚣的生命。这种比赛又极有规矩,奔着奔着,遇到江心的分水堤,刷地一下裁割为二,直窜出去,两股水分别撞到了一道坚坝,立即乖乖地转身改向,再在另一道坚坝上撞一下,于是又根据筑坝者的指令来一番调整……也许水流对自己的驯顺有点恼怒了,突然撒起野来,猛地翻卷咆哮,但越是这样越是显现出一种更壮丽的驯顺。已经咆哮到让人心魄俱夺,也没有一滴水溅错了方位。阴气森森间,延续着一场千年的收伏战。水在这里,吃够了苦头也出足了风头,就像一大拨翻越各种障碍的马拉松健儿,把最强悍的生命付之于规整,付之于企盼,付之于众目睽睽。看云看雾看日出各有胜地,要看水,万不可忘了都江堰。

三

这一切,首先要归功于遥远得看不出面影的李冰。

四川有幸,中国有幸,公元前 251 年出现过一项毫不惹人注目的任命:李冰任蜀郡守。

此后中国千年官场的惯例,是把一批批有所执持的学者遴选为无所专攻的官僚,而李冰,却因官位而成了一名实践科学家。这里明显地出现了两种判然不同的政治走向,在李冰看来,政治的含义是浚理,是消灾,是滋润,是濡养,它要实施的事儿,既具体又质朴。他领受了一个连孩童都能领悟的简单道理:既然四川最大的困扰是旱涝,那么四川的统治者必须成为水利学家。

前不久我曾接到一位极有作为的市长的名片,上面的头衔只印了"土木工程师",我立即追想到了李冰。

没有证据可以说明李冰的政治才能,但因有过他,中国也就有过了一种冰清玉洁的政治纲领。

他是郡守，手握一把长锸，站在滔滔的江边，完成了一个"守"字的原始造型。那把长锸，千年来始终与金杖玉玺、铁戟钢锤反复辩论。他失败了，终究又胜利了。

他开始叫人绘制水系图谱。这图谱，可与今天的裁军数据、登月线路遥相呼应。

他当然没有在哪里学过水利。但是，以使命为学校，死钻几载，他总结出治水三字经（"深淘滩，低作堰"）、八字真言（"遇湾截角，逢正抽心"），直到20世纪仍是水利工程的圭臬。他的这点学问，永远水气淋漓，而后于他不知多少年的厚厚典籍，却早已风干，松脆得无法翻阅。

他没有料到，他治水的韬略很快被替代成治人的计谋；他没有料到，他想灌溉的沃土将会时时成为战场，沃土上的稻谷将有大半充作军粮。他只知道，这个人种要想不灭绝，就必须要有清泉和米粮。

他大愚，又大智。他大拙，又大巧。他以田间老农的思维，进入了最澄彻的人类学的思考。

他未曾留下什么生平资料，只留下硬扎扎的水坝一座，让人们去猜详。人们到这儿一次次纳闷：这是谁呢？死于两千年前，却明明还在指挥水流。站在江心的岗亭前，"你走这边，他走那边"的吆喝声、劝诫声、慰抚声，声声入耳。没有一个人能活得这样长寿。

秦始皇筑长城的指令，雄壮、蛮吓、残忍；他筑堰的指令，智慧、仁慈、透明。

有什么样的起点就会有什么样的延续。长城半是壮胆半是排场，世世代代，大体是这样。直到今天，长城还常常成为排场。

都江堰一开始就清朗可鉴，结果，它的历史也总显出超乎寻常的格调。李冰在世时已考虑事业的承续,命令自己的儿子作3个石人,镇于江间,测量水位。李冰逝世400年后,也许3个石人已经损缺,汉代水官重造高及3米的"三神石人"测量水位。这"三神石人"其中一尊即是李冰雕像。这位汉代水官一定是承接了李冰的伟大精魂,竟敢于把自己尊敬的祖师,放在江中镇水测量。他懂得李冰的心意,唯有那里才是他最合适的岗位。这个设计竟然没有遭到反对而顺利实施,只能说都江堰为自己流泻出了一个独特的精神世界。

石像终于被岁月的淤泥掩埋,本世纪70年代出土时,有一尊石像头部已经残缺,手上还紧握着长锸。有人说,这是李冰的儿子。即使不是,我仍然把他看成是李冰的儿子。一位现代作家见到这尊塑像怦然心动,"没淤泥而蔼然含笑,断颈项而长锸在握",作家由此而向现代官场衮衮诸公诘问:活着或死了应该站在哪里?

出土的石像现正在伏龙馆里展览。人们在轰鸣如雷的水声中向他们默默祭奠。在这里,我突然产生了对中国历史的某种乐观。只要都江堰不坍,李冰的精魂就不会消散,李冰的儿子会代代繁衍。轰鸣的江水便是至圣至善的遗言。

四

继续往前走,看到了一条横江索桥。桥很高,桥索由麻绳、竹篾编成。跨上去,桥身就猛烈摆动,越犹豫进退,摆动就越大。在这样高的地方偷看桥下会神志慌乱,但这是索桥,到处漏空,由不得你不看。一看之下,先是惊吓,后是惊叹。脚下的江流,从那么遥远的地方奔来,一派义无返顾的决绝势头,挟着寒风,吐着白沫,凌厉锐进。我站得这么高还感觉到了它的砭肤冷气,估计它是从雪山赶来的罢。但是，再看桥的另一边，它硬是化作许多亮闪闪的河渠，改恶从善。人对自然力的驯服，干得多么爽利。如果人类干什么事都这么爽利，地球早已是另一副模样。

但是，人类总是缺乏自信，进进退退，走走停停，不停地自我耗损，又不断地为耗损而再耗损。结果，仅仅多了一点自信的李冰，倒成了人们心中的神。离索桥东端不远的玉垒山麓，建有一座二王庙，祭祀李冰父子。人们在虔诚膜拜，膜拜自己同类中更像一点人的人。钟鼓铙磬，朝朝暮暮，重一声，轻一声，伴和着江涛轰鸣。

李冰这样的人，是应该找个安静的地方好好纪念一下的，造个二王庙，也合民众心意。

实实在在为民造福的人升格为神，神的世界也就会变得通情达理、平适可亲。中国宗教颇多世俗气息，因此，世俗人情也会染上宗教式的光斑。一来二去，都江堰倒成了连接两界的桥墩。

我到边远地区看傩戏，对许多内容不感兴趣，特别使我愉快的是，傩戏中的水神河伯，换成了灌县李冰。傩戏中的水神李冰比二王庙中的李冰活跃得多，民众围着他狂舞呐喊，祈求有无数个都江堰带来全国的风调雨顺，水土滋润。傩戏本来都以神话开头的，有了一个李冰，神话走向实际，幽深的精神天国一下子贴近了大地，贴近了苍生。

三　峡

在国外，曾有一个外国朋友问我："中国有意思的地方很多，你能告诉我最值得去的一个地方吗？一个，请只说一个。"

这样的提问我遇到过许多次了，常常随口吐出的回答是："三峡！"

一

顺长江而下，三峡的起点是白帝城。这个头开得真漂亮。

对稍有文化的中国人来说，知道三峡也大多以白帝城开头的。李白那首名诗，在小学课本里就能读到。

我读此诗不到 10 岁，上来第一句就误解。"朝辞白帝彩云间"，"白帝"当然是一个人，李白一大清早与他告别。这位帝王着一身缟白的银袍，高高地站立在山石之上。他既然穿着白衣，年龄就不会很大，高个，瘦削，神情忧郁而安详，清晨的寒风舞弄着他的飘飘衣带，绚丽的朝霞烧红了天际，与他的银袍互相辉映，让人满眼都是光色流荡。他没有随从和侍卫，独个儿起了一个大早，诗人远行的小船即将解缆，他还在握着手细细叮咛。他的声音也像纯银一般，在这寂静的山河间飘荡回响。但他的话语很难听得清楚，好像来自另一个世界。他就住在山头的小城里，管辖着这里的丛山和碧江。

多少年后，我早已知道童年的误解是多么可笑，但当我真的坐船经过白帝城的时候，依然虔诚地抬着头，寻找着银袍与彩霞。船上的广播员正在吟诵着这首诗，口气激动地介绍几句，又放出了《白帝托孤》的乐曲。猛地，山水、历史、童年的幻想、生命的潜藏，全都涌成一团，把人震傻。

《白帝托孤》是京剧，说的是战败的刘备退到白帝城郁闷而死，把儿子和政事全都托付给诸葛亮。抑扬有致的声腔飘浮在回旋的江面上，撞在湿漉漉的山岩间，悲怆而苍凉。纯银般的声音找不到了，一时也忘却了李白的轻捷与潇洒。

我想，白帝城本来就熔铸着两种声音、两番神貌：李白与刘备，诗情与战火，豪迈与沉郁，对自然美的朝觐与对山河主宰权的争逐。它高高地矗立在群山之上，它脚下，是为这两个主题日夜争辩着的滔滔江流。

华夏河山，可以是尸横遍野的疆场，也可以是车来船往的乐土；可以一任封建权势者们把生命之火燃亮和熄灭，也可以庇佑诗人们的生命伟力纵横驰骋。可怜的白帝城多么劳累，清晨，刚刚送走了李白们的轻舟，夜晚，还得迎接刘备们的马蹄。只是，时间一长，这片山河对诗人们的庇佑力日渐减弱，他们的船楫时时搁浅，他们的衣带经常熏焦，他们由高迈走向苦吟，由苦吟走向无声。中国，还留下几个诗人？

幸好还留存了一些诗句，留存了一些记忆。幸好有那么多中国人还记得，有那么一个早晨，有那么一位诗人，在白帝城下悄然登舟。也说不清有多大的事由，也没有举行过欢送仪式，却终于被记住千年，而且还要被记下去，直至地老天荒。这里透露了一个民族的饥渴：他们本来应该拥有更多这样平静的早晨。

在李白的时代，中华民族还不太沉闷，这么些诗人在这块土地上来来去去，并不像今天那样觉得是件怪事。他们的身上并不带有政务和商情，只带着一双锐眼、一腔诗情，在山水间周旋，与大地结亲。写出了一排排毫无实用价值的诗句，在朋友间传观吟唱，已是心满意足。他们很把这种行端当作一件正事，为之而不怕风餐露宿，长途苦旅。结果，站在盛唐的中心地位的，不是帝王，不是贵妃，不是将军，而是这些诗人。余光中《寻李白》诗云：

> 酒入豪肠，七分酿成了月光
> 剩下的三分啸成剑气
> 绣口一吐就半个盛唐

这几句，我一直看成是当代中国诗坛的罕见绝唱。

李白时代的诗人，既挚恋着四川的风土文物，又向往着下江的开阔文明，长江于是就成了他们生命的便道，不必下太大的决心就解缆问桨。脚在何处，故乡就在何处，水在哪里，道路就在哪里。他们知道，长江行途的最险处无疑是三峡，但更知道，那里又是最湍急的诗的河床。他们的船太小，不能不时行时歇，一到白帝城，便振一振精神，准备着一次生命对自然的强力冲撞。只能请那些在黄卷青灯间搔首苦吟的人们不要写诗了，那模样本不属于诗人。诗人在三峡的小木船上，刚刚告别白帝城。

二

告别白帝城，便进入了长约200公里的三峡。在水路上，200公里可不算一个短距离。但是，你绝不会觉得造物主在作过于冗长的文章。这里所汇聚的力度和美色，铺排开去2 000公里，也不会让人厌倦。

瞿塘峡、巫峡、西陵峡，每一个峡谷都浓缩得密密层层，再缓

44

慢的行速也无法将它们化解开来。连临照万里的太阳和月亮,在这里也挤捱不上。对此,1500年前的郦道元说得最好:

> 两岸连山,略无阙处。重岩叠嶂,隐天蔽日,自非亭
> 午夜分,不见曦月。

(《水经注》)

他还用最省俭的字句刻划过三峡春冬之时的"清荣峻茂",晴初霜旦的"林寒涧肃",使后人再难调动描述的词章。

过三峡本是寻找不得词汇的。只能老老实实,让嗖嗖阴风吹着,让滔滔江流溅着,让迷乱的眼睛呆着,让一再要狂呼的嗓子哑着。什么也甭想,什么也甭说,让生命重重实实地受一次惊吓。千万别从惊吓中醒过神来,清醒的人都消受不住这三峡。

僵寂的身边突然响起了一些"依哦"声,那是巫山的神女峰到了。神女在连峰间侧身而立,给惊吓住了的人类带来了一点宽慰。好像上天在铺排这个仪式时突然想到要补上一个代表,让蠕动于山川间的渺小生灵占据一角观礼。被选上的当然是女性,正当妙龄,风姿绰约,人类的真正杰作只能是她们。

人们在她身上倾注了最瑰丽的传说,好像下决心让她汲足世间的至美,好与自然精灵们争胜。说她帮助大禹治过水,说她夜夜与楚襄王幽会,说她在行走时有环珮鸣响,说她云雨归来时浑身异香。但是,传说归传说,她毕竟只是巨石一柱,险峰一座,只是自然力对人类的一个幽默安慰。

当李白们早已顺江而下,留下的人们只能把萎弱的生命企求交付给她。"神女"一词终于由瑰丽走向淫邪,无论哪一种都与健全的个体生命相去遥遥。温热的肌体,无羁的畅笑,情爱的芳香,全都雕塑成一座远古的造型,留在这群山之间。一个人口亿

45

众的民族,长久享用着几个残缺的神话。

又是诗人首先看破。几年前,江船上仰望神女峰的无数旅客中,有一位女子突然掉泪。她悲哀,是因为她不经意地成了李白们的后裔。她终于走向船舱,写下了这些诗行:

在向你挥舞的各色花帕中
是谁的手突然收回
紧紧捂住自己的眼睛
当人们四散离去,谁
还站在船尾
衣裙漫飞,如翻涌不息的云
江涛
　　高一声
　　　　低一声

美丽的梦留下美丽的忧伤
人间天上,代代相传
但是,心
真能变成石头吗

沿着江岸
金光菊和女贞子的洪流
正煽动新的背叛
与其在悬崖上展览千年
不如在爱人肩头痛哭一晚

（舒婷:《神女峰》）

46

三

终于，人们看累了，回舱休息。

舱内聚集着一群早有先见之明的人，从一开始就没有出过舱门，宁静端坐，自足而又安详。让山川在外面张牙舞爪吧，这儿有四壁，有舱顶，有卧床。据说三峡要造水库，最好，省得满耳喧闹。把广播关掉，别又让李白来烦吵。

历史在这儿终结，山川在这儿避退，诗人在这儿萎谢。不久，船舷上只剩下一些外国游客还在声声惊叫。

船外，王昭君的家乡过去了。也许是这里的激流把这位女子的心扉冲开了，顾盼生风，绝世艳丽，却放着宫女不做，甘心远嫁给草原匈奴，终逝他乡。她的惊人行动，使中国历史也疏通了一条三峡般的险峻通道。

船外，屈原故里过去了。也许是这里的奇峰交给他一副傲骨，这位比李白还老的疯诗人太不安分，长剑佩腰，满脑奇想，纵横中原，问天索地，最终投身汨罗江，一时把那里的江水，也搅起了三峡的波涛。

看来，从三峡出发的人，无论是男是女，都是怪异的。都会卷起一点旋涡，发起一些冲撞。他们都有点叛逆性，而且都叛逆得瑰丽而惊人。他们都不以家乡为终点，就像三峡的水拼着全力流注四方。

三峡，注定是一个不安宁的渊薮。凭它的力度，谁知道还会把承载它的土地奔泻成什么模样？

在船舷上惊叫的外国游客，以及向我探询中国第一名胜的外国朋友，你们终究不会真正了解三峡。

我们了解吗？我们的船在安安稳稳地行驶，客舱内谈笑从容，烟雾缭绕。

明早，它会抵达一个码头的，然后再缓缓启航。没有告别，没有激动，没有吟唱。

留下一个宁静给三峡，李白去远了。

还好，还有一位女诗人留下了金光菊和女贞子的许诺，让你在没有月光的夜晚，静静地做一个梦，殷殷地企盼着。

洞庭一角

一

　　中国文化中极其夺目的一个部位可称之为"贬官文化"。随之而来，许多文化遗迹也就是贬官行迹。贬官失了宠，摔了跤，孤零零的，悲剧意识也就爬上了心头；贬到了外头，这里走走，那里看看，只好与山水亲热。这一来，文章有了，诗词也有了，而且往往写得不坏。过了一个时候，或过了一个朝代，事过境迁，连朝廷也觉得此人不错，恢复名誉。于是，人品和文品双全，传之史册，诵之后人。他们亲热过的山水亭阁，也便成了遗迹。地因人传，人因地传，两相帮衬，俱著声名。

　　例子太多了。这次去洞庭湖，一见岳阳楼，心头便想：又是它了。1046 年，范仲淹倡导变革被贬，恰逢另一位贬在岳阳的朋友滕子京重修岳阳楼罢，要他写一篇楼记，他便借楼写湖，凭湖抒怀，写出了那篇著名的《岳阳楼记》。直到今天，大多数游客都是先从这篇文章中知道有这么一个楼的。文章中"先天下之忧而忧，后天下之乐而乐"这句话，已成为一般中国人都能随口吐出的熟语。

　　不知哪年哪月，此景此楼，已被这篇文章重新构建。文章开头曾称颂此楼"北通巫峡，南极潇湘"，于是，人们在楼的南北两

49

方各立一个门坊,上刻这两句话。进得楼内,巨幅木刻中堂,即是这篇文章,书法厚重畅丽,洒以绿粉,古色古香。其他后人题咏,心思全围着这篇文章。

这也算是个有趣的奇事:先是景观被写入文章,再是文章化作了景观。借之现代用语,或许可说,是文化和自然的互相生成罢。在这里,中国文学的力量倒显得特别强大。

范仲淹确实是文章好手,他用与洞庭湖波涛差不多的节奏,把写景的文势张扬得滚滚滔滔。游人仰头读完《岳阳楼记》的中堂,转过身来,眼前就会翻卷出两层浪涛,耳边的轰鸣也更加响亮。范仲淹趁势突进,猛地递出一句先忧后乐的哲言,让人们在气势的卷带中完全吞纳。

于是,浩淼的洞庭湖,一下子成了文人骚客胸襟的替身。人们对着它,想人生,思荣辱,知使命,游历一次,便是一次修身养性。

胸襟大了,洞庭湖小了。

二

但是,洞庭湖没有这般小。

范仲淹从洞庭湖讲到了天下,还小吗?比之心胸湫隘的文人学子,他的气概确也令人惊叹,但他所说的天下,毕竟只是他胸中的天下。

大一统的天下,再大也是小的。普天之下,莫非王土。于是,忧耶乐耶,也是丹墀金銮的有限度延伸,大不到哪里去。在这里,儒家的天下意识,比之于中国文化本来具有的宇宙意识,逼仄得多了。

而洞庭湖,则是一个小小的宇宙。

你看，正这么想着呢，范仲淹身后就闪出了吕洞宾。岳阳楼旁侧，躲着一座三醉亭，说是这位吕仙人老来这儿，弄弄鹤，喝喝酒，可惜人们都不认识他，他便写下一首诗在岳阳楼上：

朝游北海暮苍梧，
袖里青蛇胆气粗。
三醉岳阳人不识，
朗吟飞过洞庭湖。

他是唐人，题诗当然比范仲淹早。但是范文一出，把他的行迹掩盖了，后人不平，另建三醉亭，祭祀这位道家始祖。若把范文、吕诗放在一起读，真是有点"秀才遇到兵"的味道，端庄与顽泼，执著与旷达，悲壮与滑稽，格格不入。但是，对着这么大个洞庭湖，难道就许范仲淹的朗声悲抒，就不许吕洞宾的仙风道骨？中国文化，本不是一种音符。

吕洞宾的青蛇、酒气、纵笑，把一个洞庭湖搅得神神乎乎。至少，想着他，后人就会跳出范仲淹，去捉摸这个奇怪的湖。一个游人写下一幅著名的长联，现也镌于楼中：

一楼何奇，杜少陵五言绝唱，范希文两字关情，滕子京百废俱兴，吕纯阳三过必醉。诗耶？儒耶？史耶？仙耶？前不见古人，使我沧然泪下。

诸君试看，洞庭湖南极潇湘，扬子江北通巫峡，巴陵山西来爽气，岳州城东道岩疆。潴者，流者，峙者，镇者，此中有真意，问谁领会得来？

他就把一个洞庭湖的复杂性、神秘性、难解性，写出来了。眼界宏阔,意象纷杂,简直有现代派的意韵。

三

那么,就下洞庭湖看看罢。我登船前去君山岛。

这天奇热。也许洞庭湖的夏天就是这样热。没有风,连波光都是灼人烫眼的。记起了古人名句:"气蒸云梦泽,波撼岳阳楼",这个"蒸"字,我只当俗字解。

丹纳认为气候对文化有决定性的影响,我以前很是不信。但一到盛暑和严冬,又倾向于信。范仲淹写《岳阳楼记》是九月十五日,正是秋高气爽的好天气。秋空明净,可让他想想天下;秋风萧瑟,又吹起了他心底的几丝悲壮。即使不看文后日期,我也能约略推知,这是秋天的辞章。要是他也像今天的日子来呢?衣冠尽卸,赤膊裸裎,挥汗不迭,气喘吁吁,那篇文章会连影子也没有。范仲淹设想过阴雨霏霏的洞庭湖和春和景明的洞庭湖,但那也只是秋天的设想。洞庭湖气候变化的幅度大着呢,它是一个脾性强悍的活体,仅仅一种裁断哪能框范住它?

推而广之,中国也是这样。一个深不见底的海,顶着变幻莫测的天象。我最不耐烦的,是对中国文化的几句简单概括。哪怕是它最堂皇的一脉,拿来统摄全盘总是霸道,总会把它丰富的生命节律抹煞。那些委屈了的部位也常常以牙还牙,举着自己的旗幡向大一统的霸座进发。其实,谁都是渺小的。无数渺小的组合,才成伟大的气象。

终于到了君山。这个小岛,树木葱茏,景致不差。尤其是文化遗迹之多,令人咋舌。它显然没有经过后人的精心设计,突出哪一个主体遗迹。只觉得它们南辕北辙而平安共居,三教九流而和睦相邻。是历史,是空间,是日夜的洪波,是洞庭的晚风,把它们堆涌到了一起。

挡门是一个封山石刻，那是秦始皇的遗留。说是秦始皇统一中国，巡游到洞庭，恰遇湖上狂波，甚是恼火，于是摆出第一代封建帝王的雄威，下令封山。他是封建大一统的最早肇始者，气魄宏伟，决心要让洞庭湖也成为一个驯服的臣民。

但是，你管你封，君山还是一派开放襟怀。它的腹地，有尧的女儿娥皇、女英坟墓，飘忽瑰艳的神话，端出远比秦始皇老得多的资格，安坐在这里。两位如此美貌的公主，飞动的裙裾和芳芬的清泪，本该让后代儒生非礼勿视，但她们依凭着乃父的圣名，又不禁使儒生们心旌缭乱，不知定夺。

岛上有古庙废基。据记载，佛教兴盛时，这里曾鳞次栉比，拥挤着寺庙无数。缭绕的香烟和阵阵钟磬声，占领过这个小岛的晨晨暮暮。吕洞宾既然几次来过，道教的事业也曾非常蓬勃。面对着秦始皇的封山石，这些都显得有点邪乎。但邪乎得那么长久，那么隆重，封山石也只能静默。

岛的一侧有一棵大树，上嵌古钟一口。信史凿凿，这是宋代义军杨幺的遗物。杨幺为了对抗宋廷，踞守此岛，宋廷即派岳飞征剿。每当岳军的船只隐隐出现，杨幺的部队就在这里鸣钟为号，准备战斗。岳飞是一位名垂史册的英雄，他的抗金业绩，发出过民族精神的最强音。但在这里，岳飞扮演的是另一种角色，这口钟，时时鸣响着民族精神的另一方面。我曾在杭州的岳坟前徘徊，现在又对着这口钟久久凝望。我想，两者加在一起，也只是民族精神的一小角。

可不，眼前又出现了柳毅井。洞庭湖的底下，应该有一个龙宫了。井有台阶可下，直至水面，似是龙宫入口。一步步走下去，真会相信我们脚底下有一个热闹世界。那个世界里也有霸道，也有指令，但也有恋情，也有欢爱。一口井，只想把两个世界连结起来。人们想了那么多年，信了那么多年，今天，宇航飞船正从另外一些出口去寻找另外一些世界。

……

杂乱无章的君山，静静地展现着中国文化的无限。

君山岛上只住着一些茶农，很少闲杂人等。夜晚，游人们都坐船回去了，整座岛阒寂无声。洞庭湖的夜潮轻轻拍打着它，它侧身入睡，怀抱着一大堆秘密。

四

回到上海之后，这篇洞庭湖的游记，迟迟不能写出。

突然从报纸上看到一则有关洞庭湖的新闻，如遇故人。新闻记述了一桩真实的奇事：一位湖北的农民捉住一只乌龟，或许是出于一种慈悲心怀，在乌龟背上刻名装环，然后带到岳阳，放入洞庭湖中。没有想到，此后连续 8 年，乌龟竟年年定时爬回家来。每一次，都"将头高高竖起来，长时间地望着主人，似乎在静静聆听主人的教诲，又似乎在向主人诉说自己一年来风风雨雨的经历"。

这不是古代的传说。新闻注明，乌龟最后一次爬回，是 1987 年农历五月初一。

至少现代科学还不能说明，这个动物何以能爬这么长的水路和旱路，准确找到一间普通的农舍，而且把年份和日期搞得那样清楚。难道它真是龙宫的族员？

洞庭湖，再一次在我眼前罩上了神秘的浓雾。

我们对这个世界，知道得还实在太少。无数的未知包围着我们，才使人生保留进发的乐趣。当哪一天，世界上的一切都能明确解释了，这个世界也就变得十分无聊。人生，就会成为一种简

54

单的轨迹，一种沉闷的重复。因此，我每每以另一番眼光看娥皇、女英的神话，想柳毅到过的龙宫。应该理会古人对神奇事端作出的想象，说不定，这种想象蕴含着更深层的真实。洞庭湖的种种测量数据，在我的书架中随手可以寻得。我是不愿去查的，只愿在心中保留着一个奇奇怪怪的洞庭湖。

我到过的湖可谓多矣。每一个，都会有洞庭湖一般的奥秘，都隐匿着无数似真似幻的传说。

我还只是在说湖。还有海，还有森林，还有高山和峡谷……那里会有多少蕴藏呢？简直连想也不敢想了。然而，正是这样的世界，这样的国度，这样的多元，这样的无限，才值得来活一活。

庐　山

一

我到庐山不是专门去旅游，是与一大群文人一起去开会的，时间是 1979 年夏天。那里召开的，是一个全国规模的文艺理论讨论会。

庐山本是夏天开会的好地方，但据我所知，那里好像从来没有开过文人大会。原因说起来太复杂，不管怎样，现在总算有了第一回。

但是，回过去看，庐山本来倒是文人的天地。在未上庐山之时我就有一些零碎的印象，好像是中国早期最伟大的文人之一司马迁"南登庐山"并记之于《史记》之后，这座山就开始了它的文化旅程。在两晋南北朝时期，它的文化浓度之高，几乎要鹤立于全国名山中了。那时，佛学宗师慧远和道学宗师陆修静曾先后在庐山弘扬教义，他们驻足的东林寺和简寂观便成了此后中国文化的两个重要的精神栖息点。这两人中间，慧远的文学气息颇重，他的五言诗《游庐山》写得不错，而那篇 600 多字的《庐山记》则是我更为喜爱的山水文学佳品。但是，使得这一僧一道突然与庐山一起变得文采斐然的，还有更重要的原因，那就是在差不多的时候庐山还拥有过陶渊明和谢灵运。陶渊明的归隐行迹、山水情怀和千古诗句都与庐山密不可分,谢灵运的名气赶不上陶渊明,却也算得上我国文学史上五言山水诗的鼻祖。这两位大诗人把庐山的山水作了高品位的诗化垫基,再加上那一僧一道,整个庐山就堂而皇之地进入了中国文化史。

后来的人们似乎一直着迷于慧远、陶渊明、谢灵运、陆修静共处庐山的那种文化气氛,设想出他们几个人在一起的各种情景。由头也是有一点的,例如陶渊明应该是认识慧远的,但他与慧远的几个徒弟关系不好,对慧远本人的思想也颇多牴牾,因此交情不深。倒是谢灵运与慧远有过一段亲切的交往,其时慧远年近八旬,而谢灵运还不到而立之年,两人相差了50来岁,虽然忘年而交,令人感动,毕竟难于贴心,难于绵延。这些由头,到了后人嘴里,全都浑然一体了。例如唐代的佛学史乘中已记述谢灵运与慧远一起结社,而事实上慧远结社之时谢才6岁。流传特别广远的故事是慧远、陶渊明、陆修静三人过从甚密,一次陶、陆两人来东林寺访慧远,慧远历来送客不过门前虎溪,这次言谈忘情,竟送过了虎溪,这就使后山的老虎看得不习惯了,吼叫起来,三人会意而笑,那就是中国古代极有名的佳话“虎溪三笑”。为此,李白、黄庭坚等诗人还特意写过诗,苏东坡还画过《三笑图赞》,我在郑振铎著《插图本中国文学史》中,也见到过一幅采自“程氏墨苑”的《虎溪三笑》图。但究其实,陆修静来庐山的时候,陶渊明已去世34年,而慧远更已逝去45年。

我深知,道出这个故事的虚假性非常煞风景。到底是李白、苏东坡他们高明,不仅兴高采烈地为这个传说增彩添色,而且自己也已影影绰绰地跻身在里边。文人总未免孤独,愿意找个山水胜处躲避起来;但文化的本性是沟通和被理解,因此又企盼着高层次的文化知音能有一种聚会,哪怕是跨越时空也在所不惜,而庐山正是这种企盼中的聚会的理想地点。

因此，庐山可以证明，中国文人的孤独不是一种脾性，而是一种无奈。即便是对于隐逸之圣陶渊明，中国文人也愿意他有两个在文化层次上比较接近的朋友交往交往，发出朗笑阵阵。有了这么一些传说，庐山与其说是文人的隐潜处，不如说是历代文人渴望超拔俗世而达到跨时空沟通的寄托点。于是李白、白居易、欧阳修、苏东坡、陆游、唐寅等等文化艺术家纷来沓至，周敦颐和朱熹则先后在山崖云雾之间投入了哲学的沉思和讲述。如果把时态归并一下，庐山实在是一个鸿儒云集、智能饱和的圣地了。

二

我是坐着汽车上庐山的。在去九江的长江轮上听一位熟悉庐山的小姐说，上庐山千万不能坐车，一坐车就没味，得一级一级爬石阶上去才有意思。她一边详尽地告诉我石阶的所在，一边又开导我："爬石阶当然要比坐车花时间花力气，但这石阶也是现代修的，古人上山连这么一条好路都没有呢。"她的话当然有道理，可是船到九江时天已擦黑，我又有一个装着不少书籍的行李包，只略作迟疑我就向汽车站走去。庐山的车道修得很好，只见汽车一层层绕上去，气温一层层冷下来，没多久，牯岭到了。牯岭早已俨然成为一座小城，只逛荡一会儿就会忘了这竟然是在山顶。但终究又会醒过神来，觉得如此快捷地上一趟庐山，下榻在一个规模不小的宾馆里，实在有点对不起古人。是啊，连船上不相识的小姐都拿着古人来诱惑我，而我还是贪图了方便。一方便，也就丢弃了它对人们的阻难，也就随之丢弃了它对世俗的超拔，那还能构得成跨时空的精神沟通么？

古代文人上庐山，自然十分艰苦。他们只凭着两条腿，爬山涉溪、攀藤跳沟。当时的山，道路依稀，食物匮乏，文人学士都不强壮，真不知如何在山上苦熬苦捱。

周作人、林语堂先生曾刊印过清代嘉庆年间一位叫舒白香的文人游庐山的日记，可以让我们了解当时的一些情况。且抄几段：

> 朝晴凉适，可着小棉。瓶中米尚支数日，而菜已竭，所谓馑也。西辅戏采南瓜叶及野苋，煮食甚甘，予乃饭两碗，且笑谓与南瓜相识半生矣，不知其叶中乃有至味。

> 冷，雨竟日。晨餐时菜羹亦竭，唯食炒乌豆下饭，宗慧仍以汤匙进。问安用此，曰，勺豆入口逸于箸。予不禁喷饭而笑，谓此匙自赋形受役以来但知其才以不漏汁水为长耳，孰谓其遭际之穷至于如此。

> 宗慧试采荞麦叶煮作菜羹，竟可食，柔美过匏叶，但微苦耳。苟非入山既深，又断蔬经旬，岂能识此种风味。

这就是中国古代文人游庐山的实际生活。遭如此困境而不后悔、不告退，还自得其乐地开着文绉绉的玩笑。在游庐山的文人中，舒白香还不算最苦的，他至少还有学生和仆人跟随着，侍候着他，与他说笑。

舒白香在庐山逗留了100天，住过好几处寺庙。寺僧先是怀疑他是"大官人"，后来又怀疑他是"大商贾"，直到最后写出《天池赋》贴在寺壁上，僧人才知道他原来是个知名文人。这件事情可以证明，舒白香游庐山时那种虽不免艰苦却还有点派头的举止，与僧人们习见的游山文人很不相同；当时的庐山游客中，最有派头的已数"大官人"和"大商贾"，但他们当时游山也很不轻松，因此，庐山的行旅总的说来是十分寥落的。

舒白香上庐山是19世纪初年。直到19世纪晚期，情况没有太大改变。我藏有一部佛学名著《名山游访记》，著者高鹤年是一位跋涉天下的佛教旅行家，他在1893年初春上庐山时，看见各处著名佛寺都还在，但"各寺只有一二人居，皆苦行僧"。至于牯岭，还"荆棘少人行"。但是，仅仅过了19年，当他1912年再一次上庐山时，景象就大不一样了。牯岭已是：

> 沿山洋房数百幢，华街亦有数百家，……岭上为西人避暑之地，设有教堂布教，并设医院，利济贫民。此间夏令时，寒暑表较九江低二十度，故至地逭暑者甚众，昔日山林，今为廛市。

据此可以推断，庐山的文化形象是在本世纪初年发生重大变化的，变化的契机是"西人避暑"，而结果则是以西方文明为先导的热闹。散落在各处山间的寺院依然香火不断，但操纵它们兴衰的重要杠杆已是牯岭的别墅、商市、街道。总的说来，这儿已不是中国文人的世界。

唐代钱起咏庐山诗云："只疑云雾窟，犹有六朝僧。"但如今云雾飘散开去，露出来的却是一个个中外"大官人"、"大商贾"的面影。

当然也还是有不少文人来玩玩的。本世纪20年代有一位诗人就在庐山住过一个半月，但他每天听到的，已不是山风虫鸣，而是石工筑路造房的号子声。他从这号子里听出了石工的痛苦，写了一首十分奇特的《庐山石工歌》，想把号子传达给读者。读着徐志摩的这首诗不难感悟到,这号子唤来了达官贵人们的一座座别墅,这号子在驱逐着诗人和他的同行们下山。

过不了几年,又有一位文人在山上住了几天便急急下来。他刚刚被一个巨大的政治旋涡放逐,但庐山并不是避身之所,他很快发现这里也是一个风声鹤唳的焦点。他下山了,到了上海,又到东京,写了一篇《从牯岭到东京》,不久,"茅盾"这个名字便出现于中国文坛。

此后,越来越多的政治活动、外交谈判、军事决定产生于庐山。密密层层的云雾,藏进了中国现代史的神秘经纬。

难道,庐山和文人就此失去了缘分?庐山没有了文人本来也不太要紧,却少了一种韵味,少了一种风情,就像一所庙宇没有晨钟暮鼓,就像一位少女没有流盼的眼神。没有文人,山水也在,却不会有山水的诗情画意,不会有山水的人文意义。

天底下的名山名水大多是文人鼓吹出来的,但鼓吹得过于响亮了就会迟早引来世俗的拥挤,把文人所吟咏的景致和情怀扰乱,于是山水与文人原先的对应关系不见了,文人也就不再拥有此山此水。看来,这是文人难于逃脱的悲哀。

我们这帮子开会的文人一有空闲就随着摩肩接踵的旅游者游览庐山各个风景点,东林寺、秀峰、锦绣谷、天桥、仙人洞、小天池、白鹿洞书院、黄龙潭、五老峰……一一看过去,眼前有古人留下的诗,脚下有平整光洁的路,耳边有此起彼伏的叫卖,轻轻便便,顺顺当当。在这种情况下,没有可能以自身的文化感悟与山水构成宁静的往还、深挚的默契,只好让文人全都蜕脱成游人。

就在这种不无疲顿的情况下突然听到有一个去处,路遥而景美,连李白都没有去过,一下子把我们全都激动起来了。那便是三叠泉。趁一天休会,结伴上路。

三

　　早就听说那是一条极累人的路,但劳累对于 1979 年的中国文艺理论家们都还不太在意,摆脱劫难不久,对承受辛苦的自信心还有充分的贮留。

　　话虽这么说,这条路也实在是够折腾人的了。一次次地上山,又一次次地下山,山又高,路又窄,气力似乎已经耗尽,后来完全是麻木地抬腿放腿、抬腿放腿。山峰无穷无尽地一个个排列过去,内心已无数次地产生了此行的后悔,终于连后悔的力气也没有了,只得在默不作声中磕磕绊绊地行进。就在这种情况下,我们突然与古代文人产生过对深切的认同。是的,凡是他们之中的杰出人物,总不会以轻慢浮滑的态度来面对天地造化,他们不相信人类已经可以盛气凌人地来君临山水,因此总是以极度的虔诚、极度的劳累把自己的生命与山水熔铸在一起,读他们的山水诗常常可以感到一种生命脉流的搏动。在走向三叠泉的竭尽全部精力的漫漫山道上,我终于产生了熔铸感,生命差不多已交付给这座山了,一切就由它看着办吧。

　　不知何时,惊人的景象和声响已出现在眼前。从高及云端的山顶上,一幅巨大的银帘奔涌而下,气势之雄,恰似长江黄河倒挂。但是,猛地一下,它撞到了半山的巨岩,轰然震耳,溅水成雾。它怒吼一声,更加狂暴地冲将下来,没想到半道上又撞到了第二道石嶂。它再也压抑不住,狂呼乱跳一阵,拼将老命再度冲下,这时它已成了一支浩浩荡荡的亡命徒的队伍,决意要与山崖作一次最后的冲杀。它挟带着雷霆窜下去了,下面,是深不可测的峡谷,究竟冲杀得如何,看不见了。它的最后归宿如何,无人知晓,但它绝对不会消亡,因为我们已经看到,哪怕接二连三地阻遏它、撞击它,它都没有吐出一声呜咽,只有怒吼,只有咆哮。

我们这些人的身心全都震撼了。急雨般的飞水喷在我们身上，谁也没有逃开，反都抬起头来仰望，没有感叹，没有议论，默默地站立着，袒示着湿淋淋的生命。

终于，我们找到了一种对应，一种在现代已经很少的对应。

记得宋代哲学家朱熹很想一睹三叠泉风采而不得，曾在一封信中写道："闻五老峰下新泉三叠，颇为奇胜，计此生无由得至其下。"他请两位画家把它画下，带给他看，看到画幅时他不断摩索，声声慨叹。这位年迈的哲学家也许已从画幅中看出了一点远超一般山水奇景的东西，否则何来声声慨叹？但我敢说，没有亲临其境，再有悟性的哲人也揣想不出一个生命意义上的它。

在古代，把三叠泉真正看仔细又记仔细了的还是那位不疲倦的旅行家徐霞客，可惜他太忙碌，到哪儿都难于静定，不能要求他产生太深的感悟。

我不知道在不断开发庐山的过程中会不会有一天能开通到达三叠泉的汽车路或吊山索道，能构筑起可以像徐霞客那样观察这个神奇瀑布全貌的现代观景台。但毫无疑问，到了那时，我们今天好不容易找到的感悟和对应也将失去。"文章憎命达"，文人似乎注定要与苦旅连在一起。

四

1990年夏天，庐山举行文化博览会，主办单位发来请柬要我去讲学。

我因事未能成行。但一展请柬，仿佛看到了牯岭更为热闹的街市，山间更为拥挤的人群。凝神片刻，耳边又响起三叠泉的轰鸣。

不久听去了回来的朋友说，文化博览会是一个吸引游客的举动,所邀学者的名字都张贴成了海报,听课者就是愿意走进来听听的过往游人。

文人以一种更奇特的方式出现在庐山上了,地位似乎也不低,但至少我还难于适应。也许庐山又走上了一段新的旅程?也许它能在熙熙攘攘中构建出一种完全出乎我们意想之外的文化与名胜的对应?

一阵云雾又飘到了我的眼底。

贵 池 傩

一

傩,一个奇奇怪怪的字,许多文化程度不低的人也不认识它。它早已进入生僻字的行列,不定什么时候,还会从现代青年的知识词典中完全消失。

然而,这个字与中华民族的历史关系实在太深太远了。如果我们把目光稍稍从宫廷史官们的笔端离开,那么,山南海北的村野间都会隐隐升起这个神秘的字:傩。

傩在训诂学上的假借、转义过程,说来太烦。它的普通意义,是指人们在特定季节驱逐疫鬼的祭仪。人们埋头劳作了一年,到岁尾岁初,要抬起头来与神对对话了。要扭动一下身子,自己乐一乐,也让神乐一乐了。要把讨厌的鬼疫,狠狠地赶一赶了。对神,人们既有点谦恭畏惧,又不想失去自尊,表情颇为难做,干脆戴上面具,把人、神、巫、鬼搅成一气,在浑浑沌沌中歌舞呼号,简直分不清是对上天的祈求,还是对上天的强迫。反正,肃穆的朝拜气氛是不存在的,涌现出来的是一股蛮赫的精神狂潮:鬼,去你的吧!神,你看着办吧!

汉代,一次傩祭是牵动朝野上下的全民性活动,主持者和演出者数以百计,皇帝、大臣、一品至六品的官员都要观看,市井百

65

姓也允许参与。

宋代，一次这样的活动已有千人以上参加，观看时的气氛则是山呼海动。

明代，傩戏演出时竟出现过万余人齐声呐喊的场面。

……

若要触摸中华民族的精神史，哪能置傩于不顾呢？

法国现代学者乔治·杜梅吉尔(Georges Dumézil)提出过印欧古代文明的三元(tripartie)结构模式，以古代印度、欧洲神话中不约而同地存在着主神、战神、民事神作为印证。他认为这种三元结构在中国不存在，这似乎成了不可动摇的结论。但是如果我们略为关注一下傩神世界，很快就发现那里有宫廷傩、军傩、乡人傩，分别与主神、战神、民事神隐隐对应着。傩，潜伏着中国古代社会最基本的几个文明侧面。

时间已流逝到20世纪80年代，傩事究竟如何了呢？平心而论，几年前刚听到目前国内许多地方还保留着完好的傩仪活动时，我是大吃一惊的。我有心把它当作一件自己应该关注的事来对待，好好花点功夫。

1987年2月，春节刚过，我挤上非常拥挤的长途汽车，向安徽贵池山区出发。据说，那里傩事挺盛。

二

从上海走向傩，毕竟有漫长的距离。田野在车窗外层层卷去，很快就卷出了它的本色。水泥围墙、电线杆确实不少，但它们仿佛竖得有点冷清；只要是农民自造的新屋，便立即浑身土艳，与大地抱在一起，亲亲热热。兀地横过一条柏油路，让人眼睛一亮，但四周一看，它又不太合群。包围着它的是延绵不绝的土墙、泥丘、浊沟、小摊、店招。当日的标语已经刷去，新贴上去的对联钩连着一个世纪前的记忆。路边有几个竹棚干着"打气补胎"的行当，不知怎么却写成了"打胎补气"。

汽车一站站停去，乘客在不断更替。终于，到九华山进香的妇女成了车中的主体。她们高声谈论，却不敢多看窗外。窗外，步行去九华山的人们慢慢地走着，他们远比坐车者虔诚。

这块灰黄的土地，怎么这样固执呢？固执得如此不合时宜。它慢条斯理地承受过一次次现代风暴，又依然款款地展露着自己苍老野拙的面容。坟丘在一圈圈增加，纸幡飘飘，野烧隐隐；下一代闯荡一阵、焦躁一阵，很快又雕满木讷的皱纹。路边墙上画着外国电影的海报，而我耳边，已响起傩祭的鼓声……

这鼓声使我回想起 30 多年前。一天，家乡的道士正躲在一处做法事。乐声悦耳，礼仪彬彬，头戴方帽的道士在为一位客死异地的乡人招魂。他报着亡灵返归的沿途地名，祈求这些地方的冥官放其通行。突然，道士身后涌出一群人，是小学的校长带着一批学生。他们麻利地没收了全部招魂用具，厉声勒令道士到村公所听训。围观的村民被这个场面镇住了，那天傍晚吃晚饭的时候，几乎一切有小学生的家庭都发生了两代间的争论。父亲拍着筷子追打孩子，孩子流着眼泪逃出门外，三五成群地躲在草垛后面，想着课本上的英雄，记着老师的嘱咐，饿着肚子对抗迷信。月亮上来了，夜风正紧，孩子们抬头看看，抱紧双肩，心中比夜空还要明净：老师说了，这是月球，正围着地球在转；风，空气对流而成。

我实在搞不清是一段什么样的历史，使我小学的同学们，今天重又陷入宗教性的精神困顿。

我只知道一个事实：今天要去看的贵池傩仪傩戏，之所以保存得比较完好，却要归功于一位小学校长。

67

也是小学校长！

我静下心来，闭目细想，把我们的小学校长与他合成一体。我仿佛看见，这位老人在捉了许多次道士、讲了无数遍自然、地理、历史课之后，终于皱着眉头品味起身边的土地。接连的灾祸，犟韧的风俗，使他重新去捧读一本本史籍。熬过了许多不眠之夜，他慢吞吞地从语文讲义后抽出几张白纸，走出门外，开始记录农民的田歌、俗谚，最后，犹豫再三，他敲响了早已改行的道士家的木门。

但是，我相信这位校长，他绝不会出尔反尔，再去动员道士张罗招魂的典仪。他坐在道士身边听了又听，选了又选，然后走进政府机关大门，对惊讶万分的干部们申述一条条的理由，要求保存傩文明。这种申述十分艰难，直到来自国外的文化考察者的来访，直到国内著名学者也来挨家挨户地打听，他的理由才被大体澄清。

于是，我也终于听到了有关傩的公开音讯。

三

单调的皮筒鼓响起来了。

山村不大，村民们全朝鼓声涌去，那是一个陈旧的祠堂。灰褐色的梁柱上新贴着驱疫祈福的条幅，正面有一高台，傩戏演出已经开场。

开始是傩舞，一小段一小段的。这是在请诸方神灵，请来的神也是人扮的，戴着面具，踏着锣鼓声舞蹈一回，算是给这个村结下了交情。神灵中有观音、魁星、财神、判官，也有关公。村民们在台下一一辨认妥当，觉得一年中该指靠的几位都来了，心中便觉安定。于是再来一段《打赤鸟》，赤鸟象征着天灾；又来一段

《关公斩妖》，妖魔有着极广泛的含义。其中有一个妖魔被迫，竟逃下台来，冲出祠堂，观看的村民哄然起身，也一起冲出祠堂紧追不舍。一直追到村口，那里早有人燃起野烧，点响一串鞭炮，终于把妖魔逐出村外。村民们抚掌而笑，又闹哄哄地涌回祠堂，继续观看。

如此来回折腾一番，演出舞台已延伸为整个村子，所有的村民都已裹卷其间，仿佛整个村子都在齐心协力地集体驱妖。火光在月色下闪动，鞭炮一次次窜向夜空，确也气势夺人。在村民们心间，小小的舞台只点了一下由头，全部祭仪铺展得很大。他们在祭天地、日月、山川、祖宗，空间限度和时间限度都极其广阔，祠堂的围墙形同虚设。

接下来是演几段大戏。有的注重舞，有的注重唱。舞姿笨拙而简陋，让人想到远古。由于头戴面具，唱出的声音低哑不清，也像几百年前传来。有一重头唱段，由傩班的领班亲自完成。这是一位瘦小的老者，竟毫不化妆，也无面具，只穿今日农民的寻常衣衫，在浑身披挂的演员们中间安稳坐下，戴上老花眼镜，一手拿一只新式保暖杯，一手翻开一个绵纸唱本，咿咿呀呀唱将起来。全台演员依据他的唱词而动作，极似木偶。这种演法，粗陋之极，也自由之极。既会让现代戏剧家嘲笑，也会让现代戏剧家惊讶。

凭心而论，演出极不好看。许多研究者写论文盛赞其艺术高超，我只能对之抱歉。演者全非专业，平日皆是农民、工匠、荒疏长久，匆促登台，腿脚生硬，也只能如此了。演者中有不少年轻人，应是近年刚刚着手。估计是在国内外考察者来过之后，才走进傩仪队伍中来的。本来血气方刚、手脚灵便的他们，来学这般稚拙动作，看来更是牵强。就年龄论，他们应是我小学同学的儿子一辈。

演至半夜，休息一阵，演者们到祠堂边的小屋中吃"腰台"。"腰台"亦即夜宵，是村民对他们的犒赏。屋中摆开三桌，每桌中间置一圆底锅，锅内全是白花花的肥肉片，厚厚一层油腻浮在上面。再也没有其他菜肴，围着圆锅的是十只瓷酒杯，一小坛自酿烧酒已经开盖。

据说，吃完"腰台"，他们要演到天亮。从日落演到日出，谓之"两头红"，颇为吉利。

我已浑身发困，陪不下去了，约着几位同行者，离开了村子。住地离这里很远，我们要走一程长长的山路。走着走着，我越来越疑惑：刚才经历的，太像一个梦。

四

翻过一个山岙，我们突然被一排火光围困。

又惊又惧，只得走近前去。拦径者一律山民打扮，举着松明火把，照着一条纸扎的龙。见到了我们，也不打招呼，只是大幅度地舞动起来，使我们不解其意，不知所措。舞完一段，才有一位站出，用难懂的土音大声说道："听说外来的客人到那个村子看傩去了，我们村也有，为什么不去？我们在这里等候多时！"

我们惶恐万分，只得柔声解释，说现在已是深更半夜，身体困乏，不能再去。山民认真地打量着我们，最后终于提出条件，要我们站在这里，再看他们好好舞一回。

那好吧，我们静心观看。在这漆黑的深夜，在这阒无人迹的山坳间，看着火把的翻滚，看着举火把的壮健的手和满脸亮闪闪的汗珠，倒实在是一番雄健的美景，我们由衷地鼓起掌来。掌声方落，舞蹈也停，也不道再见，那火把，那纸龙，全都迤逦而去，顷刻消失在群兽般的山林中。

更像是梦，唯有鼻子还能嗅到刚刚燃过的松香味，信其为真。

我实在被这些梦困扰了。直到今天，仍然解脱不得。山村，一个个山村，重新延续起傩祭傩戏，这该算是一件什么样的事端？真诚倒也罢了，谁也改变不了民众真诚的作为；但那些戴着面具的青年农民，显然已不会真诚。文化，文化！难道为了文化学者们的考察兴趣，就让他们长久地如此跳腾？我的校长，您是不是把您的这一事业，稍稍做得太大了一点？

或许，也真是我们民族的自我复归和自我确认？那么，几百年的跟跄路程，竟都消失得无影无踪？

我们，相对于我们的祖先，总要摆脱一些什么吧？或许，我们过去摆脱得过于鲁莽，在这里才找到了摆脱的起点？要是这样，我们还要走一段多么可怕的长程。

傩祭傩戏中，确有许多东西，可以让我们追索属于我们的古老灵魂。但是，这种追索的代价，是否过于沉重？

前不久接到美国夏威夷大学的一封来信，说他们的刊物将发表我考察傩的一篇论文。我有点高兴，但又像做错了什么。我如此热情地向国外学术界报告着中国傩的种种特征，但在心底却又矛盾地珍藏着童年时的那个月夜，躲在草垛后面，用明净的心对着明净的天，痴想着月球的旋转和风的形成。

我的校长！真想再找到您，吐一吐我满心的疑问。

青云谱随想

一

恕我直言，在我到过的省会中，南昌算是不太好玩的一个。幸好它的郊外还有个青云谱。

青云谱原是个道院，主持者当然是个道士，但原先他却做过10多年和尚，做和尚之前他还年轻，是堂堂明朝王室的后裔。不管他的外在身份如何变化，历史留下了他的一个最根本的身份：17世纪晚期中国的杰出画家。

他叫朱耷，又叫八大山人，雪个等，是明太祖朱元璋第十七子宁献王朱权的后代。在朱耷出生前223年，朱权被封于南昌，这便是青云谱出现在南昌郊外的远期原因。朱权也是一个全能的艺术家，而且也信奉道家，这都与200多年后的朱耷构成了一种神奇的遥相呼应，但可怜的朱耷已面临着朱家王朝的最后覆没，只能或僧或道，躲在冷僻的地方逃避改朝换代后的政治风雨，用画笔来营造一个孤独的精神小天地了。说起来，处于大明王朝鼎盛时代的朱权也是躲避过的，他因事见疑于明成祖，便躲在自筑的"精庐"中抚琴玩曲。但相比之下，朱耷的躲避显然是更绝望、更凄楚，因而也更值得后人品味了。

究竟是一个什么样的院落，能给中国艺术史提供那么多的

72

触目的荒凉？究竟是一些什么样的朽木、衰草、败荷、寒江，对应着画家道袍里裹藏的孤傲？我带着这些问题去寻找青云谱，没想到青云谱竟相当热闹。

不仅有汽车站，而且还有个火车小站。当日道院如今成了一个旅游点，门庭若市，园圃葱翠，屋宇敞亮，与我们日常游玩的古典式园林没有什么两样。游客以青年男女居多，他们一般没有在宅内展出的朱耷作品前长久盘桓，而乐于在花丛曲径间款款缓步。突然一对上年岁的华侨夫妇被一群人簇拥着走来，说是朱耷的后代，满面戚容，步履沉重。我不太尊敬地投去一眼，心想，朱耷既做和尚又做道士，使我们对他的婚姻情况很不清楚，后来好像有过一个叫朱抱墟的后人，难道你们真是朱抱墟之后？即便是真的，又是多少代的事啦。

这一切也不能怪谁。有这么多的人来套近乎，热热闹闹地来纪念一位几百年前的孤独艺术家，没有什么不好。庭院既然要整修也只能修得挺刮一点，让拥挤的游客能够行走得比较顺畅。然而无可奈何的是，这个院落之所以显得如此重要的原始神韵完全失落了，朱耷的精神小天地已杳不可见。这对我这样的寻访者来说，毕竟是一种悲哀。

记得年前去四川青城山，以前熟记于心的"青城天下幽"的名言被一支摩肩接踵、喧哗连天的队伍赶得无影无踪。有关那座山的全部联想，有关道家大师们的种种行迹，有关画家张大千的缥缈遐思，也只能随之烟消云散。我至今无法写一篇青城山游记，就是这个原因。幸好有关青云谱的联想大多集中在朱耷一人身上，我还可以在人群中牢牢想着他，不至于像在青城山的山道上那样心情烦乱。

没到青云谱来时我也经常想起他。为此，有一年我招收研究生时曾出过一道历史文化方面的知识题："略谈你对八大山人的了解。"一位考生的回答是："中国历史上八位潜迹山林的隐士，通诗文，有傲骨，姓名待考。"

把八大山人说成是八位隐士我倒是有所预料的，这道题目的"圈套"也在这里；把中国所有的隐士一并概括为"通诗文，有傲骨"，十分有趣；至于在考卷上写"待考"，我不禁哑然失笑了。朱耷常把"八大山人"这个署名连写成"哭之"、"笑之"字样，我想他见到我这位考生也只能哭之笑之的了。

与这位考生一样的对朱耷的隔膜感，我从许多参观者的眼神里也看了出来。他们面对朱耷的作品实在不知道好在哪里，这样潦倒的随意涂抹，与他们平常对美术作品的欣赏习惯差距太大了。中国传统艺术的光辉，17世纪晚期东方绘画的光辉，难道就闪耀在这些令人丧气的破残笔墨中么？

二

对于中国绘画史，我特别看重晚明至清一段。这与我对其他艺术门类历史发展阶段的评价有很大的差别。朱耷就出现在我特别看重的那个阶段中。

在此前漫长的绘画发展历史上，当然也是大匠如林、佳作叠出，有一连串说不完、道不尽的美的创造，但是，要说到艺术家个体生命的强悍呈现，笔墨丹青对人格内核的直捷外化，就不得不把目光投向徐渭、朱耷、原济以及"扬州八怪"等人了。

毫无疑问，并不是画到了人，画家就能深入地面对人和生命这些根本课题了。中国历史上有过一些很出色的人物画家如顾恺之、阎立本、吴道子、张萱、周昉、顾闳中等等，他们的作品，或线条匀停紧挺，或设色富丽谐洽，或神貌逼真鲜明，我都是很喜欢的，但总的说来，被他们所画的人物与他们自身的生命激情未必有密切的血缘关联。他们强调传神，但主要也是很传神地在描绘着一种异己的著名人物或重要场面，艺术家本人的灵魂历程并不能酣畅地传达出来。在这种情况下，倒是山水、花鸟画更有可能比较曲折地展示画家的内心世界。

山水、花鸟本是人物画的背景和陪衬，当它们独立出来之后一直比较成功地表现了"诗中有画，画中有诗"的美学意境，而在这种意境中又大多溶解着一种隐逸观念，那就触及到了我所关心的人生意识。这种以隐逸观念为主调的人生意识虽然有浓有淡，有枯有荣，而基本走向却比较稳定，长期以来没有太多新的伸发，因此，久而久之，这种意识也就泛化为一种定势，画家们更多的是在笔墨趣味上倾注心力了。

所谓笔墨趣味认真说起来还是一个既模糊又复杂的概念。说低一点，那或许是一种颇感得意的笔墨习惯；说高一点，或许是一种在笔墨间带有整体性的境界、感觉、悟性。在中国古代，凡是像样的画家都会有笔墨趣味的。即便到了现代，国画家中的佼佼者也大抵在或低或高的笔墨趣味间遨游。

这些画家的作品常常因高雅精美而让人叹为观止，但毕竟还缺少一种更强烈、更坦诚的东西，例如像文学中的《离骚》。有没有可能，让艺术家全身心的苦恼、焦灼、挣扎、痴狂在画幅中燃烧，人们可以立即从笔墨、气韵、章法中发现艺术家本人，并且从根本上认识他们，就像欧洲人认识拉斐尔、罗丹和梵高？

很多年以前北京故宫博物院举办过一次历代画展，我在已经看得十分疲倦的情况下突然看到徐渭的一幅葡萄图，精神陡然一震。后来又见到过他的《墨牡丹》《黄甲图》《月竹》，以及我很喜欢的《杂花图长卷》。他的生命奔泻出淋漓而又洒泼的墨色与线条，躁动的笔墨后面游动着不驯和无奈。在这里，仅说笔墨趣味就很不够了，仅说气韵生动也太矜持了。

对徐渭我了解得比较多。从小在乡间老人口中经常听"徐文长"的故事,年长后细读了他的全部文集,洗去了有关他的许多不经传说,而对他的印象却愈来愈深。他实在是一个才华横溢、具有充分国际可比性的大艺术家,但人间苦难也真是被他尝尽了。他由超人的清醒而走向孤傲,走向佯狂,直至有时真正的疯痴。他遭遇过复杂的家庭变故,参加过抗倭斗争,又曾惶恐于政治牵连。他曾自撰墓志铭,九次自杀而未死。他还误杀过妻子,坐过六年多监狱。他厌弃人世、厌弃家庭、厌弃自身,但他又多么清楚自己在文化艺术史上的千古重量,这就产生了特别残酷、也特别响亮的生命冲撞。浙江的老百姓凭着直觉感触到了他的生命温度,把他作为几百年的谈资。老百姓主要截取了他佯狂的一面来作滑稽意义上的衍伸,而实际上他的佯狂背后埋藏的都是悲剧性的激潮。在中国古代画家中,人生经历像徐渭这样凄厉的人不多,即便有,也没有能力把它幻化为一幅幅生命本体悲剧的色彩和线条。

明确延续着这种在中国绘画史上很少见到的强烈悲剧意识的,便是朱耷。他具体的遭遇没有徐渭那样惨,但作为已亡的大明皇室的后裔,他的悲剧性感悟却比徐渭多了一个更寥廓的层面。他的天地全都沉沦,只能在纸幅上拼接一些枯枝、残叶、怪石来张罗出一个个地老天荒般的残山剩水,让一些孤独的鸟、怪异的鱼暂时躲避。这些鸟鱼完全挣脱了秀美的美学范畴,而是夸张地袒露其丑,以丑直锲人心,以丑傲视甜媚。它们是秃陋的,畏缩的,不想惹人,也不想发出任何音响的,但它们却都有一副让整个天地都为之一寒的白眼,冷冷地看着,而且把这冷冷地看当作了自身存在的目的。它们似乎又是木讷的,老态的,但从整个姿势看又隐含着一种极度的敏感,它们会飞动,会游弋,会不声不响地突然消失。毫无疑问,这样的物像也都走向了一种整体性的象征。

中国画平素在表现花鸟虫兽时也常常讲究一点象征，牡丹象征什么，梅花象征什么，喜鹊象征什么，老虎象征什么，这是一种层次较低的符号式对应，每每堕入陈词滥调，为上品格的画家们所鄙弃，例如韩斡笔下的马，韩滉笔下的牛就并不象征什么。但是，更高品位的画家却会去追求一种整体性的氛围象征，这是强烈的精神能量要求在画幅物像中充分直观所必然导致的要求。朱耷的鸟并不具体在影射和对应着什么人，却分明有一种远远超越自然鸟的功能，与残山剩水一起指向一种独特的精神气氛。面对朱耷的画，人们的内心会不由自主地产生一阵寒噤。

比朱耷小十几岁的原济也是明皇室后裔，用他自己的诗句来说，他与朱耷都是"金枝玉叶老遗民"。人们对他比较常用的称呼是石涛、大涤子、苦瓜和尚等。他虽与朱耷很要好，心理状态却有很大不同，精神痛苦没有朱耷那么深，很重要的一个原因是他与更广阔的自然有了深入接触，悲剧意识有所泛化。但是，当这种悲剧意识泛化到他的山水笔墨中时，一种更具有普遍意义的美学风格也就蔚成气候。沉郁苍茫，奇险奔放，满眼躁动，满耳流荡，这就使他与朱耷等人一起与当时一度成为正统的"四王"（即王时敏、王鉴、王翚、王原祁）潮流形成鲜明对照，构成了很强大的时代性冲撞。有他们在，不仅是"四王"，其他中国绘画史上种种保守、因袭、精雅、空洞的画风都成了一种萎弱的存在，一对比，在总体上显得平庸。

徐渭、朱耷、原济这些人，对后来著名的"扬州八怪"影响极大，再后来又滋养了吴昌硕和齐白石等现代画家。中国画的一个新生代的承续系列，就这样构建起来了。我深信这是中国艺术史上最有生命力的激流之一，也是中国人在明清之际的一种骄傲。

齐白石在一幅画的题字上写的一段话使我每次想起都心头

一热,他说:

> 青藤(即徐渭)、雪个(即朱耷)、大涤子(即原济)之
> 画,能横涂纵抹,余心极服之。恨不生前三百年,或为诸
> 君磨墨理纸,诸君不纳,余于门之外饿而不去,亦快事
> 也。

早在齐白石之前,郑燮(板桥)就刻过一个自用印章,其文
为:

青藤门下走狗

这两件事,说起来都带有点疯痴劲头,而实际上却道尽了这
股艺术激流在中国绘画史上是多么珍罕,多么难于遇见又多么
让人激动。世界上没有其他可能会如此折服本也不无孤傲的郑
板桥和齐白石,除了以笔墨做媒介的一种生命与生命之间的强
力诱惑。为了朝拜一种真正值得朝拜的艺术生命,郑、齐两位连
折辱自己的生命也在所不惜。他们都是乡间穷苦人家出身,一
生为人质朴,绝不会花言巧语。

三

我在青云谱的庭院里就这样走走想想,也消磨了大半天时
间。面对着各色不太懂画、也不太懂朱耷的游人,我想,事情的症
结还在于我们没有很多强健的现代画家去震撼这些游人,致使
他们常常过着一种缺少艺术激动的生活,因此也渐渐与艺术的
过去和现在一并疏离起来。因此说到底还是艺术首先疏离了他

78

们。什么时候我们身边能再出几个像徐渭这样的画家,他们或悲或喜的生命信号照亮了广阔的天域,哪怕再不懂艺术的老百姓也由衷地热爱他们,编出各种故事来代代相传?或者像朱耷这样,只冷冷地躲在一边画着,而几百年后的大师们却想倒赶过来做他的仆人?

全国各地历史博物馆和古代艺术家纪念馆中熙熙攘攘的游客,每时每刻都有可能汇成涌向某个现代艺术家的欢呼激潮。现代艺术家在哪里?请从精致入微的笔墨趣味中再往前迈一步吧,人民和历史最终接受的,是坦诚而透彻的生命。

白发苏州

一

前些年,美国刚刚庆祝过建国 200 周年。洛杉矶奥运会的开幕式把他们两个世纪的历史表演得辉煌壮丽。前些天,澳大利亚又在庆祝他们的 200 周年,海湾里千帆竞发,确实也激动人心。

与此同时,我们的苏州城,却悄悄地过了自己 2500 周年的生日。时间之长,简直有点让人发晕。

入夜,苏州人穿过 2500 年的街道,回到家里,观看美国和澳大利亚国庆的电视转播。窗外,古城门藤葛垂垂,虎丘塔隐入夜空。

在清理河道,说要变成东方的威尼斯。这些河道船楫如梭的时候,威尼斯还是荒原一片。

二

苏州是我常去之地。海内美景多得是,唯苏州,能给我一种真正的休憩。柔婉的言语,姣好的面容,精雅的园林,幽深的街道,处处给人以感官上的宁静和慰藉。现实生活常常搅得人心志烦乱,那么,苏州无数的古迹会让你熨帖着历史定一定情怀。有古迹必有题咏，大多是古代文人超迈的感叹，读一读，那种鸟瞰历史的达观又能把你心头的皱折慰抚得平平展展。看得多了，也便知道，这些文人大多也是到这里休憩来的。他们不想在这儿创建伟业，但在事成事败之后，却愿意到这里来走走。苏州，是中国文化宁谧的后院。

做了那么长时间的后院，我有时不禁感叹，苏州在中国文化史上的地位是不公平的。历来很有一些人，在这里吃饱了，玩足了，风雅够了，回去就写鄙薄苏州的文字。京城史官的眼光，更是很少在苏州停驻。直到近代，吴侬软语与玩物丧志同义。

理由是简明的：苏州缺少金陵王气。这里没有森然殿阙，只有园林。这里摆不开战场，徒造了几座城门。这里的曲巷通不过堂皇的官轿，这里的民风不崇拜肃杀的禁令。这里的流水太清，这里的桃花太艳，这里的弹唱有点撩人。这里的小食太甜，这里的女人太俏，这里的茶馆太多，这里的书肆太密，这里的书法过于流丽，这里的绘画不够苍凉遒劲，这里的诗歌缺少易水壮士低哑的喉音。

于是，苏州，背负着种种罪名，默默地端坐着，迎来送往，安分度日。却也不愿重整衣冠，去领受那份王气。反正已经老了，去吃那种追随之苦作甚？

二

说来话长，苏州的委屈，2 000多年前已经受了。

当时正是春秋晚期，苏州一带的吴国和浙江的越国打得难分难解。其实吴、越本是一家，两国的首领都是外来的冒险家。先是越王勾践把吴王阖闾打死，然后又是继任的吴王夫差击败勾践。勾践利用计谋卑怯称臣，实际上发愤图强，终于在十年后卷土重来,成了春秋时代最后一个霸主。这事在中国差不多人所共知,原是一场分不清是非的混战,可惜后人只欣赏勾践的计谋和忍耐,嘲笑夫差的该死。千百年来,勾践的首府会稽,一直被称颂为"报仇雪耻之乡",那末苏州呢,当然是亡国亡君之地。

细想吴越混战,最苦的是苏州百姓。吴越间打的几次大仗,有两次是野外战斗,一次在嘉兴南部,一次在太湖洞庭山,而第三次,则是勾践攻陷苏州,所遭惨状一想便知。早在勾践用计期间,苏州人也连续遭殃。勾践用煮过的稻子上贡吴国,吴国用以撒种,颗粒无收,灾荒由苏州人民领受;勾践怂恿夫差享乐,亭台楼阁建造无数,劳役由苏州人民承担。最后,亡国奴的滋味,又让苏州人民品尝。

传说勾践计谋中还有重要一项,就是把越国的美女西施进献给夫差,诱使夫差荒淫无度,慵理国事。计成,西施却被家乡来的官员投沉江中,因为她已与"亡国"二字相连,霸主最为忌讳。

苏州人心肠软,他们不计较这位姑娘给自己带来过多大的灾害,只觉得她可怜,真真假假地留着她的大量遗迹来纪念。据说今日苏州西郊灵岩山顶的灵岩寺,便是当初西施居住的所在,吴王曾名之"馆娃宫"。灵岩山是苏州一大胜景,游山时若能遇到几位热心的苏州老者,他们还会细细告诉你,何处是西施洞,何处是西施迹,何处是玩月池,何处是吴王井,处处与西施相关。正当会稽人不断为报仇雪耻的传统而自豪的时候,他们派出的西施姑娘却长期地躲避在对方的山巅。你做王他做王,管它亡不亡,苏州人不大理睬。这也就注定了历代帝王对苏州很少垂盼。

苏州人甚至还不甘心于西施姑娘被人利用后又被沉死的悲剧。明代梁辰鱼(苏州东邻昆山人)作《浣纱记》,让西施完成任务后与原先的情人范蠡泛舟太湖而隐遁。这确实是善良的,但这么一来,又产生了新的麻烦。这对情人既然原先已经爱深情笃,那么西施后来在吴国的奉献就太与人性相背。

前不久一位苏州作家给我看他的一部新作,写勾践灭吴后,越国正等着女英雄西施凯旋,但西施已经真正爱上了自己的夫君吴王夫差,甘愿陪着他一同流放边荒。

又有一位江苏作家更是奇想妙设,写越国隆重欢迎西施还乡的典礼上,人们看见,这位女主角竟是怀孕而来。于是,如何处置这个还未出生的吴国孽种,构成了一场政治、人性的大搏战。许多怪诞的境遇,接踵而来。

可怜的西施姑娘,到今天,终于被当作一个人,一个女性,一个妻子和母亲,让后人细细体谅。

我也算一个越人吧,家乡曾属会稽郡管辖。无论如何,我钦佩苏州的见识和度量。

四

吴越战争以降,苏州一直没有发出太大的音响。千年易过,直到明代,苏州突然变得坚挺起来。

对于遥远京城的腐败统治,竟然是苏州人反抗得最为厉害。先是苏州织工大暴动,再是东林党人反对魏忠贤,朝廷特务在苏州逮捕东林党人时,遭到苏州全城的反对。柔婉的苏州人这次是提着脑袋、踏着血泊冲击,冲击的对象,是皇帝最信任的"九千岁"。"九千岁"的事情,最后由朝廷主子的自然更替解决,正当朝野上下齐向京城欢呼谢恩的时候,苏州人只把五位抗争时被杀的普通市民,立了墓碑,葬在虎丘山脚下,让他们安享山色和夕阳。

这次浩荡突发,使整整一部中国史都对苏州人另眼相看。这座古城怎么啦?脾性一发让人再也认不出来。说他们含而不露,说他们忠奸分明，说他们报效朝廷，苏州人只笑一笑，又去过原先的日子。园林依然这样纤巧，桃花依然这样灿烂。

明代的苏州人，可享受的东西多得很。他们有一大批才华横溢的戏曲家，他们有盛况空前的虎丘山曲会，他们还有了唐伯虎和仇英的绘画。到后来，他们又有了一个金圣叹。

如此种种，又让京城的文化官员皱眉。轻柔悠扬，潇洒倜傥，放浪不驯，艳情漫漫，这似乎又不是圣朝气象。就拿那个名声最坏的唐伯虎来说吧，自称江南第一才子，也不干什么正事，也看不起大小官员，风流落拓，高高傲傲，只知写诗作画，不时拿几幅画到街上出卖。

> 不炼金丹不坐禅，
>
> 不为商贾不耕田，
>
> 闲来写幅青山卖，
>
> 不使人间造孽钱。

这样过日子，怎么不贫病而死呢！然而苏州人似乎挺喜欢他，亲亲热热叫他唐解元，在他死后把桃花庵修葺保存，还传播一个"三笑"故事让他多一桩艳遇。

唐伯虎是好是坏我们且不去论他。无论如何，他为中国增添了几页非官方文化。人品、艺品的平衡木实在让人走得太累，他有权利躲在桃花丛中做一个真正的艺术家。中国这么大，历史这么长，有几个才子型、浪子型的艺术家怕什么？深紫的色彩层层涂抹，够沉重了，涂几笔浅红淡绿，加几分俏皮洒泼，才有活气，才有活活泼泼的中国文化。

真正能够导致亡国的远不是这些才子艺术家。你看大明亡后，唯有苏州才子金圣叹哭声震天，他因痛哭而被杀。

近年苏州又重修了唐伯虎墓,这是应该的,不能让他们老这么委屈着。

五

一切都已过去了,不提也罢。现在我只困惑,人类最早的城邑之一,会不会、应不应淹没在后生晚辈的竞争之中?

山水还在,古迹还在,似乎精魂也有些许留存。最近一次去苏州,重游寒山寺,撞了几下钟,因俞樾题写的诗碑而想到曲园。曲园为新开,因有平伯先生等后人捐赠,原物原貌,适人心怀。曲园在一条狭窄的小巷里,由于这个普通门庭的存在,苏州一度成为晚清国学重镇。当时的苏州十分沉静,但无数的小巷中,无数的门庭里,藏匿着无数厚实的灵魂。正是这些灵魂,千百年来,以积聚久远的固执,使苏州保存了风韵的核心。

漫步在苏州的小巷中是一种奇特的经验。一排排鹅卵石,一级级台阶,一座座门庭,门都关闭着,让你去猜想它的蕴藏,猜想它以前、很早以前的主人。想得再奇也不要紧,2 500年的时间,什么事情都可能发生。

如今的曲园,辟有一间茶室。巷子太深,门庭太小,茶客不多。但一听他们的谈论,却有些怪异。阵阵茶香中飘出一些名字,竟有戴东原、王念孙、焦理堂、章太炎、胡适之。茶客上了年纪,皆操吴侬软语,似有所争执,又继以笑声。几个年轻的茶客听着吃力,呷一口茶,清清嗓子,开始高声谈论陆文夫的作品。

未几,老人们起身了,他们在门口拱手作揖,转过身去,消失在狭狭的小巷里。

我也沿着小巷回去。依然是光光的鹅卵石,依然是座座关闭的门庭。

我突然有点害怕，怕哪个门庭突然打开，涌出来几个人：再是长髯老者，我会既满意又悲凉；若是时髦青年，我会既高兴又不无遗憾。

　　该是什么样的人？我一时找不到答案。

江南小镇

一

  我一直想写写"江南小镇"这个题目，但又难于下笔。江南小镇太多了，真正值得写的是哪几个呢？——拆散了看，哪一个都构不成一种独立的历史名胜，能说的话并不太多；然而如果把它们全都躲开了，那就是躲开了一种再亲昵不过的人文文化，躲开了一种把自然与人情搭建得无比巧妙的生态环境，躲开了无数中国文人心底的思念与企盼，躲开了人生苦旅的起点和终点，实在是不应该的。

  我到过的江南小镇很多，闭眼就能想见，穿镇而过的狭窄河道，一座座雕刻精致的石桥，傍河而筑的民居，民居楼板底下就是水，石阶的埠头从楼板下一级级伸出来，女人正在埠头上浣洗，而离她们只有几尺远的乌篷船上正升起一缕白白的炊烟，炊烟穿过桥洞飘到对岸，对岸河边有又低又宽的石栏，可坐可躺，几位老人满脸宁静地坐在那里看着过往船只。比之于沈从文笔下的湘西河边由吊脚楼组成的小镇，江南小镇少了那种浑朴奇险，多了一点畅达平稳。它们的前边没有险滩，后边没有荒漠，因此虽然幽僻却谈不上什么气势；它们大多很有一些年代了，但始终比较滋润的生活方式并没有让它们保留下多少废墟和遗迹，因此也听不出多少历史的浩叹；它们当然有过升沉荣辱，但实在也未曾摆出过太堂皇的场面，因此也不容易产生类似于朱雀桥、乌衣巷的沧桑之慨。总之，它们的历史路程和现实风貌都显得平实而耐久，狭窄而悠长，就像经纬着它们的条条石板街道。

堂皇转眼凋零，喧腾是短命的别名。想来想去，没有比江南小镇更足以成为一种淡泊而安定的生活表征的了。中国文人中很有一批人在入世受挫之后逃于佛、道，但真正投身寺庙道观的并不太多，而结庐荒山、独钓寒江毕竟会带来基本生活上的一系列麻烦。"大隐隐于市"，最佳的隐潜方式莫过于躲在江南小镇之中了。与显赫对峙的是常态，与官场对峙的是平民，比山林间的蓑草茂树更有隐蔽力的是消失在某个小镇的平民百姓的常态生活中。山林间的隐蔽还保留和标榜着一种孤傲，而孤傲的隐蔽终究是不诚恳的；小镇街市间的隐蔽不仅不必故意地折磨和摧残生命，反而可以把日子过得十分舒适，让生命熨帖在既清静又方便的角落，几乎能够把自身由外到里溶化掉，因此也就成了隐蔽的最高形态。说隐蔽也许过于狭隘了，反正在我心目中，小桥流水人家，莼鲈之思，都是一种宗教性的人生哲学的生态意象。

在庸常的忙碌中很容易把这种人生哲学淡忘，但在某种特殊情况下，它就会产生一种莫名的诱惑而让人渴念。记得在文化大革命的高潮期，我父亲被无由关押，尚未结婚的叔叔在安徽含冤自尽，我作为长子，20来岁，如何撑持这个八口之家呢？我所在的大学也是日夜风起云涌，既不得安生又逃避不开，只得让刚刚初中毕业的大弟弟出海捕鱼，贴补家用。大弟弟每隔多少天后上岸总是先与我联系，怯生生地询问家里情况有无继续恶化，然后才回家。家，家人还在，家的四壁还在，但在那年月好像是完全暴露在露天中，时时准备遭受风雨的袭击和路人的轰逐。在这种情况下，我们这些大学毕业生又接到指令必须到军垦农场继续改造,去时先在吴江县松陵镇整训一段时间。那些天,天天排队出操点名,接受长篇训话,一律睡地铺而伙食又极其恶劣,大家内心明白,整训完以后就会立即把我们抛向一个污泥、沼泽和汗臭相拌的天地,而且绝无回归的时日。我们的地铺打在一个废弃的仓库里,从西边墙板的夹缝中偷眼望去,那里有一个安静的院落,小小一间屋子面对着河流,屋里进出的显然是一对新婚夫妻,与我们差不多年龄。他们是这个镇上最普通的居民,大概是哪家小店的营业员或会计吧,清闲得很,只要你望过去,他们总在,不紧不慢地做着一天生活所必需、却又纯然属于自己的事情,时不时有几句不冷也不热的对话,莞尔一笑。夫妻俩都头面干净,意态安详。当时,我和我的同伴实在被这种最正常的小镇生活震动了。这里当然也碰到了文化大革命,但毕竟是小镇,又兼民风柔婉,闹不出多大的事,折腾了一两下也就烟消云散,恢复成寻常生态。也许这个镇里也有个把"李国香"之类,反正这对新婚夫妻不是,也不是受李国香们注意的人物。唉,这样活着真好!这批筋疲力尽又不知前途的大学毕业生们向壁缝投之以最殷切的艳羡。我当时曾警觉,自己的壮志和锐气都到哪儿去了,何以20来岁便产生如此暮气的归隐之想?是的,那年在恶风狂浪中偷看一眼江南小镇的生活,我在人生憬悟上一步走向了成年。

我躺在垫着稻草的地铺上,默想着100多年前英国学者托马斯·德·昆西(T. De Quincey)写的一篇著名论文:《论〈麦克白〉中的敲门声》。昆西说,在莎士比亚笔下,麦克白及其夫人借助于黑夜在城堡中杀人篡权,突然,城堡中响起了敲门声。这敲门声使麦克白夫妇惊恐万状,也历来使所有的观众感到惊心动魄。原因何在?昆西思考了很多年,结论是:清晨敲门,是正常生活的象征,它足以反衬出黑夜中魔性和兽性的可怖,它又宣告着一种合乎人性的日常生活正有待于重建，而正是这种反差让人由衷震撼。在那些黑夜里，我躺在地铺上，听到了江南小镇的敲门声，笃笃笃，轻轻的，隐隐的，却声声入耳，灌注全身。

好多年过去了，生活应该说已经发生了很大的变化，但这种敲门声还时不时地响起于心扉间。为此我常常喜欢找个江南小镇走走，但一走，这种敲门声就响得更加清晰而催人了。

当代大都市的忙人们在假日或某个其他机会偶尔来到江南小镇，会使平日的行政烦嚣、人事喧嚷、滔滔名利、尔虞我诈立时净化，在自己的鞋踏在街石上的清空声音中听到自己的心跳，不久，就会走进一种清空的启悟之中，流连忘返。可惜终究要返回，返回那种烦嚣和喧嚷。

如眼前一亮，我猛然看到了著名旅美画家陈逸飞先生所画的那幅名扬海外的《故乡的回忆》。斑剥的青灰色像清晨的残梦，交错的双桥坚致而又苍老，没有比这个图像更能概括江南小镇的了，而又没有比这样的江南小镇更能象征故乡的了。我打听到，陈逸飞取像的原型是江苏昆山县的周庄。陈逸飞与我同龄而不同籍，但与我同籍的台湾作家三毛到周庄后据说也热泪滚滚，说小时候到过很多这样的地方。看来，我也必须去一下这个地方。

二

像多数江南小镇一样，周庄得坐船去才有味道。我约了两个朋友从青浦淀山湖的东南岸雇船出发，向西横插过去，走完了湖，就进入了纵横交错的河网地区。在别的地方，河流虽然也可以成为运输的通道，但对普通老百姓的日常行旅来说大多是障碍，在这里则完全不同，河流成了人们随脚徜徉的大街小巷。一条船一家人家,悠悠走着,不紧不慢,丈夫在摇船,妻子在做饭,女儿在看书,大家对周围的一切都熟悉,已不愿东张西望,只听任清亮亮的河水把他们浮载到要去的地方。我们身边擦过一条船,船头坐了两位服饰齐整的老太,看来是走亲戚去的,我们的船驶得太快,把水沫溅到老太的新衣服上了,老太撩了撩衣服下摆,嗔色地指了指我们,我们连忙拱手道歉,老太立即和善地笑了。这情景就像街市间不小心碰到了别人随口说声"对不起"那样自然。

两岸的屋舍越来越密,河道越来越窄,从头顶掠过去的桥越来越短,这就意味着一座小镇的来临。中国很多地方都长久地时行这样一首儿歌:"摇摇摇,摇到外婆桥",不知多少人是在这首儿歌中摇摇摆摆走进世界的。人生的开始总是在摇篮中,摇篮就是一条船,它的首次航行目标必定是那座神秘的桥,慈祥的外婆就住在桥边。早在躺在摇篮里的年月,我们构想中的这座桥好像也是在一个小镇里。因此,不管你现在多大,每次坐船进入江南小镇的时候,心头总会渗透出几缕奇异的记忆,陌生的观望中潜伏着某种熟识的意绪。周庄到了,谁也没有告诉我们,但我们知道。这里街市很安静,而河道却很热闹,很多很多的船来往交错,也有不少船驳在岸边装卸货物,更有一些人从这条船跳到那条船,连跳几条到一个地方去,就像市井间借别人家的过道穿行。我们的船挤入这种热闹中,舒舒缓缓地往前走。与城市里让人沮丧的"塞车"完全不同,在河道上发觉前面停着的一条船阻碍了我们,只须在靠近时伸出手来,把那条船的船帮撑持一下,这条船就会荡开去一点,好让我们走路。那条船很可能在装货,别的船来来往往你撑一下我推一把,使它的船身不停地晃晃悠悠,但船头系结在岸桩上,不会产生任何麻烦,装货的船工一径乐呵呵地忙碌着,什么也不理会。

小镇上已有不少像我们一样的旅游者,他们大多是走陆路来的,一进镇就立即领悟了水的魅力,都想站在某条船上拍张照,他们蹲在河岸上恳求船民,没想到这里的船民爽快极了,想坐坐船还不容易?不仅拍了照,还让坐着行驶一阵,分文不取。他们靠水吃饭,比较有钱,经济实力远超这些旅游者。近几年,电影厂常来小镇拍一些历史题材的片子,小镇古色古香,后来干脆避开一切现代建筑方式,很使电影导演们称心,但哪来那么多群众角色呢?小镇的居民和船民非常帮衬,一人拿了套戏装往身上一披,照样干活,你们拍去吧。我去那天,不知哪家电影厂正在桥头拍一部清朝末年的电影,桥边的镇民、桥下的船民很多都穿上了清朝农民的服装在干自己的事,没有任何不自然的感觉,倒是我们这条船靠近前去,成了擅闯大清村邑的番邦夷人。

从船上向河岸一溜看去,好像凡是比较像样的居舍门口都有自用码头。这是不奇怪的,河道就是通衢,码头便是大门,一个大户人家哪有借别人的门户迎来送往的道理?遥想当年,一家人家有事,最明显的标志是他家码头口停满了大大小小的船只,主人便站在码头上频频迎接。我们的船在一个不小的私家码头停下了,这个码头属于一所挺有名的宅第,现在叫做"沈厅",原是明代初年江南首富沈万山的居所。

江南小镇历来有藏龙卧虎的本事,你看就这些小河小桥竟安顿过一个富可敌国的财神!沈万山的致富门径是值得经济史家们再仔细研究一阵的,不管怎么说,他算得上那个时代既精于田产管理、又善于开发商业资本的经贸实践家。有人说他主要得力于贸易,包括与海外的贸易,虽还没有极为充分的材料佐证,我却是比较相信的。周庄虽小,却是贴近运河、长江和黄浦江,从这里出发的船只可以毫无阻碍地借运河而通南北,借长江而通东西,就近又可席卷富庶的杭嘉湖地区和苏锡一带,然后从长江口或杭州湾直通东南亚或更远的地方,后来郑和下西洋的出发地浏河口就与它十分靠近。处在这样一个优越的地理位置,出现个把沈万山是合乎情理的。这大体也就是江南小镇的秉性所在了,它的厉害不在于它的排场,而在于充分利用它的便利而悄然自重,自重了还不露声色,使得我们今天还闹不清沈万山的底细。

系好船缆,拾级上岸,才抬头,却已进了沈厅大门。一层层走去,600多年前居家礼仪如在目前。这儿是门厅,这儿是宾客随从人员伫留地,这儿是会客厅,这儿是内宅,这儿是私家膳室……全部建筑呈纵深型推进状,结果,一个相当狭小的市井门洞竟衍伸出长长一串景深,既显现出江南商人藏愚守拙般的谨慎,又铺张了家庭礼仪的空间规程。但是,就整体宅院论,还是算敛缩俭朴的,我想一个资产只及沈万山一个零头的朝廷退职官员的宅第也许会比它神气一些。商人的盘算和官僚的想法判然有别,尤其是在封建官僚机器的缝隙中求发展的元明之际的商人更是如此,躲在江南小镇的一个小门庭里做着纵横四海的大生意,正是他们的"大门槛"。可以想见,当年沈宅门前大小船只的往来是极其频繁的,各种信息、报告、决断、指令、契约、银票都从这里大进大出,但往来人丁大多神色隐秘、缄口不言、行色匆匆。这里也许是见不到贸易货物的,真正的大贸易家不会把宅院当作仓库和转运站,货物的贮存地和交割地很难打听得到,再有钱也是一介商人而已,没有兵丁卫护,没有官府庇荫,哪能大大咧咧地去张扬?

我没有认真研究过沈万山的心理历程,只知道这位在江南小镇如鱼得水的大商贾后来在京都南京栽了大跟斗,他如此精明的思维能力毕竟只归属于经济人格而与封建朝廷的官场人格处处牴牾,一撞上去就全盘散架。能不撞上去吗?又不能,一个在没有正常商业环境的情况下惨淡经营的商人总想与朝廷建立某种亲善关系，但他不懂，建立这种关系要靠钱，又不能全靠钱，事情还有远比他的商人头脑想象的更复杂更险恶的一面。话说明太祖朱元璋定都南京（即应天府）后要像模像样地修筑城墙，在筹募资金中被舆论公认为江南首富的沈万山自然首当其冲。沈万山满腹心事地走出宅院大门上船了，船只穿出周庄的小桥小河向南京驶去。在南京，他爽快地应承了筑造京城城墙三分之一（从洪武门到水西门）的全部费用，这当然是一笔惊人的巨款，一时朝野震动。事情到此已有点危险，因为他面对的是朱元璋，但他未曾自觉到，只懂得像在商业经营中那样趁热打铁，晕乎乎、乐颠颠地又拿出一笔巨款要犒赏军队。这下朱元璋勃然大怒了，你算个什么东西，凭着有钱到朕的京城里摆威风来了？军队是你犒赏得了的吗？于是下令杀头，后来不知什么原因又改旨为流放云南。

江南小镇的宅院慌乱了一阵之后陷入了长久的寂寞。中国14世纪杰出的理财大师沈万山没有能够回来，他长枷铁镣南行万里，最终客死戍所。他当然会在陌生的烟瘴之地夜夜梦到周庄的流水和石桥，但他的伤痕累累的人生孤舟却搁浅在如此边远的地方，怎么也驶不进熟悉的港湾了。

沈万山也许至死都搞不大清究竟是什么逻辑让他受罪的。周庄的百姓也搞不清，反而觉得沈万山怪，编一些更稀奇的故事流传百年。是的，一种对中国来说实在有点超前的商业心态在当时是难于见容于朝野两端的，结果倒是以其惨败为代价留下了一些纯属老庄哲学的教训在小镇，于是人们更加宁静无为了，不要大富，不要大红，不要一时为某种异己的责任感和荣誉感而产生焦灼的冲动，只让河水慢慢流，船橹慢慢摇，也不想摇到太远的地方去。在沈万山的凄楚教训面前，江南小镇愈加明白了自己应该珍惜和恪守的生态。

三

上午看完了周庄,下午就滑脚去了同里镇。同里离周庄不远,却已归属于江苏省的另一个县——吴江县,也就是我在20多年前听到麦克白式的敲门声的那个县。因此,当我走近前去的时候,心情是颇有些紧张的,但我很明白,要找江南小镇的风韵,同里不会使我失望,为那20多年前的启悟,为它所躲藏的闹中取静的地理位置,也为我平日听到过的有关它的传闻。

就整体气魄论,同里比周庄大。也许是因为周庄讲究原封不动地保持苍老的原貌吧,在现代人的脚下总未免显得有点局促,同里亮堂和挺展得多了,对古建筑的保护和修缮似乎也更花力气。因此,周庄对于我,是乐于参观而不会想到要长久驻足的,而同里却一见面就产生一种要在这里觅房安居的奇怪心愿。

同里的桥,不比周庄少。其中紧紧汇聚在一处的"三桥"则更让人赞叹。三桥都小巧玲珑,构筑典雅,每桥都有花岗石凿刻的楹联,其中一桥的楹联为:

浅渚波光云影,
小桥流水江村。

淡淡地道尽了此地的魅力所在。据老者说,过去镇上居民婚娶,花轿乐队要热热闹闹地把这三座小桥都走一遍,算是大吉大利。老人66岁生日那天也须在午餐后走一趟三桥,算是走通了人生的一个关口。你看,这么一个小小的江镇,竟然自立名胜、自建礼仪,怡然自得中构建了一个与外界无所争持的小世界。在离镇中心稍远处，还有稍大一点的桥，建造也比较考究，如思本桥、富观桥、普安桥等，是小镇的远近门户。

在同里镇随脚走走，很容易见到一些气象有点特别的建筑，仔细一看，墙上嵌有牌子，标明这是崇本堂，这是嘉荫堂，这是耕乐堂，这是陈去病故居，探头进去，有的被保护着专供参观，有的有住家，有的在修理，都不妨轻步踏入，没有人会阻碍你。特别是那些有住家的宅院，你正有点踟蹰呢，住家一眼看出你是来访古的，已是满面笑容。钱氏崇本堂和柳氏嘉荫堂占地都不大，一亩上下而已，却筑得紧凑舒适。两堂均以梁棹窗棂间的精细雕刻著称，除了吉祥花卉图案外，还有传说故事、戏曲小说中的人物和场面的雕刻，据我所知已引起了国内古典艺术研究者们的重视。耕乐堂年岁较老，有宅有园，占地也较大，整体结构匠心独具，精巧宜人，最早的主人是明代的朱祥（耕乐），据说他曾协助巡抚修建了著名的苏州宝带桥，本应论功授官，但他坚辞不就，请求在同里镇造一处宅园过太平日子。看看耕乐堂，谁都会由衷地赞同朱祥的选择。

但是，也不能因此判定像同里这样的江南小镇只是无条件的消极退避之所。你看，让朱祥督造宝带桥工程他不是欣然前往了吗？他要躲避的是做官，并不躲避国计民生方面的正常选择。我们走进近代革命者、诗人学者陈去病（巢南）的居宅，更明确地感受到了这一点。我由于关注过南社的史料，对陈去病的事迹还算是有点熟悉的。见到了他编《百尺楼丛书》的百尺楼，却未能找到他自撰的两副有名楹联：

平生服膺明季三儒之论，沧海归来，信手钞成正气集；

中年有契香山一老所作，白头老去，新居营就浩歌

96

堂。

> 其人以骠姚将军为名，垂虹亭长为号；
>
> 所居有绿玉青瑶之馆，澹泊宁静之庐。

这两副楹联表明，在同里镇三元街的这所宁静住宅里，也曾有热血涌动、浩气充溢的年月。我知道就在这里，陈去病组织过雪耻学会，推行过梁启超的《新民丛报》，还开展过同盟会同里支部的活动。秋瑾烈士在绍兴遇难后，她的密友徐自华女士曾特地赶到这里来与陈去病商量如何处置后事。至少在当时，江浙一带的小镇中每每隐潜着许多这样的决心以热血和生命换来民族生机的慷慨男女，他们的往来和聚会构成了一系列中国近代史中的著名事件，一艘艘小船在解缆系缆，缆索一抖，牵动着整个中国的生命线。

比陈去病小十几岁的柳亚子是更被人们熟知的人物，他当时的活动据点是家乡黎里镇，与同里同属吴江县。陈去病坐船去黎里镇访问了柳亚子后感慨万千，写诗道：

> 梨花村里叩重门，
>
> 握手相看泪满痕。
>
> 故国崎岖多碧血，
>
> 美人幽咽碎芳魂。
>
> 茫茫宙合将安适，
>
> 耿耿心期祗尔论。
>
> 此去壮图如可展，
>
> 一鞭晴旭返中原！

这种气概与人们平素印象中的江南小镇风韵很不一样,但它实实在在是属于江南小镇的,应该说是江南小镇的另一面。在我看来,江南小镇是既疏淡官场名利又深明人世大义的,平日只是按兵不动罢了,其实就连在石桥边栏上闲坐着的老汉都对社会时事具有洞幽悉微的评判能力,真是遇到了历史的紧要关头,江南小镇历来都不木然。我想,像我这样的人也愿意卜居于这些小镇中而预料不会使自己全然枯竭,这也是原因之一吧。

四

同里最吸引人的去处无疑是著名的退思园了。我可以毫不夸张地说,这是我见过的中国古典园林中特别让我称心满意的几个中的一个。我相信,如果同里镇稍稍靠近一点铁路或公路干道,退思园必将塞满旅游的人群。但从上海到这里毕竟很不方便,从苏州过来近一些,然而苏州自己已有太多的园林,柔雅的苏州人也就不高兴去坐长途车了。于是,一座大好的园林静悄悄地呆着,而我特别看中的正是这一点。中国古典园林不管依傍何种建筑流派,都要以静作为自己的韵律。有了静,全部构建会组合成一种古筝独奏般的淡雅清丽,而失去了静,它内在的整体风致也就不可寻找。在摩肩接踵的拥挤中游古典园林是很叫人伤心的事,如有一个偶然的机会,或许是大雨刚歇,游客未至,或许是时值黄昏,庭院冷落,你有幸走在这样的园林中就会觉得走进了一种境界,虚虚浮浮而又满目生气,几乎不相信自己往常曾多次来过。在人口越来越多,一切私家的古典园林都一一变成公众游观处的现代,我的这种审美嗜好无疑是一种不切实际的奢侈愿望了,但竟然有时也能满足。去年冬天曾在上海远郊嘉定县小住了十几天,每天早晨和傍晚,当上海旅游者的班车尚未到达或已经离开的时候,我会急急赶到秋霞圃去,舒舒坦坦地享受一番园林间物我交融的本味。退思园根本没有上海的旅游班车抵达,能够遇到的游客大多是一些镇上的退休老人,安静地在回廊低栏上坐着,看到我们面对某处景点有所迟疑时,他们会用自我陶醉的缓慢语调来解释几句,然后又安静地坐下去。就这样,我们从西首的大门进入,向着东面一个层次一个层次地观赏过来。总以为看完这一进就差不多了,没想到一个月洞门又引出一个新的空间,而且一进比一进美,一层比一层奇。心中早已绷着悬念,却又时时为意外发现而一次次惊叹,这让我想到中国古典园林和古典戏曲在结构上的近似。难怪中国古代曲论家王骥德和李渔都把编剧与工师营建宅院苑榭相提并论。

退思园已有100多年历史,园主任兰生便是同里人,做官做得不小,授资政大夫,赐内阁学士,任凤颖六泗兵备道,兼淮北牙厘局及凤阳钞关之职,有权有势地管过现今安徽省的很大一块地方。后来他就像许多朝廷命官一样遭到了弹劾,落职了,于是回到家乡同里,请本镇一位叫袁龙的杰出艺术家建造此园。园名"退思",立即使人想起《左传》中的那句话:"林父之事君也,进思尽忠,退思补过。"但我漫步在如此精美的园林中,很难相信任兰生动用"退思补过"这一命题的诚恳。"退"是事实,"思"也是免不了的,至于是不是在思"补过"和"事君"则不宜轻信。眼前的水阁亭榭、假山荷池、曲径回廊根本容不下一丝愧赧。好在京城很远,也管不到什么了。

任兰生是聪明的。"退思"云云就像找一个官场烂熟的题目招贴一下,赶紧把安徽官任上搜括来的钱财幻化成一个偷不去抢不走、又无法用数字估价的居住地,也不向外展示,只是一家子安安静静地住着。即使朝廷中还有觊觎者,一见他完全是一派定居的样子,没有再到官场争逐的念头了,也就放下了心,以求彼此两忘。我不知道任兰生在这个园子里是如何度过晚年的，是否再遇到过什么凶险，却总觉得在这样一个地方哪怕住下几年也是令人羡慕的，更何况对园主来说这又是祖辈生息的家乡。任兰生没有料到，这件看来纯然利己的事情实际上竟成了他毕生最大的功业，历史因这座园林把他的名字记下了，而那些凌驾在他之上，或弹劾他而获胜的衮衮诸公们却早就像尘埃一样飘散在时间的流水之中。

就这样，江南小镇款款地接待着一个个早年离它远去的游子，安慰他们，劝他们好生休息，又尽力鼓励他们把休息地搞好。这几乎已成为一种人生范式，在无形之中悄悄控制着遍及九州的志士仁人，使他们常常登高回眸、月夜苦思、梦中轻笑。江南小镇的美色远不仅仅在于它们自身，而更在于无数行旅者心中的毕生描绘。

在踏出退思园大门时我想，现今的中国文人几乎都没有能力靠一人之力建造这样的归息之地了，但是哪怕在这样的小镇中觅得一个较简单的住所也好啊，为什么非要挤在大都市里不可呢？我一直相信从事文化艺术与从事经济贸易、机械施工不同，特别需要有一个真正安宁的环境深入运思、专注体悟，要不然很难成为名副其实的大家。在逼仄的城市空间里写什么都不妨，就是不宜进行宏篇巨著式的艺术创造。日本有位艺术家每年要在太平洋的一个小岛上隐居很长时间，只留出一小部分时间在全世界转悠，手上夹着从小岛带出来的一大叠乐谱和文稿。江南小镇很可以成为我们的作家艺术家的小岛，有了这么一个个宁静的家院在身后，作家艺术家们走在都市街道间的步子也会踏实一点，文坛中的烦心事也会减少大半。而且，由于作家艺术家驻足其间，许多小镇的文化品位和文化声望也会大大提高。如果说我们今天的江南小镇比过去缺了点什么，在我看来，缺了一点真正的文化智者,缺了一点隐潜在河边小巷间的安适书斋,缺了一点足以使这些小镇产生超越时空的吸引力的艺术灵魂。而这些智者,这些灵魂,现正在大都市的人海中领受真正的自然意义上的"倾轧"。

"日暮乡关何处是,烟波江上使人愁。"但愿有一天,能让飘荡在都市喧嚣间的惆怅乡愁收伏在无数清雅的镇邑间,而一座座江南小镇又重新在文化意义上走向充实。只有这样,中国文化才能在人格方位和地理方位上实现双相自立。

到那时,风景旅游和人物访谒会溶成一体,"梨花村里叩重门,握手相看泪满痕"的动人景象又会经常出现,整个华夏大地也就会铺展出文化坐标上的重峦叠嶂。

也许,我想得太多了。

寂寞天柱山

一

　　现在有很多文化人完全不知道天柱山的所在,这实在是不应该的。

　　我曾惊奇地发现,中国古代许多大文豪、大诗人都曾希望在天柱山(潜山)安家。他们走过的地方很多,面对着佳山佳水一时激动,说一些过头话是不奇怪的;但是,声言一定要在某地安家,声言非要在那里安度晚年不可,而且身处不同的时代竟不谋而合地如此声言,这无论如何是罕见的。

　　唐天宝七年,诗人李白只是在江上路过时远远地看了看天柱山,便立即把它选为自己的归宿地:"待吾还丹成,投迹归此地。"过了些年,安禄山叛乱,唐玄宗携杨贵妃出逃蜀中,《长恨歌》《长生殿》所描写过的生生死死大事件发生在历史舞台上,那个时候李白到哪里去了呢?原来他正躲在天柱山静静地读书。唐代正在漫漫艳情和浩浩狼烟间作艰难的选择,我们的诗人却选择了天柱山。当然,李白并没有炼成丹,最终也没有"投迹归此地",但历史还是把他的这个真诚愿望留下了。

　　想在天柱山安家的愿望比李白还要强烈的,是宋代大文豪苏东坡。苏东坡在40岁时曾遇见过一位在天柱山长期隐居的高人,两人饮酒畅叙三日,话题总不离天柱山,苏东坡由此而想到自己在颠沛流离中年方 40 而华发苍然,下决心也要拜谒天柱山来领略另一种人生风味。"年来四十发苍苍,始欲求方救憔悴。他年若访潜山居,慎勿逃人改名字。"这便是他当时随口吟出的诗。后来,他在给一位叫李惟熙的友人写信时又说:"平生爱舒州风土,欲卜居为终老之计。"他这里所说的舒州便是天柱山的所在地,也可看作是天柱山的别称。请看,这位游遍了名山大川的旅行家已明确无误地表明要把卜居天柱山作为"终老之计"了。他这是在用诚恳的语言写信,而不是作诗,并无夸张成分。直到晚年,他的这个计划仍没有改变。老人一生最后一个官职竟十分巧合地是"舒州团练副使",看来连上天也有意成全他的"终老之计"了。他欣然写道:

> 青山祗在古城隅,
> 万里归来卜筑居。

把到天柱山来说成是"归来",分明早已把它看成了家。但如所周知,一位在朝野都极有名望的 60 余岁老人的定居处所已不是他本人的意向所能决定的了,和李白一样,苏东坡也没有实现自己的"终老之计"。

与苏东坡同时代的王安石是做大官的人,对山水景物比不得李白、苏东坡痴情,但有趣的是,他竟然对天柱山也抱有终身性的迷恋。王安石在 30 多岁时曾做过 3 年舒州通判,多次畅游过天柱山,后来虽然宦迹处处,却怎么也丢不下这座山,用现代语言来说,几乎是打上了一个松解不开的"情结"。不管到了哪儿,也不管多大年纪了,他只要一想到天柱山就经常羞愧:

> 相看发秃无归计，
>
> 一梦东南即自羞！

这两句取自他《怀舒州山水》一诗，天柱山永远在他梦中，而自己头发秃谢了也无法回去，他只能深深"自羞"了。与苏东坡一样，他也把到天柱山说成是"归"。

王安石一生经历的政治风浪多，社会地位高，但他总觉得平生有许多事情没有多大意思，因此，上面提到的这种自羞意识总是一而再、再而三地浮现于心头：

> 看君别后行藏意，
>
> 回顾潜楼只自羞。

只要听到有人要到天柱山去，他总是送诗祝贺，深表羡慕。"揽辔羡君桥北路"，他多么想跟着这位朋友一起纵马再去天柱山啊，但他毕竟是极不自由的，"宦身有吏责，触事遇嫌猜"，他只能把生命深处那种野朴的欲求克制住。而事实上，他真正神往的生命状态乃是：

> 野性堪如此，
>
> 潜山归去来。

还可以举出一些著名文学家来。例如在天柱山居住过一段时间的黄庭坚此后总是口口声声"吾家潜山，实为名山之福地"，而实际上他是江西人，真正的家乡离天柱山（潜山）还远得很。

再列举下去有点"掉书袋"的味道了，就此打住吧。我深感兴趣的问题是，在华夏大地的崇山峻岭中间，天柱山究竟凭什么赢得了这么多文学大师的厚爱？

很可能是它曾经有过的宗教气氛。天柱山自南北朝特别是隋唐以后，佛道两教都非常兴盛。佛教的二祖、三祖、四祖都曾在此传经，至今三祖寺仍是全国著名的禅宗古刹；在道教那里，天柱山的地理位置使它成为"地维"，是"九天司命真君"的居住地，很多道家大师都曾在这里学过道。这两大宗教在此交汇，使天柱山一度拥有层层叠叠的殿宇楼阁，气象非凡。对于高品位的中国文人来说，佛道两教往往是他们世界观的主干或侧翼，因此这座山很有可能成为他们漫长人生的精神皈依点。这种山水化了的宗教，理念化了的风物，最能使那批有悟性的文人畅意适怀。例如李白、苏东坡对它的思念，就与此有关。

也可能是它所蕴含的某种历史魅力。早在公元前106年，汉武帝曾到天柱山祭祀，封此山为南岳，这次祭山是连伟大的历史学家司马迁也跟随来了的。后来，天柱山地区出过一些让一切中国人都难以忘怀的历史人物，例如赫赫大名的三国周瑜，以及"小乔初嫁了"的二乔姐妹。这般风流倜傥，又与历史的大线条连结得这般紧密，本是历代艺术家恒久的着眼点，无疑也会增加这座山的诱惑力。王安石初到此地做官时曾急切询问当地百姓知道不知道这里出过周瑜，百姓竟然都不知道，王安石深感寂寞，但这种寂寞可能更加增添了诱惑。一般的文人至少会对乔氏姐妹的出生地发生兴趣："乔公二女秀所钟，秋水并蒂开芙蓉。只今冷落遗故址，令人千古思余风。"（罗庄：《潜山古风》）

当然，还会有其他可能。

但是在我看来，首要条件还是它的自然风景。如果风景不好，佛道寺院不会竞相在这里筑建，出了再大的名人也不会叫人过多地留连。那么，且让我们进山。

二

我们是坐长途汽车进天柱山的,车上有 10 多个人,但到车停下以后一看,他们大多是山民和茶农,一散落到山岙里连影子也没有了,真正来旅游的只是我们。

开始见到过一个茶庄,等到顺着茶庄背后的山路翻过山,就再也见不到房舍。山外的一切平泛景象突然不见,一时涌动出无数奇丽的山石,山石间掩映着丛丛簇簇的各色林木,一下子就把人的全部感觉收服了。我在想,这种著名的山川实在是造物主使着性子雕镂出来的千古奇迹。为什么到了这里,一切都变得那么可心了呢? 在这里随便选一块石头搬到山外去都会被人当作奇物供奉起来,但它就是不肯匀出去一点,让外面的开阔地长久地枯燥着,硬是把精华都集中在一处,自享自美。水也来凑热闹,不知从哪儿跑出来的,这儿一个溪涧,那儿一道瀑布,贴着山石幽幽地流,欢欢地溅。此时外面正是炎暑炙人的盛夏,进山前见过一条大沙河,浑浊的水,白亮的反光,一见之下就平添了几分烦热;而在这里,几乎每一滴水都是清彻甜凉的了,给整个山谷带来一种不见风的凉爽。有了水声,便引来虫叫,引来鸟鸣,各种声腔调门细细地搭配着,有一声,没一声,搭配出一种比寂然无声更静的静。你就被这种静控制着,脚步、心情、脸色也都变静。想起了高明的诗人、画家老是要表现的一种对象:静女。这种女子,也是美的大集中,五官身材一一看去,没有一处不妥贴的,于是妥贴成一种难于言传的宁静。德国哲学家莱辛曾在《拉奥孔》一书中嘲笑那种把美女的眼睛、鼻子、嘴巴分开来逐个描绘的文学作品,这是嘲笑对了的。其实风景也是一样,我最不耐烦有的游记作品对各项自然风景描摹得过于琐细,因此也随之不耐烦书店里的《风景描写辞典》之类。站在天柱山的谷岙里实在很难产生任何分割性的思维,只觉得山谷抱着你,你又抱着山谷,都抱得那样紧密,逮不到一丝遣字造句的空间。猛然想起黄庭坚写天柱山的两句诗:

> 哀怀抱绝景,
> 更觉落笔难。

当然不是佳句,却正是我想说的。

长长的山道上很难得见到人。记得先是在一处瀑布边见到过两位修路的民工,后来在通向三祖寺的石阶上见过一位挑肥料的山民,最后在霹雳石边上见到一位蹲在山崖边卖娃娃鱼的妇女。曾问那位妇女:整个山上都没有人,娃娃鱼卖给谁呢?妇女一笑,随口说了几句很难听懂的当地土话,像是高僧的偈语。色彩斑斓的娃娃鱼在瓶里停伫不动,像要从寂寞的亘古停伫到寂寞的将来。

山道越走越长,于是宁静也越来越纯。越走又越觉得山道修筑得非常完好,完好得与这个几乎无人的世界不相般配。当然得感谢近年来的悉心修缮,但毫无疑问,那些已经溶化为自然景物的坚实路基,那些新桥栏下石花苍然的远年桥墩,那些指向风景绝佳处的磨滑了的石径,却镌刻下了很早以前曾经有过的繁盛。无数的屋檐曾从崖石边飞出,磬钹声此起彼伏,僧侣和道士们在山道间拱手相让,远道而来的士子们更是指指点点,东张西望。是历史,是无数双远去的脚,是一代代人登攀的虔诚,把这条山道连结得那么通畅,踩踏得那么殷实,流转得那么潇洒自如。

如果在荆莽丛中划开一条小路,一次次低头曲腰地钻出身子来,麻烦虽然麻烦,却绝不会寂寞;今天,分明走在一条足以容纳浩浩荡荡的朝山队伍的畅亮山道上，却不知为何突然消失了全部浩浩荡荡，光剩下了我们，于是也就剩下了寂寞，剩下了惶恐。

进山前曾在一堵墙壁上约略看过游览路线图，知道应有许多景点排列着，一直排到最后的天柱峰。据说站在天池边仰望天柱峰，还会看到一种七彩光环层层相套的"宝光"。但是，我们走得那么久了，怎么就找不到路线图上的诸多景点呢？也许根本走错了路？或者倒是抄了一条近路，天柱峰会突然在眼前冒出来？人在寂寞和惶恐中什么念头都会产生，连最后一点意志力也会让位给侥幸。就在这时，终于在路边看到一块石头路标，一眼看去便一阵激动：天柱峰可不真的走到了！但定睛再看时发现，写的是天蛙峰，那个蛙字远远看去与柱字相仿。

总算找到了一个像样的景点。天蛙峰因峰顶有巨石很像一只青蛙而得名。与天蛙峰并列有降丹峰和天书峰，一峰峰登上去，远看四周，云翻峰涌，确实是大千气象。峰顶有平坦处，舒舒展展地仰卧在上面，顿时山啊，云啊，树啊，鸟啊，都一起屏息，只让你静静地休憩。汗收了，气平了，懒劲也上来了，再不想挪动。这儿有远山为墙，白云为盖，那好，就这样软软地躺一会儿。

有一阵怪异的凉风吹在脸上，微微睁开眼，不好，云在变色，像要下雨，所有的山头也开始探头探脑地冷笑。一骨碌起身，突然想起一路绝无避雨处，要返回长途汽车站还有漫长的路途。不知今天这儿是否还会有长途汽车向县城发出？赶快返回吧，天柱峰在哪儿，想也不敢去想了。

后来，等我们终于赶回到那幅画在墙上的游览线路图前才发现，我们所走的路，离天柱峰还不到三分之一。许许多多景点，我们根本还没有走到呢。

三

我由此而不能不深深地叹息。

论爬山,我还不算是一个无能者,但我为何独独消受不住天柱山的长途和清寂呢?我本以为进山之后可以找到李白、苏东坡他们一心想在山中安家的原因,为什么这个原因离我更加遥远了呢?

也许不能怪我。要不然堂堂天柱山为何游人这般稀少呢?

据说,很有一些人为此找过原因。有人说,虽然汉武帝封它为南岳,但后来隋文帝却把南岳的尊称转让给了衡山,它既被排除在名山之外,也就冷落了。对这种说法只可一笑了之。因为天柱山真正的兴盛期都在撤销封号之后,更何况从未被谁封过的黄山、庐山不正热闹非凡?

也有人认为是交通不便,从合肥、安庆到这里要花费半天时间。这自然也不成理由,那些更其难于抵达的地方如峨眉乃至敦煌,不也一直熙熙攘攘?

我认为,天柱山之所以能给古人一种居家感,一个比较现实的原因是它地处江淮平原,四相钩连,八方呼应,水陆交通畅达,虽幽深而无登高之苦,虽奇丽而无柴米之匮,总而言之,既宁静又方便。但是,正是这种重要的地理位置,险要而又便利的生存条件,使它一次次成了兵家必争之地,成了或要严守、或要死攻的要塞所在。这样,它就要比其他风景胜地不幸得多。不间断的兵燹几乎烧毁了每一所寺院和楼台,留下一条挺像样子却又无处歇脚的山路,在寂静中蜿蜒。

我敢断定,古代诗人们来游天柱山的时候,会在路边的寺庙道院里找到不少很好的食宿处,一天一天地走过去,看完七彩宝光再洒洒脱脱地逛回来。要不然,怎么也产生不了在这儿安家的念头。

因此，是多年的战争，使天柱山丧失了居家感，也使它还来不及为现代游人作应有的安排。

空寂无人的山岙，留下了历史的强蛮。

四

天柱山一直没有一部独立的山志，因此我对它的历史沧桑知之不详。约略可说一点的只是——

南宋末年，义民刘源在天柱山区率 10 万军民结寨抗元达 18 年之久，失败后天柱山遭到扫荡，刘源本人则牺牲在天柱峰下；

明朝末年，张献忠与官军多次以天柱山为主战场进行惨烈的搏斗，佛光寺等寺院都付之一炬，仅在崇祯十五年九月的一场战斗中，张献忠的起义军战死 10 余万人，天柱山地区"尸横二十余里"；

以后，朱统锜又以天柱山为据点抗清复明，余公亮也在这里聚众造反。他们都失败了，天柱山又一次受到血与火的荡涤；

天柱山成为最大的战场是在清代咸丰、同治年间，太平天国的将领陈玉成在此与清兵厮杀十几年，进进退退，烧烧杀杀，待太平天国失败后再去打点这个旧战场，全山寺庙几乎都已不复存在；

……

是的，天柱山有宗教，有美景，有诗文，但中国历史要比这一切苍凉得多，到了一定的时候，茫茫大地上总要凸现出圆目怒睁、青筋贲张的主题，也许是拼死挣扎，也许是血誓报复，也许是不用无数尸体已无法换取某种道义，也许是舍弃强暴已不能验证自己的存在,那就只能对不起宗教、美景和诗文了,天柱山乖乖地给这些主题腾出地盘。

它本该早就彻底荒芜,任蛇蝎横行、豺狼出没,但总还有一些人在战场废墟上低头徘徊,企图再建造一点大体可以称作文明或文化的什么。例如直到本世纪20年代还有一个妙高和尚栖息在马祖洞旁的草庵里日夜开荒积粮,又四方化缘,竟以多年精力重建起寺院,实在是创造了个人意志力的惊人奇迹。但这又有什么用呢?本世纪依然兵荒马乱,油漆崭新的殿宇很快又在战火中颓圮。现在,战争停息已有很多年了,这儿,也许可以比较长久地改换一个主题?

终于又想起李白、苏东坡、王安石他们了。在我们辽阔的土地上,让这样的文人能产生终老之计的山水,总应该增加一些而不是减少下去吧。冷漠的自然能使人们产生故园感和归宿感,这是自然的人化,是人向自然的真正挺进。天柱山的盛衰升沉,无疑已触及到这个哲学和人类学的本原性问题。苏东坡、王安石本是不错的哲学家,天柱山寺庙的僧侣中一定也隐伏过许多玄学大师,他们在山间漫步沉思的时候,是否也曾碰撞到这些问题的边缘?王安石一直叹息在这里没有人能与他谈学问,他是否也想摩挲一下这方面的玄机?

至于我,现今也到了苏东坡所说"年来四十发苍苍"的年岁,浪迹四野,风尘满身。当然不会急着在这里觅地建房,但走在天柱山的山道上,却时时体会着"万里归来卜筑居"的深味。我不是也一直在寻找吗?

好像寻找的人还相当的多。耳边分明响起比我年轻的人的恳切歌声:"我想有个家……"

是的,家。从古代诗人到我们,都会在天柱山的清寂山道上反复想到的一个远远超出社会学范畴的哲学命题:家。

风雨天一阁

一

　　不知怎么回事，天一阁对于我，一直有一种奇怪的阻隔。照理，我是读书人，它是藏书楼，我是宁波人，它在宁波城，早该频频往访的了，然而却一直不得其门而入。1976年春到宁波养病，住在我早年的老师盛钟健先生家，盛先生一直有心设法把我弄到天一阁里去看一段时间书，但按当时的情景，手续颇烦人，我也没有读书的心绪，只得作罢。后来情况好了，宁波市文化艺术界的朋友们总要定期邀我去讲点课，但我每次都是来去匆匆，始终没有去过天一阁。

　　是啊，现在大批到宁波作几日游的普通上海市民回来后都在大谈天一阁，而我这个经常钻研天一阁藏本重印书籍、对天一阁的变迁历史相当熟悉的人却从未进过阁，实在说不过去。直到1990年8月我再一次到宁波讲课，终于在讲完的那一天支支吾吾地向主人提出了这个要求。主人是文化局副局长裴明海先生，天一阁正属他管辖，在对我的这个可怕缺漏大吃一惊之余立即决定，明天由他亲自陪同，进天一阁。

　　但是，就在这天晚上，台风袭来，暴雨如注，整个城市都在柔弱地颤抖。第二天上午如约来到天一阁时，只见大门内的前后天

112

井、整个院子全是一片汪洋。打落的树叶在水面上翻卷，重重砖墙间透出湿冷冷的阴气。

看门的老人没想到文化局长会在这样的天气陪着客人前来，慌忙从清洁工人那里借来半高统雨鞋要我们穿上，还递来两把雨伞。但是，院子里积水太深，才下脚，鞋统已经进水，唯一的办法是干脆脱掉鞋子，挽起裤管趟水进去。本来浑身早已被风雨搅得冷飕飕的了，赤脚进水立即通体一阵寒噤。就这样，我和裴明海先生相扶相持，高一脚低一脚地向藏书楼走去。天一阁，我要靠近前去怎么这样难呢？明明已经到了跟前，还把风雨大水作为最后一道屏障来阻拦。我知道，历史上的学者要进天一阁看书是难乎其难的事，或许，我今天进天一阁也要在天帝的主持下举行一个狞厉的仪式？

天一阁之所以叫天一阁，是创办人取《易经》中"天一生水"之义，想借水防火，来免去历来藏书者最大的忧患火灾。今天初次相见，上天分明将"天一生水"的奥义活生生地演绎给了我看，同时又逼迫我以最虔诚的形貌投入这个仪式，剥除斯文、剥除参观式的优闲，甚至不让穿着鞋子踏入圣殿，背躬曲膝、哆哆嗦嗦地来到跟前。今天这里再也没有其他参观者，这一切岂不是一种超乎寻常的安排？

二

不错，它只是一个藏书楼，但它实际上已成为一种极端艰难、又极端悲怆的文化奇迹。

中华民族作为世界上最早进入文明的人种之一，让人惊叹地创造了独特而美丽的象形文字，创造了简帛，然后又顺理成章地创造了纸和印刷术。这一切，本该迅速地催发出一个书籍的海洋，把壮阔的华夏文明播扬翻腾。但是，野蛮的战火几乎不间断地在焚烧着脆薄的纸页，无边的愚昧更是在时时吞食着易碎的智慧。一个为写书、印书创造好了一切条件的民族竟不能堂而皇之地拥有和保存很多书，书籍在这块土地上始终是一种珍罕而又陌生的怪物，于是，这个民族的精神天地长期处于散乱状态和自发状态，它常常不知自己从哪里来，到哪里去，自己究竟是谁，要干什么。

只要是智者，就会为这个民族产生一种对书的企盼。他们懂得，只有书籍，才能让这么悠远的历史连成缆索，才能让这么庞大的人种产生凝聚，才能让这么广阔的土地长存文明的火种。很有一些文人学士终年辛劳地以抄书、藏书为业，但清苦的读书人到底能藏多少书，而这些书又何以保证历几代而不流散呢？"君子之泽，五世而斩"，功名资财、良田巍楼尚且如此，更遑论区区几箱书？宫廷当然有不少书，但在清代之前，大多构不成整体文化意义上的藏书规格，又每每毁于改朝换代之际，是不能够去指望的。鉴于这种种情况，历史只能把藏书的事业托付给一些非常特殊的人物了。这种人必得长期为官，有足够的资财可以搜集书籍；这种人为官又最好各地迁移，使他们有可能搜集到散落四处的版本；这种人必须有极高的文化素养，对各种书籍的价值有迅捷的敏感；这种人必须有清晰的管理头脑，从建藏书楼到设计书橱都有精明的考虑，从借阅规则到防火措施都有周密的安排；这种人还必须有超越时间的深入谋划，对如何使自己的后代把藏书保存下去有预先的构想。当这些苛刻的条件全都集于一身时，他才有可能成为古代中国的一名藏书家。

这样的藏书家委实也是出过一些的，但没过几代，他们的事业都相继萎谢。他们的名字可以写出长长一串，但他们的藏书却早已流散得一本不剩了。那么，这些名字也就组合成了一种没有成果的努力，一种似乎实现过而最终还是未能实现的悲剧性愿望。

能不能再出一个人呢，哪怕仅仅是一个，他可以把上述种种苛刻的条件提升得更加苛刻，他可以把管理、保存、继承诸项关节琢磨到极端，让偌大的中国留下一座藏书楼，一座，只是一座！上天，可怜可怜中国和中国文化吧。

这个人终于有了，他便是天一阁的创建人范钦。

清代乾嘉时期的学者阮元说："范氏天一阁，自明至今数百年，海内藏书家，唯此岿然独存。"

这就是说，自明至清数百年广阔的中国文化界所留下的一部分书籍文明，终于找到了一所可以稍加归拢的房子。

明以前的漫长历史，不去说它了，明以后没有被归拢的书籍，也不去说它了，我们只向这座房子叩头致谢吧，感谢它为我们民族断残零落的精神史，提供了一个小小的栖脚处。

三

范钦是明代嘉靖年间人，自 27 岁考中进士后开始在全国各地做官，到的地方很多，北至陕西、河南，南至两广、云南，东至福建、江西，都有他的宦迹。最后做到兵部右侍郎，官职不算小了。这就为他的藏书提供了充裕的财力基础和搜罗空间。在文化资料十分散乱，又没有在这方面建立起像样的文化市场的当时，官职本身也是搜集书籍的重要依凭。他每到一地做官，总是非常留意搜集当地的公私刻本，特别是搜集其他藏书家不甚重视、或无力获得的各种地方志、政书、实录以及历科试士录，明代各地仕人刻印的诗文集，本是很容易成为过眼烟云的东西，他也搜得不少。这一切，光有搜集的热心和资财就不够了。乍一看，他是在公务之暇把玩书籍，而事实上他已经把人生的第一要务看成是搜集图书，做官倒成了业余，或者说，成了他搜集图书的必要手段。他内心隐潜着的轻重判断是这样，历史的宏观裁断也是这样。好像历史要当时的中国出一个藏书家，于是把他放在一个颠簸九州的官位上来成全他。

一天公务，也许是审理了一宗大案，也许是弹劾了一名贪官，也许是调停了几处官场恩怨，也许是理顺了几项财政关系，衙堂威仪，朝野声誉，不一而足。然而他知道，这一切的重量加在一起也比不过傍晚时分差役递上的那个薄薄的蓝布包袱，那里边几册按他的意思搜集来的旧书，又要汇入行箧。他那小心翼翼翻动书页的声音，比开道的鸣锣和吆喝都要响亮。

范钦的选择，碰撞到了我近年来特别关心的一个命题：基于健全人格的文化良知，或者倒过来说，基于文化良知的健全人格。没有这种东西，他就不可能如此矢志不移，轻常人之所重，重常人之所轻。他曾毫不客气地顶撞过当时在朝廷权势极盛的皇亲郭勋，因而遭到廷杖之罚，并下过监狱。后来在仕途上仍然耿直不阿，公然冒犯权奸严氏家族，严世藩想加害于他，而其父严嵩却说："范钦是连郭勋都敢顶撞的人，你参了他的官，反而会让他更出名。"结果严氏家族竟奈何范钦不得。我们从这些事情可以看到，一个成功的藏书家在人格上至少是一个强健的人。

这一点我们不妨把范钦和他身边的其他藏书家作个比较。与范钦很要好的书法大师丰坊也是一个藏书家，他的字毫无疑问要比范钦写得好，一代书家董其昌曾非常钦佩地把他与文徵明并列，说他们两人是"墨池董狐"，可见在整个中国古代书法史上，他也是一个耀眼的星座。他在其他不少方面的学问也超过范钦，例如他的专著《五经世学》，就未必是范钦写得出来的。但是，作为一个地道的学者艺术学，他太激动，太天真，太脱世，太不考

116

虑前后左右,太随心所欲。起先他也曾狠下一条心变卖掉家里的千亩良田来换取书法名帖和其他书籍,在范钦的天一阁还未建立的时候他已构成了相当的藏书规模,但他实在不懂人情世故,不懂口口声声尊他为师的门生们也可能是巧取豪夺之辈,更不懂得藏书楼防火的技术,结果他的全部藏书到他晚年已有十分之六被人拿走,又有一大部分毁于火灾,最后只得把剩余的书籍转售给范钦。范钦既没有丰坊的艺术才华,也没有丰坊的人格缺陷,因此,他以一种冷峻的理性提炼了丰坊也会有的文化良知,使之变成一种清醒的社会行为。相比之下,他的社会人格比较强健,只有这种人才能把文化事业管理起来。太纯粹的艺术家或学者在社会人格上大多缺少旋转力,是办不好这种事情的。

　　另一位可以与范钦构成对比的藏书家正是他的侄子范大澈。范大澈从小受叔父影响,不少方面很像范钦,例如他为官很有能力,多次出使国外,而内心又对书籍有一种强烈的癖好;他学问不错,对书籍也有文化价值上的裁断力,因此曾被他搜集到一些重要珍本。他藏书,既有叔父的正面感染,也有叔父的反面刺激。据说有一次他向范钦借书而范钦不甚爽快,便立志自建藏书楼来悄悄与叔父争胜,历数年努力而楼成,他就经常邀请叔父前去作客,还故意把一些珍贵秘本放在案上任叔父随意取阅。遇到这种情况,范钦总是淡淡的一笑而已。在这里,叔侄两位藏书家的差别就看出来了。侄子虽然把事情也搞得很有样子,但背后却隐藏着一个意气性的动力,这未免有点小家子气了。在这种情况下,他的终极性目标是很有限的,只要把楼建成,再搜集到叔父所没有的版本,他就会欣然自慰。结果,这位作为后辈新建的藏书楼只延续几代就合乎逻辑地流散了,而天一阁却以一种怪异的力度屹立着。

　　实际上,这也就是范钦身上所支撑着的一种超越意气、超越嗜好、超越才情,因此也超越时间的意志力。这种意志力在很长时间内的表现常常让人感到过于冷漠、严峻,甚至不近人情,但天一阁就是靠着它延续至今的。

<h1 style="text-align:center">四</h1>

藏书家遇到的真正麻烦大多是在身后,因此,范钦面临的问题是如何把自己的意志力变成一种不可动摇的家族遗传。不妨说,天一阁真正堪称悲壮的历史,开始于范钦死后。我不知道保住这座楼的使命对范氏家族来说算是一种荣幸,还是一场延绵数百年的苦役。

活到 80 高龄的范钦终于走到了生命尽头,他把大儿子和二媳妇(二儿子已亡故)叫到跟前,安排遗产继承事项。老人在弥留之际还给后代出了一个难题,他把遗产分成两份,一份是万两白银,一份是一楼藏书,让两房挑选。

这是一种非常奇怪的遗产分割法。万两白银立即可以享用,而一楼藏书则除了沉重的负担没有任何享用的可能,因为范钦本身一辈子的举止早已告示后代,藏书绝对不能有一本变卖,而要保存好这些藏书每年又要支付一大笔费用。为什么他不把保存藏书的责任和万两白银都一分为二让两房一起来领受呢?为什么他要把权利和义务分割得如此彻底要后代选择呢?

我坚信这种遗产分割法老人已经反复考虑了几十年。实际上这是他自己给自己出的难题:要么后代中有人义无返顾、别无他求地承担艰苦的藏书事业,要么只能让这一切都随自己的生命烟消云散!他故意让遗嘱变得不近情理,让立志继承藏书的一房完全无利可图。因为他知道这时候只要有一丝掺假,再隔几代,假的成分会成倍地扩大,他也会重蹈其他藏书家的覆辙。他没有丝毫意思讽刺或鄙薄要继承万两白银的那一房,诚实地承认自己没有承接这项历史性苦役的信心,总比在老人病榻前不太诚实的信誓旦旦好得多。但是,毫无疑问,范钦更希望在告别人世的最后一刻听到自己企盼了几十年的声音。他对死神并不恐惧,此刻却不无恐惧地直视着后辈的眼睛。

大儿子范大冲立即开口,他愿意继承藏书楼,并决定拨出自己的部分良田,以田租充当藏书楼的保养费用。

就这样,一场没完没了的接力赛开始了。多少年后,范大冲也会有遗嘱,范大冲的儿子又会有遗嘱……,后一代的遗嘱比前一代还要严格。藏书的原始动机越来越远,而家族的繁衍却越来越大,怎么能使后代众多支脉的范氏世谱中每一家每一房都严格地恪守先祖范钦的规范呢?这实在是一个值得我们一再品味的艰难课题。在当时,一切有历史跨度的文化事业只能交付给家族传代系列,但家族传代本身却是一种不断分裂、异化、自立的生命过程。让后代的后代接受一个需要终生投入的强硬指令,是十分违背生命的自在状态的;让几百年之后的后裔不经自身体验就来沿袭几百年前某位祖先的生命冲动,也难免有许多憋气的地方。不难想象,天一阁藏书楼对于许多范氏后代来说几乎成了一个宗教式的朝拜对象,只知要诚惶诚恐地维护和保存,却不知是为什么。按照今天的思维习惯,人们会在高度评价范氏家族的丰功伟绩之余随之揣想他们代代相传的文化自觉,其实我可肯定此间埋藏着许多难以言状的心理悲剧和家族纷争,这个在藏书楼下生活了几百年的家族非常值得同情。

后代子孙免不了会产生一种好奇,楼上究竟是什么样的呢?到底有哪些书,能不能借来看看?亲戚朋友更会频频相问,作为你们家族世代供奉的这个秘府,能不能让我们看上一眼呢?

范钦和他的继承者们早就预料到这种可能,而且预料藏书楼就会因这种点滴可能而崩坍,因而已经预防在先。他们给家族制定了一个严格的处罚规则,处罚内容是当时视为最大屈辱的不予参加祭祖大典,因为这种处罚意味着在家族血统关系上亮出了"黄牌",比杖责鞭笞之类还要严重。处罚规则标明:子孙无故开门入阁者,罚不与祭3次;私领亲友入阁及擅开书橱者,罚不与祭1年;擅将藏书借出外房及他姓者,罚不与祭3年,因而典押事故者,除追惩外,永行摈逐,不得与祭。

在此,必须讲到那个我每次想起都很难过的事件了。嘉庆年间,宁波知府丘铁卿的内侄女钱绣芸是一个酷爱诗书的姑娘,一心想要登天一阁读点书,竟要知府作媒嫁给了范家。现代社会学家也许会责问钱姑娘你究竟是嫁给书还是嫁给人,但在我看来,她在婚姻很不自由的时代既不看重钱也不看重势,只想借着婚配来多看一点书,总还是非常令人感动的。但她万万没有想到,当自己成了范家媳妇之后还是不能登楼,一种说法是族规禁止妇女登楼,另一种说法是她所嫁的那一房范家后裔在当时已属于旁支。反正钱绣芸没有看到天一阁的任何一本书,郁郁而终。

今天,当我抬起头来仰望天一阁这栋楼的时候,首先想到的是钱绣芸那忧郁的目光。我几乎觉得这里可出一个文学作品了,不是写一般的婚姻悲剧,而是写在那很少有人文主义气息的中国封建社会里,一个姑娘的生命如何强韧而又脆弱地与自己的文化渴求周旋。

从范氏家族的立场来看,不准登楼,不准看书,委实也出于无奈。只要开放一条小缝,终会裂成大隙。但是,永远地不准登楼,不准看书,这座藏书楼存在于世的意义又何在呢?这个问题,每每使范氏家族陷入困惑。

范氏家族规定,不管家族繁衍到何等程度,开阁门必得各房一致同意。阁门的钥匙和书橱的钥匙由各房分别掌管,组成一环也不可缺少的连环,如果有一房不到是无法接触到任何藏书的。既然每房都能有效地行使否决权,久而久之,每房也都产生了终极性的思考:被我们层层叠叠堵住了门的天一阁究竟是干什么用的?

就在这时,传来消息,大学者黄宗羲先生要想登楼看书!这对范家各房无疑是一个巨大的震撼。黄宗羲是"吾乡"余姚人,对范氏家族没有任何血缘关系,照理是严禁登楼的,但无论如何他是靠自己的人品、气节、学问而受到全国思想学术界深深钦佩的巨人,范氏各房也早有所闻。尽管当时的信息传播手段非常落后,但由于黄宗羲的行为举止实在是奇崛响亮,一次次在朝野之间造成非凡的轰动效应。他的父亲本是明末东林党重要人物,被魏忠贤宦官集团所杀,后来宦官集团受审,19岁的黄宗羲在廷质时竟义愤填膺地锥刺和痛殴漏网余党,后又追杀凶手,警告阮大铖,一时大快人心。清兵南下时他与两个弟弟在家乡组织数百人的子弟兵"世忠营"英勇抗清,抗清失败后便潜心学术,边著述边讲学,把民族道义、人格道德溶化在学问中启世迪人,成为中国古代学术天域中第一流的思想家和历史学家。他在治学过程中已经到绍兴钮氏"世学楼"和祁氏"淡生堂"去读过书,现在终于想来叩天一阁之门了。他深知范氏家族的森严规矩,但他还是来了,时间是康熙十二年,即1673年。

出乎意外,范氏家族的各房竟一致同意黄宗羲先生登楼,而且允许他细细地阅读楼上的全部藏书。这件事,我一直看成是范氏家族文化品格的一个验证。他们是藏书家,本身在思想学术界和社会政治领域都没有太高的地位,但他们毕竟为一个人而不是为其他人,交出了他们珍藏严守着的全部钥匙。这里有选择,有裁断,有一个庞大的藏书世家的人格闪耀。黄宗羲先生长衣布鞋,悄然登楼了。铜锁在一具具打开,1673年成为天一阁历史上特别有光彩的一年。

黄宗羲在天一阁翻阅了全部藏书,把其中流通未广者编为书目,并另撰《天一阁藏书记》留世。由此,这座藏书楼便与一位大学者的人格连结起来了。

从此以后,天一阁有了一条可以向真正的大学者开放的新规矩,但这条规矩的执行还是十分苛严,在此后近200年的时间内,获准登楼的大学者也仅有10余名,他们的名字,都是上得了中国文化史的。

这样一来,天一阁终于显现了本身的存在意义,尽管显现的机会是那样小。封建家族的血缘继承关系和社会学术界的整体需求产生了尖锐的矛盾,藏书世家面临着无可调和的两难境地:要么深藏密裹使之留存,要么发挥社会价值而任之耗散。看来像天一阁那样经过最严格的选择作极有限的开放是一个没有办法中的办法。但是,如此严格地在全国学术界进行选择,已远远超出了一个家族的职能范畴了。

直到乾隆决定编纂《四库全书》,这个矛盾的解决才出现了一些新的走向。乾隆谕旨各省采访遗书,要各藏书家,特别是江南的藏书家积极献书。天一阁进呈珍贵古籍600余种,其中有96种被收录在《四库全书》中,有370余种列入存目。乾隆非常感谢天一阁的贡献,多次褒扬奖赐,并授意新建的南北主要藏书楼都仿照天一阁格局营建。

天一阁因此而大出其名,尽管上献的书籍大多数没有发还,但在国家级的"百科全书"中,在钦定的藏书楼中,都有了它的生命。我曾看到好些著作文章中称乾隆下令天一阁为《四库全书》献书是天一阁的一大浩劫,颇觉言之有过。藏书的意义最终还是要让它广泛流播,"藏"本身不应成为终极目的。连堂堂皇家编书都不得不大幅度地动用天一阁的珍藏,家族性的收藏变成了一种行政性的播扬,这证明天一阁获得了大成功,范钦获得了大成功。

五

天一阁终于走到了中国近代。什么事情一到中国近代总会变得怪异起来,这座古老的藏书楼开始了自己新的历险。

先是太平军进攻宁波时当地小偷趁乱拆墙偷书,然后当废纸论斤卖给造纸作坊。曾有一人出高价从作坊买去一批,却又遭大火焚毁。

这就成了天一阁此后命运的先兆,它现在遇到的问题已不是让不让某位学者上楼的问题了,竟然是窃贼和偷儿成了它最大的对手。

1914年,一个叫薛继渭的偷儿奇迹般地潜入书楼,白天无声无息,晚上动手偷书,每日只以所带枣子充饥,东墙外的河上,有小船接运所偷书籍。这一次几乎把天一阁的一半珍贵书籍给偷走了,它们渐渐出现在上海的书铺里。

薛继渭的这次偷窃与太平天国时的那些小偷不同,不仅数量巨大、操作系统,而且最终与上海的书铺挂上了钩,显然是受到书商的指使。近代都市的书商用这种办法来侵吞一个古老的藏书楼,我总觉得其中蕴含着某种象征意义。把保护藏书楼的种种措施都想到了家的范钦确实没有在防盗的问题上多动脑筋,因为这对在当时这样一个家族的院落来说构不成一种重大威胁。但是,这正像范钦想象不到会有一个近代降临,想象不到近代市场上那些商人在资本的原始积累时期会采取什么手段。一架架的书橱空了,钱绣芸小姐哀怨地仰望终身而未能上的楼板,黄宗羲先生小心翼翼地踩踏过的楼板,现在只留下偷儿吐出的一大堆枣核在上面。

当时主持商务印书馆的张元济先生听说天一阁遭此浩劫，并得知有些书商正准备把天一阁藏本卖给外国人，便立即拨巨资抢救，保存于东方图书馆的"涵芬楼"里。涵芬楼因有天一阁藏书的润泽而享誉文化界，当代不少文化大家都在那里汲取过营养。但是，如所周知，它最终竟又全部焚毁于日本侵略军的炸弹之下。

这当然更不是数百年前的范钦先生所能预料的了。他"天一生水"的防火秘咒也终于失效。

六

然而毫无疑问，范钦和他后代的文化良知在现代并没有完全失去光亮。除了张元济先生外，还有大量的热心人想努力保护好天一阁这座"危楼"，使它不要全然成为废墟。这在现代无疑已成为一个社会性的工程，靠着一家一族的力量已无济于事。幸好，本世纪 30 年代、50 年代、60 年代直至 80 年代，天一阁一次次被大规模地修缮和充实着，现在已成为重点文物保护单位，也是人们游览宁波时大多要去访谒的一个处所。天一阁的藏书还有待于整理，但在文化信息密集、文化沟通便捷的现代，它的主要意义已不是以书籍的实际内容给社会以知识，而是作为一种古典文化事业的象征存在着，让人联想到中国文化保存和流传的艰辛历程，联想到一个古老民族对于文化的渴求是何等悲怆和神圣。

我们这些人，在生命本质上无疑属于现代文化的创造者，但从遗传因子上考察又无可逃遁地是民族传统文化的孑遗，因此或多或少也是天一阁传代系统的繁衍者，尽管在范氏家族看来只属于"他姓"。登天一阁楼梯时我的脚步非常缓慢，我不断地问自己：你来了吗？ 你是哪一代的中国书生？

　　很少有其他参观处所能使我像在这里一样心情既沉重又宁静。阁中一位年老的版本学家颤巍巍地捧出两个书函，让我翻阅明刻本，我翻了一部登科录，一部上海志，深深感到，如果没有这样的孤本，中国历史的许多重要侧面将杳无可寻。由此想到，保存这些历史的天一阁本身的历史，是否也有待于进一步发掘呢？裴明海先生递给我一本徐季子、郑学溥、袁元龙先生写的《宁波史话》的小册子，内中有一篇介绍了天一阁的变迁，写得扎实而清晰，使我知道了不少我原先不知道的史实。但在我看来，天一阁的历史是足以写一部宏伟的长篇史诗的。我们的文学艺术家什么时候能把他们的目光投向这种苍老的屋宇和庭园呢？ 什么时候能把范氏家族和其他许多家族数百年来的灵魂史祖示给现代世界呢？

西　湖　梦

一

　　西湖的文章实在做得太多了，做的人中又多历代高手，再做下去连自己也觉得愚蠢。但是，虽经多次违避，最后笔头一抖，还是写下了这个俗不可耐的题目。也许是这汪湖水沉浸着某种归结性的意义，我避不开它。

　　初识西湖，在一把劣质的折扇上。那是一位到过杭州的长辈带到乡间来的。折扇上印着一幅西湖游览图，与现今常见的游览图不同，那上面清楚地画着各种景致，就像一个立体模型。图中一一标明各种景致的幽雅名称，凌驾画幅的总标题是"人间天堂"。乡间儿童很少有图画可看，于是日日逼视，竟烂熟于心。年长之后真到了西湖，如游故地，熟门熟路地踏访着一个陈旧的梦境。

　　明代正德年间一位日本使臣游西湖后写过这样一首诗：

　　　　　　　　昔年曾见此湖图，
　　　　　　　　不信人间有此湖。
　　　　　　　　今日打从湖上过，
　　　　　　　　画工还欠费工夫。

126

可见对许多游客来说，西湖即便是初游，也有旧梦重温的味道。这简直成了中国文化中的一个常用意象，摩挲中国文化一久，心头都会有这个湖。

奇怪的是，这个湖游得再多，也不能在心中真切起来。过于玄艳的造化，会产生了一种疏离，无法与它进行家常性的交往。正如家常饮食不宜于排场，可让儿童偎依的奶妈不宜于盛妆，西湖排场太大，妆饰太精，难以叫人长久安驻。大凡风景绝佳处都不宜安家，人与美的关系，竟是如此之蹊跷。

西湖给人以疏离感，还有别一原因。它成名过早，遗迹过密，名位过重，山水亭舍与历史的牵连过多，结果，成了一个象征性物象非常稠厚的所在。游览可以，贴近去却未免吃力。为了摆脱这种感受，有一年夏天，我跳到湖水中游泳，独个儿游了长长一程，算是与它有了触肤之亲。湖水并不凉快，湖底也不深，却软绒绒地不能蹬脚，提醒人们这里有千年的淤积。上岸后一想，我是从宋代的一处胜迹下水，游到一位清人的遗宅终止的，于是，刚刚抚弄过的水波就立即被历史所抽象，几乎有点不真实了。

它贮积了太多的朝代，于是变得没有朝代。它汇聚了太多的方位，于是也就失去了方位。它走向抽象，走向虚幻，像一个收罗备至的博览会，盛大到了缥缈。

二

西湖的盛大，归拢来说，在于它是极复杂的中国文化人格的集合体。

一切宗教都要到这里来参加展览。再避世的，也不能忘情于这里的热闹；再苦寂的，也要分享这里的一角秀色。佛教胜迹最多，不必一一列述了，即便是超逸到家了的道家，也占据了一座葛岭,这是湖畔最先迎接黎明的地方,一早就呼唤着繁密的脚印。作为儒将楷模的岳飞,也跻身于湖滨安息,世代张扬着治国平天下的教义。宁静淡泊的国学大师也会与荒诞奇瑰的神话传说相邻而居,各自变成一种可供观瞻的景致。

这就是真正中国化了的宗教。深奥的理义可以幻化成一种热闹的游览方式,与感官玩乐溶成一体。这是真正的达观和"无执",同时也是真正的浮滑和随意。极大的认真伴和着极大的不认真,最后都皈依于消耗性的感官天地。中国的原始宗教始终没有像西方那样上升为完整严密的人为宗教,而后来的人为宗教也急速地散落于自然界,与自然宗教遥相呼应。背着香袋来到西湖朝拜的善男信女,心中并无多少教义的踪影,眼角却时时关注着桃红柳绿、莼菜醋鱼。是山水走向了宗教?抑或是宗教走向了山水?反正,一切都归之于非常实际、又非常含糊的感官自然。

西方宗教在教义上的完整性和普及性,引出了宗教改革者和反对者们在理性上的完整性和普及性;而中国宗教,不管从顺向还是逆向都激发不了这样的思维习惯。绿绿的西湖水,把来到岸边的各种思想都款款地摇碎,溶成一气,把各色信徒都陶冶成了游客。它波光一闪,嫣然一笑,科学理性精神很难在它身边保持坚挺。也许,我们这个民族,太多的是从西湖出发的游客,太少的是鲁迅笔下的那种过客。过客衣衫破碎,脚下淌血,如此急急地赶路,也在寻找一个生命的湖泊吧?但他如果真走到了西湖边上,定会被万千悠闲的游客看成是乞丐。也许正是为此,鲁迅劝阻郁达夫把家搬到杭州:

> 钱王登假仍如在,
> 伍相随波不可寻,
> 平楚日和憎健翮,

小山香满蔽高岑。
　　　坟坛冷落将军岳，
　　　梅鹤凄凉处士林，
　　　何似举家游旷远，
　　　风波浩荡足行吟。

他对西湖的口头评语乃是："至于西湖风景，虽然宜人，有吃的地方，也有玩的地方，如果流连忘返，湖光山色，也会消磨人的志气的。如像袁子才一路的人，身上穿一件罗纱大褂，和苏小小认认乡亲，过着飘飘然的生活，也就无聊了。"（川岛：《忆鲁迅先生一九二八年杭州之游》）

　　然而，多数中国文人的人格结构中，对一个充满象征性和抽象度的西湖，总有很大的向心力。社会理性使命已悄悄抽绎，秀丽山水间散落着才子、隐士，埋藏着身前的孤傲和身后的空名。天大的才华和郁愤，最后都化作供后人游玩的景点。景点，景点，总是景点。

　　再也读不到传世的檄文，只剩下廊柱上龙飞凤舞的楹联。

　　再也找不见慷慨的遗恨，只剩下几座既可凭吊也可休息的亭台。

　　再也不去期待历史的震颤，只有凛然安坐着的万古湖山。

　　修缮，修缮，再修缮。群塔入云，藤葛如髯，湖水上漂浮着千年藻苔。

三

　　西湖胜迹中最能让中国文人扬眉吐气的，是白堤和苏堤。两位大诗人、大文豪，不是为了风雅，甚至不是为了文化上的

129

目的,纯粹为了解除当地人民的疾苦,兴修水利,浚湖筑堤,终于在西湖中留下了两条长长的生命堤坝。

清人查容咏苏堤诗云:"苏公当日曾筑此,不为游观为民耳。"恰恰是最懂游观的艺术家不愿意把自己的文化形象雕琢成游观物,于是,这样的堤岸便成了西湖间特别显得自然的景物。不知旁人如何,就我而论,游西湖最畅心意的,乃是在微雨的日子,独个儿漫步于苏堤。也没有什么名句逼我吟诵,也没有后人的感慨来强加于我,也没有一尊庄严的塑像压抑我的松快,它始终只是一条自然功能上的长堤,树木也生得平适,鸟鸣也听得自如。这一切都不是东坡学士特意安排的,只是他到这里做了太守,办了一件尽职的好事。就这样,才让我看到一个在美的领域真正卓越到了从容的苏东坡。

但是,就白居易、苏东坡的整体情怀而言,这两道物化了的长堤还是太狭小的存在。他们有他们比较完整的天下意识、宇宙感悟,他们有他们比较硬朗的主体精神、理性思考,在文化品位上,他们是那个时代的峰巅和精英。他们本该在更大的意义上统领一代民族精神,但却仅仅因辞章而入选为一架僵硬机体中的零件,被随处装上拆下,东奔西颠,极偶然地调配到了这个湖边,搞了一下别人也能搞的水利。我们看到的,是中国历代文化良心所能作的社会实绩的极致。尽管美丽,也就是这么两条长堤而已。

也许正是对这类结果的大彻大悟,西湖边又悠悠然站出来一个林和靖。他似乎把什么都看透了。隐居孤山20年,以梅为妻,以鹤为子,远避官场与市嚣。他的诗写得着实高明,以"疏影横斜水清浅,暗香浮动月黄昏"两句来咏梅,几乎成为千古绝唱。中国古代,隐士多的是,而林和靖凭着梅花、白鹤与诗句,把隐士真正做道地、做漂亮了。在后世文人眼中,白居易、苏东坡固然值得羡慕,却是难以追随的;能够偏偏到杭州西湖来做一位太守,更是一种极偶然、极奇罕的机遇。然而,要追随林和靖却不难,不管有没有他的才分。梅妻鹤子有点烦难,其实也很宽松,林和靖本人也是有妻子和小孩的。哪儿找不到几丛花树、几只飞禽呢?在现实社会碰了壁、受了阻,急流勇退,扮作半个林和靖是最容易不过的。

这种自卫和自慰,是中国知识分子的机智,也是中国知识分子的狡黠。不能把志向实现于社会,便躲进一个自然小天地自娱自耗。他们消除了志向,渐渐又把这种消除当作了志向。安贫乐道的达观修养,成了中国文化人格结构中一个宽大的地窖,尽管有浓重的霉味,却是安全而宁静。于是,十年寒窗,博览文史,走到了民族文化的高坡前,与社会交手不了几个回合,便把一切沉埋进一座座孤山。

结果,群体性的文化人格日趋黯淡。春去秋来,梅凋鹤老,文化成了一种无目的的浪费,封闭式的道德完善导向了总体上的不道德。文明的突进,也因此被取消,剩下一堆梅瓣、鹤羽,像书签一般,夹在民族精神的史册上。

四

与这种黯淡相对照,野泼泼的,另一种人格结构也调皮地挤在西湖岸边凑热闹。

首屈一指者,当然是名妓苏小小。

不管愿意不愿意,这位妓女的资格,要比上述几位名人都老。在后人咏西湖的诗作中,总是有意无意地把苏东坡、岳飞放在这位姑娘后面:"苏小门前花满枝,苏公堤上女当垆";"苏家弱柳犹含媚,岳墓乔松亦抱忠"……就是年代较早一点的白居易,也把自己写成是苏小小的钦仰者:"若解多情寻小小,绿杨深处是苏家";"苏家小女旧知名,杨柳风前别有情"。

如此看来,诗人袁子才镌一小章曰:"钱塘苏小是乡亲",虽为鲁迅所不悦,却也颇可理解的了。

历代吟咏和凭吊苏小小的,当然不乏轻薄文人,但内心厚实的饱学之士也多的是。在我们这样一个国度,一位妓女竟如此尊贵地长久安享景仰,原因是颇为深刻的。

苏小小的形象本身就是一个梦。她很重感情,写下一首《同心歌》曰"妾乘油壁车,郎跨青骢马,何处结同心,西陵松柏下",朴朴素素地道尽了青年恋人约会的无限风光。美丽的车,美丽的马,一起飞驶疾驰,完成了一组气韵夺人的情感造像。又传说她在风景胜处偶遇一位穷困书生,便慷慨解囊,赠银百两,助其上京。但是,情人未归,书生已去,世界没能给她以情感的报偿。她并不因此而郁愤自戕,而是从对情的执著大踏步地迈向对美的执著。她不愿做姬做妾,勉强去完成一个女人的低下使命,而是要把自己的美色呈之街市,蔑视着精丽的高墙。她不守贞节只守美,直让一个男性的世界围着她无常的喜怒而旋转。最后,重病即将夺走她的生命,她却恬然适然,觉得死于青春华年,倒可给世界留下一个最美的形象。她甚至认为,死神在她 19 岁时来访,乃是上天对她的最好成全。

难怪曹聚仁先生要把她说成是茶花女式的唯美主义者。依我看,她比茶花女活得更为潇洒。在她面前,中国历史上其他有文学价值的名妓,都把自己搞得太逼仄了。为了一个负心汉,或为了一个朝廷,颠簸得过于认真。只有她那种颇有哲理感的超逸,才成为中国文人心头一幅秘藏的圣符。

由情至美,始终围绕着生命的主题。苏东坡把美衍化成了诗文和长堤,林和靖把美寄托于梅花与白鹤,而苏小小,则一直把美熨帖着自己的本体生命。她不作太多的物化转捩，只是凭借自身，发散出生命意识的微波。

妓女生涯当然是不值得赞颂的，苏小小的意义在于，她构成了与正统人格结构的奇特对峙。再正经的鸿儒高士，在社会品格上可以无可指摘，却常常压抑着自己和别人的生命本体的自然流程。这种结构是那样的宏大和强悍，使生命意识的激流不能不在崇山峻岭的围困中变得恣肆和怪异。这里又一次出现了道德和不道德、人性和非人性、美和丑的悖论：社会污浊中也会隐伏着人性的大合理，而这种大合理的实现方式又常常怪异到正常的人们所难以容忍。反之，社会历史的大光亮，又常常以牺牲人本体的许多重要命题为代价。单向完满的理想状态，多是梦境。人类难以挣脱的一大悲哀，便在这里。

西湖所接纳的另一具可爱的生命是白娘娘。虽然只是传说，在世俗知名度上却远超许多真人，因此在中国人的精神疆域中早就成了一种更宏大的切实存在。人们慷慨地把湖水、断桥、雷峰塔奉献给她。在这一点上，西湖毫无亏损，反而因此而增添了特别明亮的光色。

她是妖，又是仙，但成妖成仙都不心甘。她的理想最平凡也最灿烂：只愿做一个普普通通的人。这个基础命题的提出，在中国文化中具有极大的挑战性。

中国传统思想历来有分割两界的习惯性功能。一个浑沌的人世间，利刃一划，或者成为圣、贤、忠、善、德、仁，或者成为奸、恶、邪、丑、逆、凶，前者举入天府，后者沦于地狱。有趣的是，这两者的转化又极为便利。白娘娘做妖做仙都非常容易，麻烦的是，她偏偏看到在天府与地狱之间，还有一块平实的大地，在妖魔和神仙之间，还有一种寻常的动物：人。她的全部灾难，便由此而生。

普通的、自然的、只具备人的意义而不加外饰的人,算得了什么呢?厚厚一堆二十五史并没有为它留出多少笔墨。于是,法海逼白娘娘回归于妖,天庭劝白娘娘上升为仙,而她却拼着生命大声呼喊:人!人!人!

她找上了许仙,许仙的木讷和萎顿无法与她的情感强度相对称,她深感失望。她陪伴着一个已经是人而不知人的尊贵的凡夫,不能不陷于寂寞。这种寂寞,是她的悲剧,更是她所向往的人世间的悲剧。可怜的白娘娘,在妖界仙界呼唤人而不能见容,在人间呼唤人也得不到回应。但是,她是决不会舍弃许仙的,是他,使她想做人的欲求变成了现实,她不愿去寻找一个超凡脱俗即已离异了普通状态的人。这是一种深刻的矛盾,她认了,甘愿为了他去万里迢迢盗仙草,甘愿为了他在水漫金山时殊死拼搏。一切都是为了卫护住她刚刚抓住一半的那个"人"字。

在我看来,白娘娘最大的伤心处正在这里,而不是最后被镇于雷峰塔下。她无惧于死,更何惧于镇?她莫大的遗憾,是终于没能成为一个普通人。雷峰塔只是一个归结性的造型,成为一个民族精神界的怆然象征。

1924年9月,雷峰塔终于倒掉,一批"五四"文化闯将都不禁由衷欢呼,鲁迅更是对之一论再论。这或许能证明,白娘娘和雷峰塔的较量,关系着中国精神文化的决裂和更新?为此,即便明智如鲁迅,也愿意在一个传说故事的象征意义上深深沉浸。

鲁迅的朋友中,有一个用脑袋撞击过雷峰塔的人,也是一位女性,吟罢"秋风秋雨愁煞人",也在西湖边上安身。

我欠西湖的一笔宿债,是至今未到雷峰塔废墟去看看。据说很不好看,这是意料中的,但总要去看一次。

狼山脚下

一

狼山在南通县境内，并不高，也并不美。我去狼山，是冲着它的名字去的。

在富庶平展的江淮平原上，各处风景大多都顶着一个文绉绉的名称。历代文士为起名字真是绞尽了脑汁，这几乎成了中国文化中一门独特的学问。《红楼梦》中贾政要贾宝玉和一群清客为新建的大观园中各种景致起名题匾，闹得紧张万分，其实，几乎所有的文人都干过这种营生。再贫陋的所在，只要想一个秀雅的名称出来，也会顿生风光。名号便是一切，实质可以忽略不计，这便是中国传统文明的毛病之一。记得鲁迅说过，只要翻开任何一部县志，总能找到该县的八景或十景，实在没有景致了，也可想出"远村明月"、"萧寺清钟"、"古池好水"之类的名目，于是，一个荒村，一所破庙，一口老井，也都成了名胜。这个县，立即变得古风蕴藉、文气沛然，不必再有长进。鲁迅激愤地说，这种病菌，似乎已经侵入血管，流布全身，其势力不在亡国病菌之下。

我愿意把事情说得平和一点。起点名字本也无妨，便于人们寻访和辨认，但一切都调理得那么文雅，苍劲的自然界也就被抽干了生命。自然的最美处，正在于人的思维和文字难于框范的部

135

分。让它们留住一点虎虎生气,交给人们一点生涩和敬畏,远比抱着一部《康熙词典》把它们一一收纳,有意思得多。

早就这么想着,突然看到千里沃野间愣头愣脑冒出一座狼山,不禁精神一振。这个名字,野拙而狞厉,像故意要与江淮文明开一个玩笑。

起这个名的由头,有人说是因为山形像狼,有人说是因为很早以前这里曾有白狼出没。不管什么原因吧,我只知道,就在很早以前,人们已受不住这个名字。宋代淳化年间,当地官僚终于把它改成"琅山"。幸亏后来又被改了回来,如果仍叫琅山,那多没劲。

狼山蹲在长江边上。长江走了那么远的路,到这里快走完了,即将入海。江面在这里变得非常宽阔,渺渺茫茫看不到对岸。长江一路上曾穿过多少崇山峻岭,在这里划一个小小的句点。狼山对于长江,是欢送,是告别,它要归结一下万里长江的不羁野性,因而把自己的名字也喊得粗鲁非凡。

狼山才100多米高,实在是山中小弟,但人们一旦登上山顶,看到南边脚下是浩荡江流,北边眼底是无垠平川,东边远处是迷朦的大海,立即会觉得自己是在俯视着大半个世界。狼山没有云遮雾障的仙气,没有松石笔立的风骨,只有开阔和实在。造物主在这里不再布置奇巧的花样,让你明明净净地鸟瞰一下现实世界的寻常模样。

我想,长江的流程也像人的一生,在起始阶段总是充满着奇瑰和险峻,到了即将了结一生的晚年,怎么也得走向平缓和实在。

二

游玩狼山不消很多时间，我倒是在山脚下盘桓长久。那里有一些文人的遗迹，使小小的狼山加重了分量，使万里长江在入海前再发一声浩叹。

狼山东麓有"初唐四杰"之一的骆宾王墓。恕我孤陋寡闻，我原先并不知道他的墓在这里。那天，随着稀疏的几个游人，信步漫走，突然看到一座冷僻的坟茔，墓碑上赫然刻着五字："唐骆宾王墓"。历史名人的墓见过不少，但一见他的墓，我不由大吃一惊。

略知唐代文事的人都能理解我的吃惊。骆宾王的归宿，历来是一个玄秘的谜。武则天统治时期，这位据说早在幼年就能赋诗的文学天才投笔从戎，帮助徐敬业起兵讨伐武则天。他写过一篇著名的《讨武曌檄》，雄文劲采，痛快淋漓。连武则天读了，也惊叹不已。徐敬业终于失败，骆宾王便不知去向。有人说他已经被杀，有人说他出家做了和尚，都没有确实凭据。他像一颗瞬息即逝的彗星，引得人们长久地关注着他的去路。怎么，猜测了1000多年，他竟躲在这里？

对于骆宾王的归宿，我倾向于做和尚一说。当然拿不出考证材料，全是被早年听到过的一个故事感染的。

这个故事说，在骆宾王事败失踪后的许多年，一天，一位叫宋之问的诗人到杭州灵隐寺游览。夜间，他就借宿在灵隐寺里。宋之问看着月色下寂静的寺院，寺前黑黝黝的奇峰，产生了写诗的冲动。他沉思再三，吟出了这样两句："鹫岭郁岧峣，龙宫隐寂寥。"下面呢？他一时滞塞，怎么也接不上去了，只是苦苦在殿阙间徘徊，不断地重复着这两句，不知不觉间步进了一个禅堂。

突然，一个苍老而洪亮的声音从耳边响起："这位少年，深夜不眠,还在作诗?"宋之问连忙抬头,只见一位须眉皓白的老僧正在上方端坐,抖抖瑟瑟的长明灯把他的身影照得十分巨大。

宋之问心想僧侣中不乏诗中高手,便把已作的两句读给他听,并说自己正诗思枯塞。老僧听罢,立即噔声说道:"何不接这样两句:'楼观沧海日,门对浙江潮'?"

宋之问一听着实一惊,这是多好的诗句啊,远远高出于自己的水平!他在惶惑中赶紧谢别,后面的诗句也就源源而来。他这首诗的全文是这样的:

> 鹫岭郁岧峣,龙宫锁寂寥。楼观沧海日,门对浙江潮。桂子月中落,天香云外飘。扪萝登塔远,刳木取泉遥。霜薄花更发,冰轻叶未凋。夙龄尚遐异,搜对涤烦嚣。待入天台路,看君度石桥。

方家一眼就可看出,这是一首平庸之作,总体诗格不高,宋之问毕竟只是一个小诗人。但是,"楼观沧海日,门对浙江潮"两句,确实器宇不凡,在全诗中很觉触目。

宋之问第二天醒来,想起昨夜遭遇,似梦似真。赶到禅堂一看,早已空寂无人。找到一个正在扫地的小和尚,死缠死磨地问了半天,小和尚才把嘴凑到他的耳朵边轻声告诉他:"这就是骆宾王!今天一早,他又到别处云游去了。"

这个故事很能使得后代文人神迷心醉。这位从乱军中逃命出来的文学天才躲进了禅堂,在佛号经卷间打发着漫长的岁月,直至须发俱白。但是,艺术的天分并未因此而圆寂,勃郁的诗情一有机遇就会随口喷出。政事、兵刀、讨伐、败灭阻遏了他的创造,只落得这位名播九州的巨子隐名埋姓、东奔西藏。中国文学史在战乱中断了一截,在禅堂中毁了几章。留下了数不清的宋之问,在写写弄弄,吟吟唱唱。

更有魅力的是,这个故事的真实性大可怀疑。宋之问那夜遇到的,很可能是另一位大诗人。如果是这样,那末,故事中的骆宾王就成了一大批中国文学天才的"共名"。

但是,我们仍然不妨设想,骆宾王自觉那夜因一时莽撞漏了嘴。第二天一早又踏上了新的旅程。年老体衰走不得远路了,行行止止,最后选中了长江和狼山,静静地在那里终结了波涌浪卷的一生。我相信,文学大师临江而立时所产生的文思是极其灿烂的,但他不愿再像那天晚上随口吐露,只留下让人疑惑的一座孤坟。坟近长江入海处,这或许正是他全部文思的一种凝聚,一种表征。

据《通州志》记载,骆宾王的墓确实在这里,只不过与现在的坟地还有一点距离。240多年前,人们在一个叫黄泥口的地方发现一抔浸水的黄土,掘得石碑半截,上有残损的"唐骆"二字,证之《通州志》,判定这便是文学大师的丧葬之地。于是稍作迁移,让它近傍狼山,以便游观凭吊。

骆宾王《讨武曌檄》中有著名的两句:"一抔之土未干,六尺之孤安在!"他当然不是在预言自己,但是这两句又颇近预言,借了来,很可描述中国文人的神秘命运。

三

狼山脚下还有另一座墓,气派大得多了,墓主是清末状元张謇。

张謇中状元是1894年,离1905年中国正式废除延续千年的科举制度只有10年,因此,他也是终结性的人物之一,就像终结长江的狼山。

中国科举,是历代知识分子恨之咒之、而又求之依之的一脉长流。中国文人生命史上的升沉荣辱,大多与它相关。一切精明的封建统治者对这项制度都十分重视。《唐摭言》记,唐太宗在宫门口看见新科进士缀行而出,曾高兴地说:"天下英雄,入吾彀中矣。"一代代知识分子的最高期望,就是通过科举的桥梁抵达帝王的"彀中"。骆宾王所讨伐的武则天也很看重科举,还亲自在洛城殿考试举人。科举制度实在是中国封建统治结构中一个极高明的部位,它如此具有广泛的吸引力,又如此精巧地把社会竞争欲挑逗起来,纳入封建政治机制。时间一长,它也就塑造了一种独特的科举人格,在中国文人心底代代遗传。可以设想,要是骆宾王讨伐武则天成功了,只要新的帝王不废弃科举,中国文人的群体性道路也就不可能有什么改观。

这事情,拖拖拉拉千余年,直到张謇才临近了结。张謇中状元时41岁,已经感受到大量与科举制度全然背逆的历史信息。他实在不错,绝不做"状元"名号的殉葬品,站在万人羡慕的顶端上极目瞭望,他看到了大海的湛蓝。

只有在南通,在狼山,才望得到大海。只有在长江边上,才能构成对大海的渴念。面壁数十载的双眼已经有点昏花,但作为一个纯正的文人,他毕竟看到了世纪的暖风在远处吹拂,新时代的文明五光十色,强胜弱灭。

我们记得,如果那个故事成立,千年前的骆宾王随口吐出过"楼观沧海日,门对浙江潮"的诗句;如果是宋之问自己写的,或者是别的诗人帮着写的,也同样可以证明中国古代文人对大海的依稀企盼。这番千古幽情,现在要由张謇来实现了。他正站在狼山山顶,山顶上,有一幅石刻对联:

登高一呼,山鸣谷应;

140

举目四顾，海阔天空。

于是，他下得山来，着手办纱厂、油厂、冶铁厂、垦牧公司、轮埠公司，又办师范、职业学校、图书馆、博物馆、公园、剧场、医院、气象台，把狼山脚下搞成一块近代气息甚浓的绿洲。直到今天，我们还能看到他这一宏伟实验的种种遗址。

一个状元，风风火火地办成了这一大串事，这实在是中国历史的 Paradox——我只能动用这个很难翻译的英语词汇了，义近反论、悖论、佯谬吧。其实，骆宾王身上也有明显的 Paradox 的，出现在他的文事与政举之间；不同的是，张謇的 Paradox 受到了大时代的许诺，他终于以自己的行动昭示：真正的中国文人本来就蕴藏着科举之外的蓬勃生命。

张謇的事业未能彻底成功。他的力量不大，登高一呼未必山鸣谷应；他的眼光有限，举目四顾也不能穷尽海阔天空。他还是被近代中国的政治风波、经济旋涡所淹没，狼山脚下的文明局面，未能大幅度向四周伸拓。但是，他总的来说还应该算是成功者，他的墓地宽大而堂皇，树影茂密，花卉绚丽，真会让一抔黄土之下的骆宾王羡煞。

四

不管怎样，长江经过狼山，该入海了。

狼山离入海口还有一点距离，真正的入海口在上海。上海，比张謇经营的南通更走向现代，更逼近大海。在上海，现代中国文人的命运才会受到更严峻的选择和考验。

如果有谁气吐万汇，要跨时代地写一部中国文人代代更替的史诗，那末我想，这部史诗比较合适的终结地应该是上海。那里,每天出现着《子夜》式的风化,处处可闻张爱玲式的惋叹。最后一代传统文人,终于在街市间消亡。

汽笛声声,海船来了又去了,来去都是满载。狼山脚下的江流,也随之奔走得更加忙碌,奔向上海,奔向大海。

汽笛声声,惊破了沿途无数坟地的宁静。

上　海　人

一

近代以来，上海人一直是中国一个非常特殊的群落。上海的古迹没有多少好看的，到上海旅行，领受最深的便是熙熙攘攘的上海人。他们有许多心照不宣的生活秩序和内心规范，形成了一整套心理文化方式，说得响亮一点，可以称之为"上海文明"。一个外地人到上海，不管在公共汽车上，在商店里，还是在街道间，很快就会被辨认出来，主要不是由于外貌和语言，而是这种上海文明。

同样，几个上海人到外地去，往往也显得十分触目，即使他们并不一定讲上海话。

一来二去，外地人恼怒了。几乎全国各地，对上海人都没有太好的评价。精明、骄傲、会盘算、能说会道、自由散漫、不厚道、排外、瞧不大起领导、缺少政治热情、没有集体观念、对人冷淡、吝啬、自私、赶时髦、浮滑、好标新立异、琐碎、世俗气……如此等等，加在一起，就是外地人心目中的上海人。

全国有点离不开上海人，又都讨厌着上海人。各地文化科研部门往往缺不了上海人，上海的轻工业产品用起来也不错，上海向国家上缴的资金也极为可观，可是交朋友却千万不要去交上

143

海人。上海人出手不大方，宴会桌上喝不了几杯酒，与他们洽谈点什么却要多动几分脑筋，到他们家去住更是要命，既拥挤不堪又处处讲究。这样的朋友如何交得？

这些年，外地人富起来了，上海人精明到头还是十分穷困。这很让人泄气。去年有一天，在上海的一辆电车上，一个外地人碰碰撞撞干扰了一位上海妇女，象平时每天发生的一样，上海妇女皱一下眉，轻轻嘟囔一句："外地人！"这位外地人一触即发，把历来在上海所受的怨气全都倾泄出来了："我外地人怎么了？要比钱吗？我估量你的存款抵不上我的一个零头；要比文化吗？我的两个儿子都是大学毕业生！"是啊，上海人还有什么可骄傲的呢？听他讲罢，全车的上海人都发出酸涩的笑声。

上海人可以被骂的由头比上面所说的还要多得多。比如，不止一个扰乱了全国的政治恶棍是从上海发迹的，你上海还有什么话说？不太关心政治的上海人便惶惶然不再言语，偶尔只在私底下嘀咕一声："他们哪是上海人？都是外地来的！"

但是，究竟有多少地地道道的上海人？真正地道的上海人就是上海郊区的农民，而上海人又瞧不起"乡下人"。

于是，上海人陷入了一种无法自拔的尴尬。这种尴尬远不是自今日起。依我看，上海人始终是中国近代史开始以来最尴尬的一群。

剖视上海人的尴尬，是当代中国文化研究的一个沉重课题。荣格说，文化赋予了一切社会命题以人格意义。透过上海人的文化心理人格，我们或许能看到一些属于全民族的历史课题。

我们这个民族，遇到过的事情太多了，究竟是一种什么契机，撞击出了上海文明？它已紧缠着我们走了好一程，会不会继续连结着我们今后的路程？

上海前些年在徐家汇附近造了一家豪华的国际宾馆，叫华亭宾馆，这个名字起得不错，因为上海古名华亭。明代弘治年间的《上海县志》称：

> "上海县旧名华亭，在宋时，番商辐辏，乃以镇名，市舶提举司及榷货场在焉。元至元二十九年，以民物繁庶，始割华亭东北五乡，立县于镇，隶松江府，其名上海者，地居海之上洋也。"

因此，早期的上海人也就是华亭人。但是，这与我们所说的上海文明基本不相干。我认为上海文明的肇始者，是明代进士徐光启，他可算第一个严格意义上的上海人。他的墓，离华亭宾馆很近。两相对应，首尾提挈，概括着无形的上海文明。

今天上海人的某种素质，可在徐光启身上找到一些踪影。这位聪明的金山卫秀才，南北游逛，在广东遇到了意大利传教士郭居静，一聊起来，十分融洽，徐光启开始知道了天主教是怎么回事。这年他 34 岁，对以儒学为主干的中国宗教精神早已沉浸很深，但他并不把刚刚听说的西方宗教当作西洋镜一笑了之，也不仅仅作为一种域外知识在哪篇著作中记述一下而已，而是很深入地思考起来。他并不想放弃科举，4 年后赴北京应试，路过南京时专门去拜访更著名的欧洲传教士利玛窦，询问人生真谛。以后又与另一位传教士罗如望交结，并接受他的洗礼。

洗礼后第二年，徐光启考上了进士，成了翰林院庶吉士，这对中国传统知识分子来说已跨进了一道很荣耀的门坎，可以安安心心做个京官了。但这个上海人很不安心，老是去找当时正在

145

北京的利玛窦，探讨的话题已远远超出宗教，天文、历法、数学、兵器、军事、经济、水利，无所不及。其中，他对数学兴趣最大，穿着翰林院的官服，痴痴迷迷地投入了精密的西方数学思维。不久，他居然与利玛窦一起译出了一大套《几何原本》，付诸刊行。当时还是明万历年间，离鸦片战争的炮火还有漫长的230多年光阴。

这个上海人非常善于处世，并不整天拿着一整套数学思维向封建政治机构寻衅挑战，而是左右逢源，不断受到皇帝重用。《几何原本》刊行20年后，他竟然做了礼部侍郎，不久又成了礼部尚书。获得了那么大的官职，他就正儿八经地宣扬天主教，提倡西方科学文明，延聘重用欧籍人士，忙了没几年，劳累而死。徐光启死后，崇祯皇帝还"辍朝一日"，以示哀悼，灵柩运回上海安葬。安葬地以后也就是他的家族世代汇居地，开始称为"徐家汇"。徐光启至死都是中西文化的一种奇异组合：他死后由朝廷追封加谥，而他的墓前又有教会立的拉丁文碑铭。

开通、好学、随和、机灵，传统文化也学得会，社会现实也周旋得开，却把心灵的门户向着世界文明洞开，敢将不久前还十分陌生的新知识吸纳进来，并自然而然地汇入人生。不像湖北人张居正那样为兴利除弊深谋远虑，不像广东人海瑞那样拼死苦谏，不像江西人汤显祖那样挚情吟唱，这便是出现在明代的第一个精明的上海人。

人生态度相当现实的徐光启是不大考虑自己的"身后事"的，但细说起来，他的身后流泽实在十分了得。他的安葬地徐家汇成了传播西方宗教和科学文明的重镇。著名的交通大学从上一世纪末开始就出现在这里，复旦大学在迁往江湾之前也一度设在附近的李公祠内。从徐家汇一带开始，向东延伸出一条淮海路，笔直地划过上海滩，它曾经是充分呈现西方文明的一道动脉,老上海高层社会的风度,长久地由此散发。因此有人认为,如果要把上海文明分个等级,最高一个等级也可名之为徐家汇文明。

徐光启的第十六代孙是个军人,他有一个外孙女叫倪桂珍,便是名震中国现代史的宋氏三姐妹的母亲。倪桂珍远远地继承了先祖的风格,是一个虔诚的基督教徒,而且仍然擅长数学。她所哺育的几个女儿对中国现代社会的巨大影响,可看作徐光启发端的上海文明的一次重大呈示。

这一包涵着必然历史逻辑的传承系脉,在今天常常被现实喧闹湮没得黯淡不清。前不久读一本从英文转译过来的《宋美龄传》,把宋氏三姐妹崇敬的远祖写成"文廷匡",百思而不知何人。追索英文原文,原来是"文定公",徐光启的谥号。忘记了徐光启倒是小事,怕只怕上海文明因失落了远年根基而挺不起身。

曾使上海人一度感到莫名欣慰的,是偶尔在收音机里听到宋庆龄女士讲话,居然是一口道地的上海口音。连多年失去自信的上海人自己也有点不习惯:一代伟人怎么会是上海口音?

由此推想,三四百年前,在北京,一个中国文人背负着古老文化破天荒地与一个欧洲人开始商谈《几何原本》时,操的也是上海口音。

三

只要稍稍具有现代世界地理眼光的人,都会看中上海。北京是一个典型的中国式的京城:背靠长城,面南而坐,端肃安稳;上海正相反,它侧脸向东,面对着一个浩瀚的太平洋,而背后,则是一条横贯九域的万里长江。对于一个自足的中国而言,上海偏踞一隅,不足为道;但对于开放的当代世界而言,它却俯瞰广远、吞吐万汇、处势不凡。

如果太平洋对中国没有多大意义，那末上海对中国也没有多大意义。一个关死了的门框，能做多少文章？有了它，反会漏进来户外的劲风，传进门口的喧嚣，扰乱了房主的宁静。我们有两湖和四川盆地的天然粮食，上海又递缴不了多少稻米；我们有数不清的淡水河网，上海有再多的海水也不能食用；我们有三山五岳安驻自己的宗教和美景，上海连个像样的峰峦都找不到；我们有纵横九州的宽阔官道，绕到上海还要兜点远路；我们有许多名垂千古的文物之邦，上海连个县的资格都年龄太轻……这个依附着黄河成长起来的民族，要一个躲在海边的上海作甚？

上海从根子上就与凛然的中华文明不太协调，不太和顺。

直到19世纪英国东印度公司的职员黎逊向政府投送了一份报告书，申述上海对新世界版图的重要性，上海便成为南京条约中开放通商的五口之一。1842年，英国军舰打开了上海。从此，事情发生了急剧的变化。西方文明挟带着恶浊一起席卷进来，破败的中国也越来越把更多的赌注投入其间，结果，这儿以极快的速度出现了能被地球每个角落都听得见的闹腾。

徐光启的后代既有心理准备，又仍然未免吃惊地一下子陷入了这种闹腾之中。一方面，殖民者、冒险家、暴发户、流氓、地痞、妓女、帮会一起涌现；另一方面，大学、医院、邮局、银行、电车、学者、诗人、科学家也汇集其间。黄浦江汽笛声声，霓虹灯夜夜闪烁，西装革履与长袍马褂摩肩接踵，四方土语与欧美语言交相斑驳，你来我往，此胜彼败，以最迅捷的频率日夜更替。这里是一个新兴的怪异社会，但严格说来，这里更是一个进出要道，多种激流在这里撞合、喧哗，卷成巨澜。

面对这样一个地方，哪个历史学家都会头脑发胀，索解不出一个究竟。你可以说它是近代中华民族耻辱的渊薮，但是，一个已经走到了近代的民族如果始终抵拒现代冲撞，就不耻辱了吗？你也可以说它是中国人走向现代的起点，但是，哪一个民族走向现代时的步履会像在上海那样匆促、慌张、自怯、杂乱无章？你又可以说它是对抗着农业文明而崛起的城市文明，但是，又有哪一种城市文明会像上海始终深受着弘广无比的农村力量的觊觎、分解、包围和笼罩？

总之，它是一个巨大的悖论，当你注视它的恶浊，它会腾起耀眼的光亮，当你膜拜它的伟力，它会转过身去让你看一看疮痍斑斑的后墙。

但是，就在这种悖论结构中，一种与当时整个中国格格不入的生态环境和心理习惯渐渐形成了。本世纪初年，许多新型的革命者、思想家受到封建王朝的追缉，有租界的上海成了他们的庇护地。特别重要的是，对于这种追缉和庇护，封建传统和西方文明在上海发生了针锋相对的冲突，上海人日日看报，细细辨析，开始懂得了按照正常的国际眼光来看，中国历代遵行的许多法律原则是多么颠倒是非、不讲道理。就从这一个个轰传于大街小巷间的实际案例，上海人已经隐隐约约地领悟到民主、人道、自由、法制、政治犯、量刑等等概念的正常含义，对于经不起对比的封建传统产生了由衷的蔑视。这种蔑视不是理念思辨的成果，而是从实际体察中作出的常识性选择，因此也就在这座城市中具有极大的世俗性和普及性。

就在这一个个案例发生的同时，更具象征意义的是，上海的士绅、官员都纷纷主张拆去上海旧城城墙，因为它已明显地阻碍了车马行旅、金融商情。他们当时就在呈文中反复说明，拆去城墙，是"国民开化之气"的实验。当然有人反对，但几经争论，上海人终于把城墙拆除，成了封建传统的心理框范特别少的一群。

后来，一场来自农村的社会革命改变了上海的历史，上海变得安静多了。走了一批上海人，又留下了大多数上海人，他们被要求与内地取同一步伐，并对内地负起经济责任。上海转过脸来，平一平心旌，开始做起温顺的大儿子。就像巴金《家》里的觉新，肩上担子不轻，再也不能像过去那样闹腾。阵阵海风在背后吹拂，不管它，车间的机器在隆隆作响，上班的电车拥挤异常，大伙都累，夜上海变得寂静冷清。为了更彻底地割断那段惑人的繁华，大批内地农村的干部调入上海；为了防范或许会来自太平洋的战争，大批上海工厂迁向内地山区。越是冷僻险峻的山区越能找到上海的工厂，淳朴的山民指着工人的背脊笑一声："嘿，上海人！"

这些年，上海人又开始有点不安稳。广州人、深圳人、温州人起来了，腰囊鼓鼓地走进上海。上海人瞪眼看着他们，没有紧紧跟随。有点自惭形秽，又没有完全失却自尊，心想：要是我们上海人真正站起来，将是完全另一番情景。也许是一种自慰吧，不妨姑妄听之。

四

也许上海人的自慰不无道理。上海文明，首先是一种精神文化特征。单单是经济流通，远不能囊括上海文明。

上海文明的最大心理品性是建筑在个体自由基础上的宽容并存。对上海人来说，宽容已不是一种政策和许诺，而是一种生命本能。

在中国，与上海式的宽容相抵触的是一种与封建统治长期相偎依的京兆心态。即便封建时代过去了，这种心态的改良性遗传依然散见处处。这种心态延伸到省城、县城，构成一种幅度广大的默契。不管过去是什么性质的洪流起的作用，这种心态在上海被冲刷得比较淡薄。只要不侵碍到自己,上海人一般不大去指摘别人的生活方式。比之于其他地方,上海人在公寓、宿舍里与邻居交往较少,万不得已几家合用一个厨房或厕所,互相间的磨擦和争吵却很频繁,因为各家都要保住自身的独立和自由。因此,上海人的宽容并不表现为谦让,而是表现为"各管各"。在道德意义上,谦让是一种美质;但在更深刻的文化心理意义上,"各管各"或许更贴近现代宽容观。承认各种生态独自存在的合理性,承认到可以互相不相闻问,比经过艰苦的道德训练而达到的谦让更有深层意义。为什么要谦让?因为选择是唯一的,不是你就是我,不让你就要与你争夺。这是大一统秩序下的基本生活方式和道德起点。为什么可以"各管各"?因为选择的道路很多,你走你的,我走我的,谁也不会吞没谁。这是以承认多元世界为前提而派生出来的互容共生契约。

上海下层社会中也有不少喜欢议论别人的婆婆妈妈。但即使她们也知道,"管闲事"是被广泛厌弃的一种弊病。调到上海来工作的外地干部,常常会苦恼于如何把"闲事"和"正事"区别开来。在上海人心目中,凡是不直接与工作任务有关的个人事务,都属于别人不该管的"闲事"范畴。

上海人口语中有一句至高无上的反诘语,曰"关侬啥事体?"(即"管你什么事?")在外地,一个姑娘的服饰受到同事的批评,她会就批评内容表述自己的观点,如"裙子短一点有什么不好"、"牛仔裤穿着就是方便"之类,但一到上海姑娘这里,事情就显得异常简单:这是个人私事,即使难看透顶也与别人无关。因此,她只说一句"关侬啥事体",截断全部争执。说这句话的口气,可以是忿然的,也可以是娇嗔的,但道理却是一样。

在文化学术领域,深得上海心态的学者,大多是不愿意去与别人"商榷",或去迎战别人的"商榷"的。文化学术的道路多得很，大家各自走着不同的路，互相遥望一下可以，干吗要统一步伐？这些年来，文化学术界多次出现过所谓"南北之争"、"海派京派之争"，但这种争论大多是北方假设的。上海人即使被"商榷"了也很少反击，他们固执地坚持着自己的观点，对于反对者，他们心中回荡着一个顽皮的声音："关侬啥事体？"

本于这种个体自立的观念，上海的科学文化往往具有新鲜性和独创性；但是，也正是这种观念的低层次呈现，上海又常常构不成群体性合力，许多可喜的创造和观念显得比较单薄。

本于这种个体自立的观念，上海人有一种冷静中的容忍和容忍中的冷静。一位旅台同胞回上海观光后写了一篇文章，说"上海人什么没有见过"。诚然，见多识广导向了冷静和容忍，更重要的是，他们习惯于事物的高频率变更，因此也就领悟到某种相反相成的哲理，变成了逆反性的冷静。他们求变，又进而把变当作一种自然，善于在急剧变更中求得一份自我，也不诧异别人在变更中所处的不同态势。

根据这种心理定势，上海人很难在心底长久而又诚恳地服从一个号令，崇拜一个权威。一个外地的权威一到上海，常常会觉得不太自在。相反，上海人可以崇拜一个在外地并不得志、而自己看着真正觉得舒心的人物。京剧好些名角的开始阶段，都是在上海唱红了的。并不是京剧重镇的上海，以那么长的一个时间卫护住了一个奇特的周信芳，这在另一座城市也许有点难于想象。上海人可以不讲任何道理，一夜之间喜欢上了初出茅庐的越剧小生赵志刚、沪剧演员茅善玉，根本不管他们还没有唱上几回戏，或刚刚来自农村。那些想用资历、排行、派头来压一压上海人的老艺术家，刚到上海没几天就受到了报纸的连续批评。对于晋京获奖之类，上海艺术家大多不感兴趣。

北京人民艺术剧院要来上海演《茶馆》等戏，作出这个决定时我正在北京参加全国文代会。北京戏剧界的朋友们十分担心：如此苍老的一个剧团，演几台老派戏，在上海这个流通码头能否成功？我和几个上海同行都很有信心地回答：能！果然如此，上海人对真正的艺术表示了诚恳的热忱，管它是旧是新。但是，在北京轰动万分的"人体画大展"，一搬到上海却遇到了出乎意外的平静。

五

上海文明的又一心理品性，是对实际效益的精明估算。也许是徐光启的《几何原本》余脉尚存，也许是急速变化的周围现实塑造成了一种本领，上海人历来比较讲究科学实效，看不惯慢吞木讷的傻样子。

搞科学研究，搞经营贸易，上海人胆子不大，但失算不多。全国各单位都会有一些费脑子的麻烦事，一般请上海人来办较为称职。这在各地都不是秘密。

可惜，事实上现在递交给上海人需要消耗高脑力的事情并不多，因此才华外溢，精明的估算用的不是地方，构成了上海人的一大毛病。

上海人不喜欢大请客，酒海肉山；不喜欢"侃大山"，神聊通宵；不喜欢连续几天伴陪着一位外地朋友，以示自己对友情的忠诚；不喜欢听大报告，自己也不愿意作长篇发言；上海的文化沙龙怎么也搞不起来，因为参加者一估算，赔上那么多时间得不偿失；上海人外出即使有条件也不太乐意住豪华宾馆，因为这对哪一方面都没有实际利益……凡此种种，都无可非议，如果上海人的精明只停留在这些地方，那就不算讨厌。

但是，在这座城市，你也可以处处发现聪明过度的浪费现象。不少人若要到市内一个较远的地方去，会花费不少时间思考和打听哪一条线路、几次换车的车票最为省俭，哪怕差三五分钱也要认真对待。这种事有时发生在公共汽车上，车上的旁人会脱口而出提供一条更省俭的路线，取道之精，恰似一位军事学家在选择袭击险径。车上的这种讨论，常常变成一种群体性的投入，让人更觉悲哀。公共宿舍里水电、煤气费的分摊纠纷，发生之频繁，上海很可能是全国之最。

可以把这一切都归因于贫困。但是，他们在争执时嘴上叼着的一支外国香烟，已足可把争执的费用双倍抵回。

我发现，上海人的这种计较，一大半出自对自身精明的卫护和表现。智慧会构成一种生命力，时时要求发泄，即便对象物是如此琐屑，一发泄才会感到自身的强健。这些可怜的上海人，高智商成了他们沉重的累赘。没有让他们去钻研微积分，没有让他们去画设计图，没有让他们去操纵流水线，没有让他们置身商业竞争的第一线，他们怎么办呢？去参加智力竞赛，年纪已经太大；去参加赌博，声名经济皆受累。他们只能耗费在这些芝麻绿豆小事上，虽然认真而气愤，也算一种消遣。

本来，这样的头脑，这一份口才，应出现在与外商谈判的唇枪舌剑之间。

上海人的精明和智慧，构成了一种群体性的逻辑曲线，在这座城市的大街小巷中处处晃动、闪烁。快速的领悟力，迅捷的推断，彼此都心有灵犀一点通。电车里买票，乘客递上一角五分，只说"两张"，售票员立即撕下两张七分票，像是比赛着敏捷和简洁。一切不能很快跟上这条逻辑曲线的人，上海人总以为是外地人或乡下人，他们可厌的自负便由此而生。上海的售票员、营业员，服务态度在全国不算下等，他们让外地人受不了的地方，就在于他们常常要求所有的顾客都有一样的领悟力和推断力。凡是没有的,他们一概称之为"拎勿清",对之爱理不理。

平心而论,这不是排外,而是对自身智慧的悲剧性执迷。

上海人的精明估算,反映在文化上,就体现为一种"雅俗共赏"的格局。上海文化人大多是比较现实的,不会对已逝的生活现象迷恋到执著的地步,总会酿发出一种突破意识和先锋意识。他们文化素养不低,有足够的能力涉足国内外高层文化领域。但是,他们的精明使他们更多地顾及到现实的可行性和接受的可能性,不愿意充当伤痕斑斑、求告无门的孤独英雄,也不喜欢长期处于曲高和寡、孤芳自赏的形态。他们有一种天然的化解功能,把学理融化于世俗,让世俗闪耀出智慧。毫无疑问,这种化解,常常会使严谨缜密的理论懈弛,使奋发凌厉的思想圆钝,造成精神行为的疲庸;但是,在很多情况下,它又会款款地使事情取得实质性进展,获得慷慨突进者所难于取得的效果。这很可称之为文化演进的精明方式。

特别能体现上海文明雅俗共赏特征的,是那张《新民晚报》。它始终保持着雅俗文化之间的巧妙平衡,结果,上海市民中有很大一部分是把读《新民晚报》当作每天不可缺少的生活规程的,而教授学者也绝不会把它鄙弃。它开辟了一个颇为奇妙的文化中介地带,大雅大俗均可随脚出入,而一个上海城就座落其间。由此我们可以联想到上海的戏剧、绘画、影视、小说,都有类似特征。

六

上海文明的另一种心理品性,是发端于国际交往历史的开放型文化追求。

相比之下,在全国范围内,上海人面对国际社会的心理状态比较平衡。他们从来在内心没有鄙视过外国人，因此也不会害怕外国人，或表示超乎常态的恭敬。他们在总体上有点崇洋，但在气质上却不大会媚外。我的朋友沙叶新幽默地提出过他的人生态度之一是"崇洋不媚外"，很可借过来概括上海人的心态。

毫无疑问，这与这座城市的历史密切有关。老一代人力车夫都会说几句英语，但即使低微如他们，也敢于在"五卅"的风潮中与外国人一争高低。上海的里弄里一直有不少外国侨民住着，长年的邻居，关系也就调节得十分自然。上海商店的营业员不会把一个外国顾客太当作一回事，他们常常还会估量外国顾客的经济实力，帮他出点购物的主意。

北方不少城市称外国人为"老外"，这个不算尊称也不算鄙称的有趣说法，似乎挺密切，实则很生分，至今无法在上海生根。在上海人的口语中，除了小孩，很少把外国人统称为"外国人"，只要知道国籍，一般总会具体地说美国人、英国人、德国人、日本人。这说明，连一般市民，与外国人也有一种心理趋近。

今天，不管是哪一个阶层，上海人对子女的第一企盼是出国留学。到日本边读书边打工是已经走投无路了的青年们自己的选择；只要子女还未成年，家长是不作这种选择的，他们希望子女能正正经经到美国留学。这里普及着一种国际视野。

其实，即使在没有开放的时代，上海人在对子女的教育上也隐隐埋伏着一种国际性的文化要求，不管当时能不能实现。上海的中学对英语一直比较重视，即使当时几乎没有用，也没有家长提出免修。上海人总要求孩子在课余学一点钢琴或歌唱，但又并不希望他们被吸收到当时很有吸引力的部队文工团。一度在全国十分响亮的哈尔滨军事工业大学，历来对上海的优秀考生构不成向往。在"文革"动乱中，好像一切都灭绝了，但有几次外国古典音乐代表团悄悄来临，报纸上也没作什么宣传，不知怎么立即会卷起抢购票子的热潮,这么多外国音乐迷原先都躲在哪儿呢?开演的时候,他们衣服整洁,秩序和礼节全部符合国际惯例,很为上海人争脸。前些年举行贝多芬交响音乐会,难以计数的上海人竟然在凛冽的寒风中通宵排队。两年前,我所在的学院试演著名荒诞派戏剧《等待戈多》,按一般标准,这出戏看起来十分枯燥乏味,国外不少城市演出时观众也不多。但是上海观众却能静静看完,不骂人,不议论,也不欢呼,其间肯定有不少人是完全看不懂的,但他们知道这是一部世界名作,应该看一看,自己看不懂也很自然,既不恨戏也不恨自己。一夜又一夜,这批去了那批来,平静而安详。

毋庸讳言,上海的下层社会并不具备国际性的文化追求,但长期置身在这么一个城市里。久而久之,至少也养成了对一般文化的景仰。上海也流行过"读书无用论",但情况与外地略有不同,绝大多数家长都不能容忍一个能读上去的子女自行辍学,只有对实在读不好的子女,才用"读书无用论"作为借口聊以自慰,并向邻居搪塞一下。即使在"文革"动乱中,"文革"前最后一批大学毕业生始终是视点集中的求婚对象,哪怕他们当时薪水很低,前途无望,或外貌欠佳。在特定的历史条件和社会环境中,这种对文化的景仰带有非实利的盲目性,最讲实利的上海人在这一点上不讲实利,依我看,这是上海人与广州人的最大区别之一,尽管他们在其他不少方面颇为接近。

七

上海文明的心理特征还可以举出一些来,但从这几点已可看出一点大概。

有趣的是,上海文明的承受者是一个构成极为复杂的群体,因此,这种文明并不体现为一个规定死了的群体,而是呈现为一种无形的心理秩序,吸纳着和放逐着来来去去的过往人丁。有的人,居住在上海很久还未能皈依这种文明,相反,有的人进入不久便神魂与共。这便产生了非户籍意义上,而是心理文化意义上的上海人。

无疑,上海人远不是理想的现代城市人。一部扭曲的历史限制了他们,也塑造了他们;一个特殊的方位释放了他们,又制约了他们。他们在全国显得非常奇特,在世界上也显得有点怪异。

在文化人格结构上,他们是缺少皈依的一群。靠传统?靠新潮?靠内地?靠国际?靠经济?靠文化?靠美誉?靠实力?靠人情?靠效率?他们的靠山似乎很多,但每一座都有点依稀朦胧。他们最容易洒脱出去,但又常常感到一种洒脱的孤独。

他们做过的,或能做的梦都太多太多。载着满脑子的梦想,拖着踉跄的脚步。好像有无数声音在呼唤着他们,他们的才干也在浑身冲动,于是,他们陷入了真正的惶惑。

他们也感觉到了自身的陋习,憬悟到了自己的窝囊,却不知挽什么风,捧什么水,将自己洗涤。

他们已经倾听过来自黄土高原的悲怆壮歌,也已经领略过来自南疆海滨的轻快步履,他们钦羡过,但又本能地懂得,钦羡过分了,我将不是我。我究竟是谁?该做什么?整座城市陷入了思索。

前年夏天在香港参加一个国际会议,听一位中国问题专家说:"我作了认真调查,敢于断言,上海人的素质和潜力,绝不比世界上许多著名的城市差!"这种激励的话语,上海人已听了不止一次,越听,越增加思考的沉重度。

每天清晨,上海人还在市场上讨价还价,还在拥挤的公共汽车上不断吵架。晚上,回到家,静静心,教训孩子把英文学好。孩子毕业了,出息不大,上海人叹息一声,抚摸一下自己斑白的头发。

一部怪异的上海史,落到这一代人手上继续书写。

八

续写上海新历史,关键在于重塑新的上海人。重塑的含义,是人格结构的调整。对此请允许我说几句重话。

今天上海人的人格结构,在很大的成分上是百余年超浓度繁荣和动乱的遗留。在本世纪前期,上海人大大地见了一番世面,但无可否认,那时的上海人在总体上不是这座城市的主宰。上海人长期处于仆从、职员、助手的地位,是外国人和外地人站在第一线,承受着创业的乐趣和风险。众多的上海人处于第二线,观看着,比较着,追随着,参谋着,担心着,庆幸着,来反复品尝第二线的乐趣和风险。也有少数上海人冲到了第一线,如果成功了,后来也都离开了上海。这种整体角色,既使上海人见闻广远,很能适应现代竞争社会,又缺少自主气魄,不敢让个体生命灿烂展现。

直到今天,即便是上海人中的佼佼者,最合适的岗位仍是某家跨国大企业的高级职员,而很难成为气吞山河的第一总裁。上海人的眼界远远超过闯劲,适应力远远超过开创力。有大家风度,却没有大将风范。有鸟瞰世界的视野,却没有纵横世界的气概。

因此,上海人总在期待。他们眼界高,来什么也不能满足他们的期待,只好靠发发牢骚来消遣。牢骚也仅止于牢骚,制约着他们的是职员心态。

没有敢为天下先的勇气,没有统领全局的强悍,上海人的精明也就与怯弱相伴随。他们不会高声朗笑，不会拼死搏击，不会孤身野旅，不会背水一战。连玩也玩得很不放松，前顾后盼，拖泥带水。连谈恋爱也少一点浪漫色彩。

上海人的丑陋性，大多由此伸发。失去了人生的浩大走向，智慧也就成了手上的一种私人玩物。文化程度高的，染上沙龙气，只听得机敏的言词滚滚滔滔，找不到生命激潮的涌动；文化程度低的，便不分场合耍弄机智，每每堕于刻薄和恶谑；再糟糕一点的，则走向市侩气乃至流氓气，成为街市间让人头痛的渣滓。上海人的日子过得并不顺心，但由于他们缺少生命感，也就缺少悲剧性的体验，而缺少悲剧性体验也就缺少了对崇高和伟大的领受；他们号称偏爱滑稽，但也仅止于滑稽而达不到真正的幽默，因为他们不具备幽默所必须有的大气和超逸。于是，上海人同时失却了深刻的悲和深刻的喜，属于生命体验的两大基元对他们都颇为黯淡。本来，中国的艺术文化走到今天不应该再完全寄情于归结历史的反思形态，上海理应在开拓新的时空中有更大的作为，但上海人的这种素质一时担当不了这个重任，对生命体验的黯淡决定了他们的小家子气。中国文化在可以昂首突进的地方找不到多少历险家，却遇到了那么多大大小小的职员。

即便是受到全国厌弃的那份自傲气，也只是上海人对于自己生态和心态的盲目守卫，傲得琐琐碎碎，不成气派。真正的强者也有一份自傲，但是有恃无恐的精神力量使他们变得大方而豁达，不会只在生活方式、言谈举止上自我陶醉，冷眼看人。

总而言之，上海人的人格结构尽管不失精巧，却缺少一个沸沸扬扬的生命热源。于是，这个城市失去了烫人的力量，失去了浩荡的勃发。

可惜，讥刺上海人的锋芒，常常来自一种更落后的规范：说上海人崇洋迷外、各行其是、离经叛道；要上海人重归朴拙、重返驯顺、重组一统。对此,胸襟中贮满了海风的上海人倒是有点固执,并不整个儿幡然悔悟。暂时宁肯这样,不要匆忙趋附。困惑迷惘一阵子,说不定不久就会站出像模像样的一群。

上海人人格结构的合理走向,应该是更自由、更强健、更热烈、更宏伟。它的依凭点是大海、世界、未来。这种人格结构的群体性体现,在中国哪座城市都还没有出现过。

如果永远只是一个拥挤的职员市场,永远只是一个新一代华侨的培养地,那么,在未来的世界版图上,这个城市将黯然隐退。历史,从来不给附庸以地位。

不久前,我读到一则国外通讯社的报道,说德国一座城市中有一家奇迹般的书店,在这家书店里竟能买到上海地图!外国记者的惊叹使我心酸,他们的报道的前文中已说明,这家书店出售着全世界各大城市的地图。可是为什么多了一张上海地图,就这样大惊小怪?

上海的地位,本不是这样,本不应这样!

如果人们能从地理空间上发现时间意义,那就不难理解:失落了上海的中国,也就失落了一个时代。失落上海文明,是全民族的悲哀。

五　城　记

一、开　封

它背靠一条黄河,脚踏一个宋代,像一位已不显赫的贵族,眉眼间仍然器宇非凡。

省会在郑州,它不是。这是它的幸运。曾经沧海难为水,老态龙钟的旧国都,把忙忙颠颠的现代差事,洒脱地交付给邻居。

陪同我的人说,宋史上记载的旧地名,都在今天开封地底下好几公尺。黄河经常决水,层层淤泥堆积,把宋代繁密的脚印深深潜藏。庞贝古城潜藏得过于轰轰烈烈,中国人温文尔雅,连自然力也入乡随俗,一层层地慢慢来。开封古都,用灾难的刷把,一次次刷新。人们逃了又来了,重新垦殖,重新营建,重新唤醒古都气韵,重新召来街市繁荣。开封最骄傲的繁荣,见之于《清明上河图》。

开封就像我们整个民族,一再地在灾难的大漠上重新站立,立誓恢复淤泥下的昔日繁华。但是,淤泥下的一切属于记忆,记忆像银灰色的梦,不会有其他色彩。于是,开封成了一个褪色的遗址。

只有最高大、最坚牢的构建未曾掩埋。台阶湮没了,殿身犹在;高塔被淤没底层,仍然巍然不摧。那天我与友人同去开封,不知爬了多少台阶,古塔、古塔、古塔,宫殿、宫殿、宫殿。我累了,上下环顾,对友人说:"我真想把荒草间的石阶拍下来,题名时间。"友人说:"别拍了,一端相机便成了现代。"

倒也是。时间的力量只能靠着体力慢慢去爬、去体会,不能拿着一张照片轻松地去看。一轻松,全都变味。

国内许多古塔已经禁止人们攀援,而开封古塔却听便。不必过于担心有无数的人在塔中拥挤,爬塔是一种体力和意志的考验。塔阶很窄、很陡、也很暗,不拼力爬到每层的窗洞口你不可能停下,到了窗洞口又立即产生更上一层观看的渴念。爬塔心理可以构成一种强烈的悬念线,塔顶塔尖是一种至高无上的召唤。要么不进塔。进了它,爬了它,很少有人半途而返。让体力心力不济的人们静静仰望吧,塔身中天天地进行着青春和生命的接力赛。千年前建塔的祖先们,不经意地留下了物理上和心理上的两个制高点,来俯瞰一代代的子孙是否有点出息、有点能耐。当我爬到最后一层,我真想气喘吁吁地叫一声:"我报到,我的祖先!"

是的,只有远远高于现实的构建,才有能力召唤后代。

二、南　京

六朝金粉足能使它名垂千古,何况它还有明、清两代的政治大潮,还有近代和现代的殷殷血火。

许多事,本来属于全国,但一到南京,便变得特别奇崛,让人久久不能释怀。历代妓女多得很,哪像明末清初的"秦淮八艳",那样具有文化素养和政治见识,使整整一段政治文化史都染上了艳丽色彩?历代农民起义多得很,哪像葬身紫金山的朱元璋和把南京定都为天京的洪秀全,那样叱咤风云,闹成如此气象?历代古都多得很,哪像南京,直到现代还一会儿被外寇血洗全城,一会儿在炮火中作历史性永诀，一次次搞得地覆天翻？

中华民族就其主干而言，挺身站起于黄河流域。北方是封建王朝的根基所在，一到南京，受到楚风夷习的侵染，情景自然就变得怪异起来。南京当然也要领受黄河文明，但它又偏偏紧贴长江，这条大河与黄河有不同的性格。南京的怪异，应归因于两条大河的强力冲撞，应归因于一个庞大民族的异质聚汇。

这种冲撞和聚汇，激浪喧天，声势夺人。因此，南京城的气魄，无与伦比，深深铭刻着南北交战的宏大的悲剧性体验。玄武湖边上的古城墙藤葛拂拂，明故宫的遗址仍可寻访，鸡鸣寺的钟声依稀能闻，明孝陵的石人石马巍然端立，秦淮河的流水未曾枯竭，夫子庙的店铺重又繁密，栖霞山的秋叶年年飘落，紫金山的架势千载不移，去中山陵、灵谷寺的林荫道，永远是那样令人心醉。

别的故都，把历史浓缩到宫殿；而南京，把历史溶解于自然。在南京，不存在纯粹学术性的参观，也不存在可以舍弃历史的游玩。北京是过于铺张的聚集，杭州是过于拥挤的沉淀，南京既不铺张也不拥挤，大大方方地畅开一派山水，让人去读解中国历史的大课题。我多次对南京的朋友说，一个对山水和历史同样寄情的中国文人，恰当的归宿地之一是南京。除了夏天太热，语言不太好听之外，我从不掩饰对南京的喜爱。

心中珍藏的千古名诗中，有不少与南京有关，其中尤以刘禹锡的《石头城》为最：

> 山围故国周遭在，
> 潮打空城寂寞回。
> 淮水东边旧时月，
> 夜深还过女墙来。

164

1000多年前的诗人已把怀古的幽思开拓到如此气派,再加上1000年,南京城实在是气可吞天。

三、成　都

对整个中国版图来说,群山密布的西南躲藏着一个成都,真是一种大安慰。

我初次入川,是沿宝成铁路进去的。已经看了那么久的黄土高原,连眼神都已萎黄。山间偶尔看见一条便道,一间石屋,便会使精神陡然一震,但它们很快就消失了,永远是寸草不生的连峰,随着轰隆隆的车轮声缓缓后退,没完没了。也有险峻的山势,但落在一片灰黄的单色调中,怎么也显现不出来。造物主一定是打了一次长长的瞌睡,把调色板上的全部灰黄都倾倒在这里了。

开始有了隧洞,一个接一个,过洞时车轮的响声震耳欲聋,也不去管它,反正已张望了多少次,总也没有绿色的希望。但是,隧洞为什么这样多呢,刚刚冲出一个又立即窜进一个,数也数不清。终于感到,有这么隆重的前奏,总会有什么大事情要发生了。果然,不知是窜出了哪一个隧洞,全车厢一片欢呼:窗外,一派美景从天而降。满山绿草,清瀑飞溅,黄花灼眼,连山石都湿渌渌地布满青苔。车窗外成排的桔子树,碧绿衬着金黄,硕大的桔子,好像伸手便可摘得。土地黑油油的,房舍密集,人畜皆旺。造物主醒了,揉眼抱愧自己的失责,似要狠命地在这儿补上。

从此,我们一刻也不愿离开车窗,直至成都的来到。

有了一个成都作目的地,古代的旅行者可以安心地饱尝入川的千里之苦了。蜀道虽难,有成都在,再难也是风雅,连瘦弱文人也经受得了。

中华文明所有的一切,成都都不缺少。它远离东南,远离大海,很少耗散什么,只知紧紧汇聚,过着浓浓的日子,富足而安逸。那么多山岭卫护着它,它虽然也发生过各种冲撞,却没有卷入过铺盖九州的大灾荒,没有充当过赤地千里的大战场。只因它十分安全,就保留着世代不衰的幽默;只因它较少刺激,就永远有着麻辣的癖好;只因它有飞越崇山的渴望,就养育了一大批才思横溢的文学家。

成都是中国历史文化的丰盈偏仓。这里的话题甚多,因此有那么多茶馆,健谈的成都人为自己准备了品类繁多的小食,把它们与历史一起细细咀嚼品尝。

成都的名胜古迹,有很大一部分是外来游子的遗迹。成都人挺大方,把它们仔细保存,恭敬瞻仰。比之于重庆,成都的沉淀力强得多。正是这种沉淀力,又构建了它的稳健。重庆略嫌浮嚣。

重庆也有明显的长处,它的朝天门码头,虎虎地朝向长江,遥指大海,通体活气便在这种指向中回荡。沉静的成都是缺少这种指向的,古代的成都人在望江楼边洒泪揖别,解缆挥桨,不知要经过多少曲折,才能抵达无边的宽广。

成都的千古难题至今犹在:如何从深厚走向宽广?

四、兰　州

常听人说,到西北最难适应的是食物。但我对兰州印象最深的却是两宗美食:牛肉面与白兰瓜。

因此,这座黄河上游边的狭长古城,留给我两种风韵:浓厚与清甜。

兰州牛肉面取料十分讲究,一定要是上好黄牛腿肉,精工烹煮,然后切成细丁,拌上香葱、干椒和花椒;面条粗细随客,地道的做法要一碗碗分开煮,然后浇上适量牛肉汤汁,盖上刚刚炒好的主料。满满一大碗，端上来面条清齐、油光闪闪、浓香扑鼻。一上口味重不腻，爽滑麻烫。另递鲜汤一小碗，如若还需牛肉，则另盘切送，片片干挺而柔酥，佐蒜泥辣酱。在兰州吃牛肉面，一般人都会超过平时的食量。

我兰州的朋友范克峻先生是一位历尽磨难之人，经常带我到一家铺子吃牛肉面。掌勺的马师傅年事已高，见范先生来便亲自料理一切，不容有半点差池。范先生轻声告诉我，这位马师傅实在是一位侠义之士，别看他每天只是切肉煮面，你完全可以把一切信托于他。30多年前，一位每天到这儿吃面的演员突然遭冤被捕，关在监狱里，判刑不轻。妻子亲朋都离他而去，过年过节时也没人来探望。他万万没有想到，竟然是这位马师傅出现在铁窗之前，手提一包干切牛肉，无言捧上。如此者每年不断，一直延续整整20年之久。20年后，演员的冤案昭雪平反，他又重登舞台，名震全城。不管他用什么方式来邀请和感谢，马师傅全不接受，只在他每天早晨来吃牛肉面时，投以轻轻一笑。

正说着，马师傅的牛肉面已经煮好端来，只一口，我就品出兰州的厚味来了。

在风味上，白兰瓜与牛肉面正恰构成强烈对比。这种瓜吃时须剖成长条，入口即满嘴清凉，味不浓，才嚼几下就消融在咽喉之间，立时觉得通体润爽。据说白兰瓜是外来品种，兰州接纳了它，很快让它名扬中华。兰州虽然地处僻远的西北，却是闻名的瓜果之乡。只要是好瓜好果大多都能在兰州存活，而且加添上一份香甜。火车经过兰州站，车厢里会变戏法一样立即贮满了各种瓜果，性急的旅客立即取刀削食，满车都是甜津津的清香。

瓜果的清香也在兰州民风中回荡。与想象中的西北神貌略有差异，这儿的风气颇为疏朗和开放。衣着入时，店货新潮，街道大方，书画劲丽，歌舞鼎盛，观众看戏的兴趣也洒脱的正常。京剧、越剧、秦腔都看,即便是演一个外国话剧,票房价值仍然很高。去敦煌必须经兰州,因此在兰州的外国旅游者很多。兰州的一大缺憾,是机场离市区实在太远,极为不便;但兰州机场女播音员的英语水平,在我听来,在全国机场之上,这又给国际友人带来了一种舒坦。

这便是兰州,对立的风味和谐着,给西北高原带来平抚,给长途旅人带来慰藉。中华民族能在那么遥远的地方挖出一口生命之泉喷涌的深井,可见体力毕竟还算旺盛的。有一个兰州在那里驻节,我们在穿越千年无奈的高原时也会浮起一丝自豪。

五、广 州

终究还得说说广州。

前年除夕,我因购不到机票,被滞留在广州。许多朋友可怜我,纷纷来邀请到他们家过年。我也就趁机,轮着到各家走了走。

走进每家的客厅,全是大株鲜花。各种色彩都有,名目繁多,记不胜记。我最喜欢的是一株株栽在大盆里的金桔树,深绿的叶,金黄的果,全都亮闪闪的。一位女作家顺手摘下两枚,一枚递给我,一枚丢进嘴里。她丈夫笑着说:"不到新年,准被她吃光!"而新年就在明天。

那天下午,几位朋友又来约我,说晚上去看花市,除夕花市特别热闹;下午就到郊区去看花圃。到花圃去的路上,一辆一辆全是装花的车。广州人不喜爱断枝摘下的花,习惯于连根盆栽,一盆盆地运。许多花枝高大而茂密,把卡车驾驶室的顶都遮盖了,远远看去,只见一群群繁花在天际飞奔,神奇极了。这些繁花将奔入各家各户,人们在花丛中斟酒祝福。我觉得,比之于全国其他地方,广州人更有权利说一句:春节来了!

可惜,从花圃回来,我就拿到了机票,立即赶向机场,晚上的除夕花市终于没有看成。

在飞机上,满脑子还盘旋着广州的花。我想,内地的人们过春节,大多用红纸与鞭炮来装点,那里的春意和吉祥气,是人工铺设起来的。唯有广州,硬是让运花车运来一个季节,把实实在在的春天生命引进家门,因此庆祝得最为诚实、最为透彻。

据说,即便在最动荡的年月,广州的花市也未曾停歇。就像广州人喝早茶,天天去,悠悠然地,不管它潮涨潮退、云起云落。

以某种板正的观念看来,花市和早茶,只是生活的小点缀,社会大事多得很,哪能如此迷醉。种种凌厉的号令远行千里抵达广州,已是声威疏淡,再让它旋入花丛和茶香,更是难以寻见。"广州怎么回事?"有人在吆喝。广州人好像没有听见,嘟哝了一声很难听懂的广州话,转身嗅了嗅花瓣,又端起了茶盏。

广州历来远离京城,面对大海。这一方位使它天然地与中国千年封建传统构成了逆反。千里驿马跑到这里已疲倦不堪,而远航南洋的海船正时时准备拔锚出发。

当驿马实在搅得人烦不胜烦的时候,这儿兀兀然地站出了康有为、梁启超、黄遵宪、孙中山,面对北方朗声发言。一时火起,还会打点行装,慷慨北上,把事情闹个青红皂白。北伐,北伐,广州始终是北伐的起点。

北上常常失败。那就回来,依然喝早茶、逛花市,优闲得像没事人一样,过着世俗气息颇重的情感生活。

这些年,广州好像又在向着北方发言了,以它的繁忙,以它的开放,以它的勇敢。不过这次发言与以前不同,它不必暂时舍弃早茶和花市了,浓浓冽冽地,让慷慨言词拌和着茶香和花香,直飘远方。

像我这样一个文人,走在广州街上有时也会感到寂寞。倒也不是没有朋友,在广州,我的学生和朋友多得很,但他们也有寂寞。我们都在寻找和期待着一种东西,对它的创造,步履不能像街市间的人群那样匆忙,它的功效,也不像早茶和花市,只满足日常性、季节性的消耗。

牌　坊

一

童年的时候,家乡还有许多牌坊。

青山绿水,长路一条,走不了多远就有一座。高高的,全由青石条砌成,石匠们手艺高超,雕凿得十分细洁。顶上有浮饰图纹,不施彩粉,通体干净。鸟是不在那里筑窝的,飞累了,在那里停一停,看看远处的茂树,就飞走了。

这算是乡间的名胜。夏日,凉沁沁的石板底座上总睡着几个赤膊的农夫,走脚小贩摆开了摊子,孩子们绕着石柱奔跑。哪个农夫醒来了,并不立即起身,睁眼仰看着天,仰看着牌坊堂皇的顶端,嘟哝一声:"啫,这家有钱!"走脚小贩消息灵通,见多识广,慢悠悠地接口。有一两句飘进孩子们的耳朵,于是知道,这叫贞节牌坊,哪个女人死了丈夫,再不嫁人,就立下一个。

村子里再不嫁人的婶婶婆婆多得很,为什么不来立呢?只好去问她们,打算把牌坊立在哪里。一阵恶骂,还抹下眼泪。

于是牌坊变得凶险起来。玩完了,也学农夫躺下,胡乱猜想。白云飘过来了,好像是碰了一下牌坊再飘走的。晚霞升起来了,红得眼明,晚霞比牌坊低,牌坊比天还高,黑阴阴的,像要压下来。闭一闭眼睛再看,天更暗了,牌坊的石柱变成长长的脚,有偏长的头,有狭狭的嘴。一骨碌爬起身来,奔逃回家。

从此与牌坊结仇,咀咒它的倒塌。夜里,风暴雨狂,普天下生灵颤栗,早晨,四野一片哭声。庄稼平了,瓦片掀了,大树折了,赶快去看牌坊,却定定地立着,纹丝不动。被雨透透地浇了一遍,被风狠狠地刮了一遍,亮闪闪地,更精神了。站在废墟上。

村外有一个尼姑庵,最后一个尼姑死于前年。庵空了,不知从哪里来了一位老先生,说要在这里办学堂。后来又来了几个外地女教师,红着脸细声细气到各家一说,一些孩子上学了。学了几个字,便到处找字。乡下有字的地方太少,想牌坊该有字,一座座看去,竟没有。一个字也没有。因此傻想,要是那个走脚小贩死了,谁还知道牌坊的主人呢?

幸好,村子里还有一个很老的老头。老头家像狗窝,大人们关照不要去,他是干盗墓营生的。有个晚上他又与几个伙伴去干那事。黑咕隆咚摸到一枚戒指,偷偷含在嘴里。伙伴们听他口音有异,都是内行,一阵死拳,打成重伤,吐出来的是一枚铜戒,换来焦饼10张。从此,孩子们只嫌他脏,不敢看他那嘴。但是,他倒能说牌坊许多事。他说,立牌坊得讲资格,有钱人家,没过门的姑娘躲在绣房里成年不出,一听男方死了,见都没见过面呢,也跟着自杀;或者……

都是小孩子听不懂的话。只有一句听得来神,他是低声说的:"真是奇怪,这些女人说是死了,坟里常常没有。"

二

乡下的孩子,脑袋里不知装了多少猜不透的怪事。谁也解答不了,直到呆呆地年老。老了,再讲给孩子们听。

管它无字的牌坊呢,管它无人的空棺呢,只顾每天走进破残的尼姑庵,上学。

尼姑庵真让人吃惊。进门平常,转弯即有花廊,最后竟有满满实实的大花圃藏在北墙里边。不相信世间有那么多花,不相信这块熟悉的土地会挤出这么多颜色。孩子们一见这个花圃,先是惊叫一声,然后不再作声,眼光直直的,亮亮的,脚步轻轻的,悄悄的,走近前去。

这个花圃,占了整个尼姑庵的四分之一。这群孩子只要向它投了一眼,立时入魔,一辈子丢不下它。往后,再大的花园也能看到,但是,让幼小的生命第一次领略圣洁的灿烂的,是它。它在孩子们心头藏下了一种彩色的宗教。

女教师说,这些花是尼姑们种的。尼姑才细心呢,也不让别人进这个小园,舒舒畅畅地种,痛痛快快地看。

女教师说,不许把它搞坏。轻轻地拔草,轻轻地埋下脚篱,不许把它碰着。搬来一些砖块砌成凳子,一人一个,端端地坐着,两手齐按膝盖,好好看。

终于要问老师,尼姑是什么。女教师说了几句。又说不清,孩子们挺失望。

两年以后,大扫除,女教师用一条毛巾包住头发,将一把扫帚扎在竹竿上,去扫屋梁。忽然掉下一个布包,急急打开,竟是一叠绣品。一幅一幅翻看,引来一阵阵惊呼。大多是花,与花圃里的一样多,一样艳,一样活。这里有的,花圃里都有了;花圃里有的,这里都有了。还绣着一些成对的鸟,丝线的羽毛不信是假,好多小手都伸上去摸,女教师阻止了。问她是什么鸟,竟又红着脸不知道。问她这是尼姑们绣的吗,她点点头。问尼姑们在哪里学得这般好功夫,她说,从小在绣房里。这些她都知道。

绣房这个词,已第二次听到。第一次从盗墓老头的脏嘴里。那天放学,直着两眼胡思乱想。真想找老头问问,那些立了牌坊的绣房姑娘,会不会从坟墓里逃出来,躲到尼姑庵种花来了。可惜,老头早已死了。

只好与小朋友一起讨论。年纪最大的一个口气也大,说,很多出殡都是假的,待我编一个故事,你们等着听。他一直没编出来。孩子们脑中只留下一些零乱的联想,每天看见花圃,就会想到牌坊,想到布幔重重的灵堂,飞窜的小船,老人的哑哭,下帘的快轿……颠三倒四。

三

孩子们渐渐大了,已注意到,女教师们都非常好看。她们的脸很白,所以一脸红马上就看出来了。她们喜欢把着孩子的手写毛笔字,孩子们常常闻到她们头上淡淡的香味。"你看,又写歪了!"老师轻声责备,其实孩子没在看字,在看老师长长的睫毛,那么长,一抖一抖地。老师们极爱清洁,喝口水,先把河水打上来,用明矾沉淀两天,再轻轻舀到水壶里,煮开,拿出一只雪白的杯子,倒上,才轻轻地呷一口,牙齿比杯子还白。看到孩子在看,笑一笑,转过脸去,再呷一口。然后掏出折成小四方的手绢,抹一下嘴唇。谁见过这么复杂的一套,以前,渴了,就下到河滩上捧一捧水。老师再三叮咛,以后决不许了。可村里的老人们说,这些教师都是大户小姐,讲究。

学生一大就麻烦,开始琢磨老师。寒假了,她们不回家,她们家不过年吗?不吃年夜饭吗?暑假了,她们也不回家,那么长的暑假,知了叫得烦人,校门紧闭着,她们不冷清吗?大人说,送些瓜给你们老师吧,她们没什么吃的。不敢去,她们会喜欢瓜吗?会把瓜煮熟了吃吗?大人也疑惑,就不送了吧。一个初夏的星期天,离学校不远的集镇上,一位女教师买了一捧杨梅,用手绢掭着,回到学校。好像路上也没遇到学生，也没遇到熟人，但第二天一早，每个学生的书包里都带来一大袋杨梅，红灿灿地把几个老师的桌子堆满了。家家都有杨梅树，家家大人昨天才知道，老师是愿意吃杨梅的。

老师执意要去感谢，星期天上午，她们走出了校门，娉娉婷婷地走家访户，都不在。门开着，没有人。经一位老婆婆指点，走进一座山岙。全是树，没有房，正疑惑，棵棵树上都在呼叫老师，有声不见人。都说自己家的杨梅好，要老师去。老师们在一片呼唤声中晕头转向，好一会，山岙里仍然只见这几个微笑着东张西望的美丽身影。终于有人下树来拉扯，先是孩子们，再是母亲们。乡间妇人粗，没几句话，就盛赞老师的漂亮，当着孩子的面，问为什么不结婚。倒是孩子们不敢看老师的脸，躲回树上。

但是对啊，老师们为什么不结婚呢？

好像都没有家。没有自己的家，也没有父母的家。也不见有什么人来找过她们，她们也不出去。她们像从天上掉下来的，掉进一个古老的尼姑庵里。她们来得很远，像在躲着什么，躲在花圃旁边。她们总说这个尼姑庵很好，看一眼孩子们，又说尼姑太寂寞。

一天，乡间很少见到的一个老年邮差送来一封信，是给一位女教师的。后来又来过一个男人，学校里的气氛怪异起来。再几天，那位女教师自尽了。孩子们围着她哭，她像睡着了，非常平静。其他女教师也非常平静，请了几个乡民，到山间筑坟，学生们跟着。那个年龄最大的学生走过一座牌坊时不知嘀咕一句什么，"胡说！"一声断喝，同时出自几个女教师的口，从来没见过她们这么气忿。

孩子们毕业的时候，活着的教师一个也没有结婚。孩子们围着尼姑庵——学校的围墙整整绕了三圈，把围墙根下的杂草全都拔掉。不大出校门的女教师们把学生送得很远。这条路干净多了,路边的牌坊都已推倒,石头用来修桥,摇摇晃晃的烂木桥变成了结实的石桥。

叫老师快回,老师说,送到石桥那里吧。她们在石桥上捋着孩子们油亮的头发,都掏出小手绢,擦着眼睛。孩子们低下头去,看见老师的布鞋,正踩着昔日牌坊上的漂亮雕纹。

四

童年的事,越想越浑。有时,小小的庵庙,竟成了一个神秘的图腾。曾想借此来思索中国妇女挣扎的秘途,又苦于全是疑问,毫无凭信。10年前回乡,花圃仍在,石桥仍在,而那些女教师,一个也不在了。问现任的教师们,完全茫然不知。

当然我是在的,我又一次绕着围墙急步行走。怎么会这么小呢?比长藏心中的小多了。立时走完,怆然站定,夕阳投下一个长长的身影,贴墙穿过旧门。这是一个被她们释放出去的人。一个至今还问不清牌坊奥秘的人。一个由女人们造就的人。一个从花圃出发的人。

1985年,美国欧·亨利小说奖授予司徒华·达比克的《热冰》。匆匆读完,默然不动。

小说里也有一块圣女的牌坊,不是石头做的,而是一方冰块。贞洁的处女,冰冻在里边。

据说这位姑娘跟着两个青年去划船,船划到半道上,两个青年开始对她有非礼举动,把她的上衣都撕破了。她不顾一切跳入水中,小船被她蹬翻,两个青年游回到了岸上,而她则被水莲蔓茎绊住,陷于泥沼。她的父亲抱回了女儿半裸的遗体,在痛苦的疯癫中,把尚未僵硬的女儿封进了冷库。村里的老修女写信给教皇，建议把这位冰冻的贞洁姑娘封为圣徒。

她真的会显灵。有一次，一位青年醉酒误入冷库，酒醒时冷库的大门已经上锁。他见到了这块冰："原来里面冻的是个姑娘。他清晰地看到她的秀发，不仅是金色的，简直是冬季里放在玻璃窗后面的闪闪烛光，散发着黄澄澄的金色。她袒露着酥胸，在冰层里特别显得清晰。这是一个美丽的姑娘，蒙蒙眬眬像在睡梦里，又不像睡梦中的人儿，倒像是个乍到城里来的迷路者。"结果，这位青年贴着这块冰块反而感到热气腾腾，抗住了冷库里的寒冷。

小说的最后，是两个青年偷偷进入冷库，用小车推出那方冰块，在熹微的晨光中急速奔跑。两个青年挥汗如雨，挟着一个完全解冻了的姑娘飞奔湖面，越奔越快，像要把她远远送出天边。

我默然不动。

思绪乱极了，理也理不清。老修女供奉着这位姑娘的贞洁，而她却始终袒露着自己有热量的生命，在她躲避的冰里。我的家乡为什么这么热呢？老也结不成像样的冰。我的家乡为什么有这么多不透明的顽石呢？严严地封住了包裹着的生命。偷偷种花的尼姑，还有我的女老师们，你们是否也有一位老父，哭着把你们送进冰块？达比克用闪闪烛光形容那位姑娘的秀发，你们的呢，美貌绝伦的中国女性？

把女儿悄悄封进冰块的父亲，你们一定会有的，我猜想。你们是否企盼过那两个挥汗如雨的青年，用奔跑的热量，让你们完全解冻，一起投向熹微的天际？

冒犯了，也许能读到这篇文章的我的年迈的老师们，你们在哪里？

庙　宇

一

　　自幼能诵《般若波罗蜜多心经》。当然不懂其义,完全是从乡间老妪们的口中听熟的。

　　柴门之内,她们虔诚端坐,执佛珠一串,朗声念完《心经》一遍,即用手指拨过佛珠一颗。长长一串佛珠,全都拨完了,才拿起一枚桃木小梗,醮一醮朱砂,在黄纸关牒上点上一点。黄纸关牒上印着佛像,四周都是密密麻麻的小圈,要用朱砂点遍这些小圈,真不知需多少时日。夏日午间,蝉声如潮,老太太们念佛的声音渐渐含糊,脑袋耷拉下来,猛然惊醒,深觉罪过,于是重新抖擞,再发朗声。冬日雪朝,四野坚冰,佛珠在冻僵的手指间抖动,衣履又是单薄,只得吐出大声佛号,呵出口中热气,暖暖手指。

　　年轻的媳妇正在隔壁纺纱、做饭。婆婆是过来人,从纺车的呜呜声中可以辨出纺纱的进度,从灶火的呼呼声中可推知用柴的费俭。念佛声突然中断,一声咳嗽,以作儆示,媳妇立即领悟,于是,念佛声重又平和。媳妇偶尔走过门边,看一眼婆婆。只等儿子长大成家,有了媳妇,自己也就离了纺车、灶台、拿起佛珠。

　　不知几个月后,庙中有一节典,四村妇人,皆背黄袋,衣衫干净,向庙中赶去。庙中沸沸扬扬,佛号如雷,香烟如雾。庄严佛像下，缁衣和尚手敲木鱼，巍然端然。这儿是人的山，人的海，一人之于众人，如雨入湖，如枝在林，全然失却了自身。左顾右盼，便生信赖，便知皈依。两膝发软，跪向那布包的蒲团。

邻家有一帮会中人，一日缺钱，闯入我家，抱我而走，充作人质，以便逼索。家人哀求追赶，无济于事。村间一二叔伯大声呼叫，只换得他大步逃奔。他抱我躲进了庙会的人群，挤挤挨挨，东张西望。

他从未进过庙宇，从未见过如此拥挤的人群。他的步子不得不放慢，渐渐端详起四周的奇景。佛号浩荡而悠扬，调节着他的鼻息，众人低眉垂目，懈弛了他的对抗。他怀抱我的手势开始变得舒适，宛若一个携婴朝拜的信士。当他挤出庙门，就像成了另一个人，笑咧咧的，走进我家，把我轻轻放回摇篮，扬长而去。我的嘴里，衔着一支土制棒糖。

他再也没有回来。听人说，就在几天之后，他在路上，被先前的仇人砸死。

二

我家近处的庙宇很小，只有两个和尚，一胖一瘦，还有一个年老的庙祝。瘦和尚是住持，严峻冷漠；胖和尚是云游僧人，落脚于此，脸面颇为活络。

两个和尚坐在一起念经，由瘦和尚敲木鱼，的的笃笃，呜呜唉唉。孩子们去了，围着他们嬉闹，瘦和尚把眉头紧蹙，胖和尚则瞟眼过来，牵牵嘴角，算是给孩子们打了招呼。孩子们追逐到殿前院子里了，胖和尚就会缓缓起身，穿过院子走向茅房，回来时在青石水斗里净净手，用宽袖擦干，在孩子们面前蹲下身来，摸摸他们的头发和脸蛋，然后把手伸进深深的口袋，取出几枚供

179

果,塞在那些小手里。耽搁时间一长,瘦和尚的木鱼声就会变响,胖和尚随即起身,走回经座。

他们不念经的时候,孩子们敢到胖和尚的禅房里去。胖和尚满脸笑容,躬身相迎,问孩子们的名字,然后拿起毛笔,握住软软的小手掌,把各人的名字一一写上。他的字写得极好,比学校的女老师写的好多了。不忍心洗掉,照着它,一遍遍临摹。第二天写字课,老师看见黑糊糊的手掌,笑了:"怎么把手都涂脏了?"还没说完,竟一步上前,紧紧握住,急问:"谁写的,这么好?"她知道,这些村庄,几乎没有识字的人。说是和尚,老师像被烫着了一般,连忙放手,转身走开。

放了学,少不了告诉胖和尚,老师称赞了他的字。胖和尚噗声一笑,说:"我们住持写得才好!"随即领孩子到后院,指了指菜园南端的一堵粉墙。那里,满墙都是乌亮活灵的字,比字帖上的还好。深深嗬了一声,小步走去,依偎着粉墙仰望。难怪瘦和尚一脸端庄。

一天,两个和尚仍在念经,孩子们唱起了老师新教的一首歌,像与和尚比赛。歌词是:

> 长亭外,古道边,芳草碧连天。
> 晚风拂柳笛声残,夕阳山外山。
> ……

和尚们念完一段经,站起身来。走向孩子们的,不是胖和尚而是瘦和尚。孩子们惊恐地要逃开,瘦和尚说:"等一等,你们刚才唱的是什么?"孩子们嗫嚅地复述了一遍,瘦和尚说:"来,到我的禅房里来。"

瘦和尚的禅房在楼上,孩子们从来没有上去过,心跳得厉害。这个禅房太整洁了，油亮的藏经箱成排壁立，地板油漆过，一尘不染。瘦和尚走到桌边举笔展纸，说："你们再念一遍。"孩子们边念，他边写，写完自个儿咿唔一阵，点头说："写得好。是你们老师写的？"他打开桌上的锡罐，取出一把供果，分给孩子们。比胖和尚平日分的，多得多了。

第二天当然又去转告老师，说和尚称赞她的歌写得好。老师立即脸红，说："我怎么写得出来？那是李叔同写的。"几天之后，瘦和尚又用毛笔在纸上写下三个字：李叔同。

学校离小庙不远，只隔着一条大路，但和尚和老师从来没有见过面。终于有一天，老师正在小小的操场上与孩子们玩，突然停住，眼睛直盯盯地看着墙外。那里是一个倾倒学校垃圾的瓦砾堆，瘦和尚正在弯腰拣着废纸。拣了一大堆，用长长的衣服兜着，走到庙门边，抖进墙上一个洞口，点火焚烧。洞口上有四个暗暗的字迹：敬惜字纸。

孩子们疑惑地仰脸看老师，老师也在发呆。

又有一次，轮到和尚们发呆了。两个和尚在路边看到一头羊被石头一绊，差点跌进水池。他们惜生护生，立即牵起羊颈上的绳子，拴在路旁一棵小树上。当时，大路旁已种下两排小树，直伸远方。两位和尚笑眯眯地正待走开，从校门里急急地奔出我们的老师，胸脯起伏着，气喘吁吁地解开拴在树上的绳子，对孩子们说："羊要把小树挣断的，快把羊送还给主人！"平下气息后她又说："等你们毕业，这树就遮成了林荫道。那时正是大热天，你们阴阴凉凉地走到县城去考中学。"

两位和尚在几步之外，呆呆站着。他们万没想到，学校老师竟是如此一位丽人。不敢正视，直耳听着，眼睛只盯着孩子们看。他们惜生护生，好像并不包括植物，而老师起伏的胸脯中，却藏着一个绿色的天地。

夜间，整个乡村一片漆黑，只有小庙禅房的灯和老师宿舍的灯还亮着，遥遥相对。禅房里点的是蜡烛头，老师点的是玻璃罩煤油灯。村里老人说，他们都在"做课"。

孩子们每夜都抓蟋蟀，连乱坟岗子也不怕。这里已是村边，村外是无边无际的荒原。于是，两道灯光，宛如黑海渔火。

三

吾乡东去6里许，有一座辉煌大庙，名曰金仙寺。寺门面对宽阔的白洋湖。寺庙前半部在平地上，后半部则沿山而上，路人只见其黄墙耸天，延绵无际，不知其大几何。进得寺门，立即自觉矮小，连跨过一条门坎也得使劲搬腿。谁也走不完它的殿阁和曲廊，数不尽它的佛像与石阶。曾扒窗偷看过它的一个厨房，其锅之大，几若圆池。老人说，兴盛之时，此寺和尚上千，一睹此锅，大体可信。记得此寺一个院落，有洒金木雕的全本西游记连环故事，刻工之精，无与伦比。乡间儿童，隔些时日便蹑脚进去，低声指认，悄声争辩，读完了一部浪漫巨著。也读完了一门雕刻美学。

金仙寺东侧，便是小镇鸣鹤场。走完狭长的街道，再走完一道长堤，又有一座小庙，土名石淴头。该地石淴处处，故而得名。石淴头小庙只是通向一座比金仙寺更为宏大的庙宇的起点。由它向南，翻过五座山头，即见远近闻名的五磊寺。

在乡人心中，金仙寺和五磊寺，无异于神秘天国。那里也该有住持或首领吧，他们会是何等样的超迈人物？如此浩大的排场，开支来自何处？这些问题，连小庙里的两位胖瘦和尚也完全不知。一天又一天，只听山那边传来的晨钟暮鼓，堂皇而又沉着。

大概是从30年代起始罢，两寺渐渐有了新的动向。山薯出土季节，常见田埂阡陌间，有两寺和尚挑担来往。他们把山薯送给有过施舍的人家,说是答谢,实则提醒,请施主赶紧再结善缘。看着汗渍涔涔的和尚,看着沾满黄泥的山薯,乡人们终于知道,两寺的财脉已经枯竭。黄泥山薯确是佳品,浓甜嫩脆,比平地红薯好得远了。

年长之后翻阅史料,看到一段记载惊了一跳。我离开座位,伫立南窗遥望家乡。岂能想到,和尚们挑着山薯走出庙门,五磊寺里住着的,竟然正是——写歌词的李叔同!

李叔同,留学日本首演《茶花女》,揭开中国话剧史。又以音乐绘画,刷新故国视听。英姿翩翩,文采风流,从者如云,才名四播。现代中国文化,正待从他脚下走出婉约清丽一途。突然晴天霹雳,一代俊彦转眼变为苦行佛陀。娇妻幼子,弃之不见,琴弦俱断,彩色尽倾,只换得芒鞋破钵、黄卷青灯。李叔同失落了,飘然走出一位弘一法师,千古佛门又一传人。

我们唱着他的歌,与和尚比赛,而他自己却成了和尚。

他在挣脱,他在躲避。他已耗散多时,突然间不耐烦嚣。他不再苦恼于艺术与功利的重重抵牾,纵身一跃,去冥求性灵的完好。

松涛阵阵,山雨淋淋,这里已没有一个现代的颤音。法师自杭州出家,历十余年,由净土而皈南山律宗,在五磊寺受菩萨戒,发愿弘扬律宗,创建道场。

五磊寺住持栖莲,金仙寺住持亦幻积极响应。一所"南山律学院"正酝酿建起。法师只提倡议,不管实务。两寺住持,只得到上海募钱。上海名士得知法师倡议,慨然解囊,两寺住持随即办置化缘簿,请法师写序。

法师一见簿册,突然大怒,严责两寺住持"藉名敛财"。但无财何从建院?法师也是进退维谷。重去招惹早已诀别了的世界,是他所忌讳。于是律学院停办,法师不久也云游别处,留下尴尬的庙宇两座。

　　或许可说，法师出家，是新文化在中国的尴尬；法师发怒，是佛教在新时代的尴尬。我由此想到小庙与学校间相对的灯光。两道灯光间，法师的袈裟如云如雾，飘荡隐约。

四

　　金仙寺旁，土木工程正忙。和尚们念经完毕，或挑山薯回来，成群结队傻傻地观看。

　　那是一位叫吴锦堂的华侨在重建家乡。吴氏不知何许人也，据传，乃近乡一普通农孩，长大流落上海，被雇于一家日本餐厅，如此这般，到了日本，竟日渐发达，成高官巨贾。然后倾其资产，投于桑梓。金仙寺面临的白洋湖，由他筑岸建堤，光洁坚致，气势恢宏。沿湖民房，悉数重造，皆若层层别墅。由东到西，长几里许，竟成了一个世外桃源。更为甚者，还在北面东山头，耗巨资兴建一所学校，曰锦堂师范。古地之大，建房之多，令乡间财绅咋舌。不久他便去世，金仙寺西侧，筑豪华墓道，成一名胜，供人凭吊。

　　墓体为白石，正如湖岸为白石，长堤为白石，荡荡展开，白得晃眼。圈圈白光围住了金仙寺，金仙寺依旧黄墙高耸，藤葛缠绕，暮鸦回翔。

　　和尚们洗涤打水，也享用着平臻臻的洋灰河埠。葛麻芒鞋，踏在上面，总觉得过于挺滑，不大自在。不知弘一法师可曾在这条长堤上漫步，估量他不会喜欢。他逃避着现代，而现代却莽莽撞撞，闯到了庙门跟前。

　　天长日久，无人修茸，吴锦堂的种种建筑，也渐渐污损，与四周萧索的村落悄悄扯平。唯有你到浙江的所所中学，遇到几名老教师，一问之下，常答曰出身锦堂师范。我在京沪两地，遇到一些浙籍知名学者，叙完同乡之谊，总能发现，竟也是锦堂师范的人才。

抗日战争时期，曾有几名日本兵，为吴锦堂墓站岗。乡民疑惑了，不再对他感恩戴德。他的坟墓，一度成了晒谷场。

数月前在报上读得一条新闻：全国青少年珠算比赛，前面一批名次竟然全部属于浙江一座小镇。记者用惶惑不解的笔调写道，神童荟萃一处，实是奇迹。这座小镇，便是金仙寺旁侧的鸣鹤场，吴锦堂修建世外桃源的所在。

我是理解的，自豪地一笑。耳边响起哗哗的珠算声，如白洋湖的夜潮。

听说两大寺庙义在重新修复，款项甚巨。工棚里，应有锦堂师范的毕业生，指挥着算盘的交响乐。

注：此文发表后，收到从家乡寄来的《慈溪修志通讯》，其中有一段文字介绍吴锦堂：

吴锦堂（1855～1926），名作莫，东山头乡西房村人。出身农家，少时随父耕作，及壮东渡日本，经商致富，名重中外，素以桑梓为重，先后捐银数十万两，兴修水利，创办学校，泽被乡里。本世纪初，与陈嘉庚、聂云台并称全国"办学三贤"。又积极支持孙中山先生从事辛亥革命，是我国近代著名爱国华侨。

夜　航　船

一

　　我的书架上有一部明代文学家张岱的《夜航船》。这是一部许多学人查访终身而不得的书，新近根据宁波天一阁所藏抄本印出。书很厚，书脊显豁，插在书架上十分醒目。文学界的朋友来寒舍时，常常误认为是一部新出的长篇小说。这部明代小百科的书名确实太有意思了，连我自己巡睃书架时也常常会让目光在那里顿一顿，耳边响起欸乃的橹声。

　　夜航船，历来是中国南方水乡苦途长旅的象征。我的家乡山岭丛集，十分闭塞，却有一条河流悄然穿入。每天深夜，总能听到笃笃笃的声音从河畔传来，这是夜航船来了，船夫看到岸边屋舍，就用木棍敲着船帮，招唤着准备远行的客人。山民们夜夜听到这个声音，习以为常，但终于，也许是身边的日子实在混不下去了，也许是憨拙的头脑中突然卷起了幻想的波澜，这笃笃笃的声音产生了莫大的诱惑。不知是哪一天，他们吃过一顿稍稍丰盛的晚餐，早早地收拾好简薄的行囊，与妻儿们一起坐在闪烁的油灯下等候这笃笃声。

　　当敲击船帮的声音终于响起时，年幼的儿子们早已歪歪扭扭地睡熟，山民粗粗糙糙地挨个儿摸了一下他们的头，随即用拳

186

头擦了擦眼角,快步走出屋外。蓬头散发的妻子提着包袱跟在后面,没有一句话。

外出的山民很少有回来的。有的妻子,实在无以为生了,就在丈夫上船的河滩上,抱着儿子投了水。这种事一般发生在黑夜,惨淡的月光照了一下河中的涟漪,很快什么也没有了。过不了多久,夜航船又来了,依然是笃笃笃、笃笃笃,慢慢驶过。

偶尔也有些叫人羡慕的信息传来。乡间竟出现了远途而来的老邮差,手中拿着一封夹着汇票的信。于是,这家人家的木门槛在几天内就会跨进无数双泥脚。夜间,夜航船的敲击声更其响亮了,许多山民开始失眠。

几张汇票使得乡间有了私塾。一些幸运的孩子开始跟着一位外乡来的冬烘先生大声念书。进私塾的孩子有时也会被笃笃声惊醒,翻了一个身,侧耳静听。这声音,与山腰破庙里的木鱼声太像了,那是祖母们向往的声音。

二

一个坐夜航船到上海去谋生的人突然成了暴发户。他回乡重修宅院,为了防范匪盗,在宅院四周挖了河,筑一座小桥开通门户。宅院东侧的河边,专修一个船码头,夜航船每晚要在那里停靠,他们家的人员货物往来多得很。夜航船专为他们辟了一个精雅小舱,经常有人从平展展的青石阶梯上下来,几个佣人挑着足够半月之用的食物上船。有时,佣人手上还会提着一捆书,这在乡间是稀罕之物。山民们傻想着小舱内酒足饭饱、展卷卧读的神仙日子。

船老大也渐渐气派起来。我家邻村就有一个开夜航船的船老大,早已成为全村艳羡的脚色。过去,坐他船的大多是私盐贩子,因此航船经常要在沿途受到缉查。缉查到了,私盐贩子总被捆绑起来,去承受一种叫做"趒杠"的酷刑。这种酷刑常常使私盐贩子一命呜呼。船老大也会被看成是同伙,虽不做"趒杠",却要吊打。现在,缉查人员拦住夜航船,见到的常常是神态高傲的殷富文士,只好点头哈腰连忙放行。船老大也就以利言相讥,出一口积压多年的鸟气。

每次船老大回村,总是背着那支大橹。航船的橹背走了,别人也就无法偷走那条船。这支橹,就像现今小汽车上的钥匙。船老大再劳累,背橹进村时总把腰挺得直直的,摆足了一副凯旋的架势。放下橹,草草洗过脸,就开始喝酒。灯光亮堂,并不关门,让亮光照彻全村。从别的码头顺带捎来的下酒菜,每每引得乡人垂涎欲滴。连灌数盅后他开始讲话,内容不离这次航行的船客,谈他们的风雅和富有。

三

好多年前,我是被夜航船的笃笃声惊醒的孩子中的一个。如果是夏夜,我会起身,攀着窗沿去看河中那艘扁黑的船,它走得很慢,却总是在走,听大人说,明天傍晚就可走到县城。县城准是大地方,河更宽了,船更多了,一条条晶亮晶亮的水路,再也没有泥淖和杂藻,再也没有土岸和残埠,直直地通向天际。

第二天醒来,急急赶到船老大家,去抚摩那支大橹。大橹上过桐油,天天被水冲洗,非常干净。当时私塾已变成小学,学校的老师都是坐着航船来的,学生读完书也要坐着航船出去。整个学校,就像一个船码头。

橹声欸乃,日日夜夜,山村流动起来了。

夜航船,山村孩子心中的船,破残的农村求援的船,青年冒

188

险家下赌注的船，文化细流浚通的船。

船头画着两只大大的虎眼，犁破狭小的河道，溅起泼刺刺的水声。

四

这下可以回过头来说说张岱的《夜航船》了。

这位大学者显然是夜航船中的常客。他如此博学多才，不可能长踞一隅。在明代，他广泛的游历和交往，不能不经常依靠夜航船。次数一多，他开始对夜航船中的小世界品味起来。

船客都是萍水相逢，无法作切己的深谈。可是船中的时日缓慢又无聊，只能以闲谈消遣。当时远非信息社会，没有多少轰动一时的新闻可以随意评说，谈来谈去，以历史文化知识最为相宜。中国历史漫长，文物典章繁复，谈资甚多。稍稍有点文化的人，正可借此比赛和炫示学问。一来二去，获得一点暂时的满足。

张岱是绍兴人，当时绍兴府管辖八县，我的家乡余姚正属其中。照张岱说法，绍兴八县中数余姚文化气息最浓，后生小子都得读书，结果那里各行各业的人对于历史文物典章，知之甚多，一旦聚在夜航船中，谈起来机锋颇健，十分热闹。因此，这一带的夜航船，一下去就像进入一个文化赛场。

他在《夜航船序》里记下了一个有趣的故事：

> 昔有一僧人，与一士子同宿夜航船。士子高谈阔论，僧畏慑，拳足而寝。僧人听其语有破绽，乃曰："请问相公，澹台灭明是一个人、两个人？"士子曰："是两个人。"僧曰："这等尧舜是一个人、两个人？"士子曰："自然是一个人！"僧乃笑曰："这等说起来，且待小僧伸伸脚。"

你看，知识的优势转眼间就成了占据铺位的优势。这个士子也实在是丢了吾乡的脸，不知道"澹台"是复姓倒也罢了，把尧、舜说成一个人是不可原谅的。让他缩头缩脚地蜷曲着睡，正是活该。但是，夜航船中也有不少真正的难题目，很难全然对答如流而不被人掩口耻笑。所以连张岱都说："天下学问，唯夜航船中最难对付。"

于是，他发心编一部初级小百科，列述一般中国文化常识，使士子们不要在类似于夜航船这样的场合频频露丑。他把这部小百科名之曰《夜航船》，当然只是一个潇洒幽默的举动，此书的实际效用远在闲谈场合之上。

五

但是，张岱的劳作，还是让我们看到了一种有趣的"夜航船文化"。这又是中国文化的一个可感叹之处。

在缓慢的航行进程中，细细品尝着已逝的陈迹，哪怕是一些琐碎的知识。不惜为千百年前的细枝末节争得脸红耳赤，反正有的是时间。中国文化的进程，正像这艘夜航船。

船头的浪，泼不进来；船外的风，吹不进来；航行的路程，早已预定。谈知识，无关眼下；谈历史，拒绝反思。十年寒窗，竟在谈笑争胜间消耗。把船橹托付给老大，士子的天地只在船舱。一番讥刺，一番炫耀，一番假惺惺的钦佩，一番自命不凡的陶醉，到头来，争得稍大一点的一个铺位，倒头便睡，换得个梦中微笑。

第二天，依然是这般喧闹，依然是这般无聊。船一程程行去，岁月一片片消逝，永远是喧闹的无聊，无聊的喧闹。

我一次次抚摩过的船橹，竟是划出了这样一条水路？我梦中的亮晶晶的水路，竟会这般黯然？

190

幸好，夜航船终于慢吞吞地走到了现代。吾乡的水路有了一点好的征兆：几位大师上船了。

我仿佛记得曾坐小船经过山阴道，两岸边的乌桕，新禾，野花，鸡，狗，丛树和枯树，茅屋，塔，伽蓝，农夫和村妇，村女，晒着的衣裳，和尚，蓑笠，天，云，竹，……都倒影在澄碧的小河中，随着每一打桨，各各夹带了闪烁的日光，并水里的萍藻游鱼，一同荡漾。诸影诸物，无不解散，而且摇动，扩大，互相融和；刚一融和，却又退缩，复近于原形。边缘都参差如夏云头，镶着日光，发出水银色焰。

——这是鲁迅在船上。

夜间睡在舱中，听水声橹声，来往船只的招呼声，以及乡间的犬吠鸡鸣，也都很有意思。雇一只船到乡下去看庙戏，可以了解中国旧戏的真趣味，而且在船上行动自如，要看就看，要睡就睡，要喝酒就喝酒，我觉得也可以算是理想的行乐法。

——这是周作人在船上。他不会再要高谈阔论的旅伴，只求个人的清静自由。

早春晚秋，船价很便宜，学生的经济力也颇能胜任。每逢星期日，出三四毛钱雇一只船，载着二三同学，数册书，一壶茶，几包花生米，与几个馒头，便可优游湖中，尽一日之长。……随时随地可以吟诗作画。"野航

恰受两三人。""恰受"两字的状态,在这种船上最充分
地表出着。

　　——这是丰子恺在船上。他的船又热闹了,但全是同学少
年,优游于艺术境界。

　　这些现代中国的航船虽然还是比较平缓、狭小,却终于有了
明代所不可能有的色泽和气氛。

　　仍然想起张岱。他的惊人的博学使他以一人之力编出了一
部百科全书式的《夜航船》,在他死后 24 年,远在千里之外的法
国诞生了狄德罗,另一部百科全书将在这个人手上编成。这部百
科全书,不是谈资的聚合,而是一种启蒙和挺进。从此,法国精神
文化的航船最终摆脱了封建社会的黑夜,进入了一条新的河道。
张岱做不到这地步,过错不在他。

　　说到底,他的书名还是准确的:《夜航船》。

　　我,难道真的被夜航船的笃笃声敲醒过?它的声响有多大
呢? 我疑惑了。

　　记得有一天深夜,幼小的我与祖母争执过:我说这笃笃声是
航船,她说这笃笃声是木鱼。究竟是什么呢? 都是? 都不是? 抑
或两者本是同一件事?

　　祖母早已亡故。也许,我将以一辈子,索解这个谜。

吴 江 船

一

我已经写了一篇《夜航船》。说来惭愧，我自己真正坐老式的夜航船至今只有一次，不在童年，不在故乡，而在成年之后。那是一个夏天的夜晚，从吴江坐木船到苏州，水程40余华里。两个都是闻名千年的美丽古城，这种夜游，本应该是动人心旌的至高享受。

坐船的不是我一人，而是一大群当代青年士子。时间是本世纪70年代初，张岱死后280余年。

事情还得从去吴江说起。

二

"枫落吴江冷。"这是谁写的诗句？寥寥五个字，把萧杀晚秋的浸肤冷丽，写得无可匹敌，实在高妙得让人嫉恨。就在那样的季节，我们去了，浩浩荡荡上千人，全是大学毕业生。吴江再苍老，也没有见过这么多文人。

一看就知道不是旅游。那么多行李压在肩上、夹在腋下、提在手里，走路全都蹒跚踉跄。都还没有结婚，行李是老母亲打点的，老人打点的行李总嫌笨重。父亲大多不在家，那年月，能让儿女读完大学的父亲，哪能不在别的地方写检查、听口号呢。与母亲的告别像是永诀，这次出行是大方向，没有回来的时日。母亲恨不得再塞进几件衣物。儿女们自己则一直在理书，多带一本书就多留住一份学问。

吴江县城叫松陵镇，据说设于唐代，流衍至今。我曾比较仔细地研究过的明代曲学家沈璟就是吴江人，自署"松陵词隐先生"。镇中有一处突起两个高坡，古松茂密，或许这便是镇名的由来？沈璟是否常在这里盘桓？不多想它了，松陵镇不是我们旅程的终点，我们要去的是太湖。

由松陵镇向西南，在泥泞小路上走七八里，便看见了太湖。初冬的太湖，是一首读不完的诗。寒水，远山，暮云，全都溶成瓦蓝色。白花花的芦荻，层层散去，与无数出没其间的鸟翅一起摇曳。一阵阵凉风卷来，把埋藏心底的所有太湖诗，一起卷出。那年月，人人都忘了山水；一站到湖边，人人都在为遗忘忏悔。满脸惶恐，满眼水色，满身洁净。我终于来了，不管来干什么，终于来到了太湖身边。一种本该属于自己的生命重又萌动起来，这生命来自遥远的历史，来自深厚的故土，唤醒它，只需要一个闪电般掠过的轻微信息。

我们的任务，是立即跳下水去，掏泥筑堤，把太湖割去一块，再在上面种点粮食。上面有人说了，谁也不稀罕你们种的这么点粮食，要紧的是用劳役和汗水，洗去身上的污浊。

水寒彻骨，浑身颤抖。先砍去那些芦苇，那些世上最美的芦苇，那些离不开太湖、太湖也离不开它们的芦苇。留在湖底的芦苇根利如刀戟，大多数人的脚被扎出血来。浑浊的殷红一股股地回旋在湖水间，就像太湖在流血。

194

三

一天又一天，一月又一月，围堤终于筑起来了。每个人都已面黄肌瘦，母亲打点的那些衣服，哪禁得住每天水泡泥浸？衣衫全都变得褴褛不堪。为了劳动方便，每人找一条草绳系于腰间。一天，有几个松陵镇上的居民，不知为了何事来到农场，见到这个情景，以为遇到了苦役犯，赶紧走开。

棉衣只有一件，每次干活都浸得湿透：外面是泥水，里面是汗水。傍晚收工，走进自搭的草棚，脱下湿棉衣，立即钻进被窝，明天一早，还要穿上湿棉衣出发。被窝是温暖的。放下帐子，枕头下压着好看的书，赶紧抢住时间神游一番。与浮士德对话几句，到狄更斯的小旅馆里逛上一圈，再与曹雪芹磨上一会。雨果的《九三年》撼人心魄，许国璋的英语课本扎实有序，爱因斯坦的相对论那么玄深又那么具有魅力。此时此刻，世界各国的同龄人都在干什么呢？他们在中国的可能的竞争者们现在正在苦思着一个旷古难题：湿棉衣哪一天才能干？

帐子里的秘密终于被发现，发现者们真正地愤怒了。世界上竟然还有这么多污七八糟的书，而且竟然还有这么多人不顾白天干活的劳累偷偷地看！很快传下一个果断的命令：收缴全部与"文革"相抵触的书籍。

箱子一只只打开，上千名大学毕业生的书，堆得像小山一般。一个负责人绕着小山威武地走了一圈，有一个问题让他有点犯难：这堆书算什么呢？如果算是毒品，应该立即销毁；如果算是战利品，应该上缴领导。沉思片刻，他挥手宣布：装船，运到松陵镇，交给领导看一看，然后销毁！

书，满满地装了三大船，让大学毕业生自己摇船启航。临行前负责人以亲切的口气对大学毕业生们说：烧书的火，也要请你们自己来点。

火是当夜就点起来了的。书太多,烧了好久,火光照亮了松陵镇上的千年古松。

四

没书了,闲得发闷。好在已到了夏天,收工后可以消遣的事情多了起来。最有诱惑力的是游泳,一天干下来浑身臭汗,总要到太湖里洗一洗,何不乘机张开双臂,松松爽爽地游一阵呢!清凉的湖水浩阔无比,吞到嘴里都是甜津津的。夏天傍着个太湖不游泳,太说不过去了。

湖水轻抚着我,我把自己消融在湖水中。我们这一代命贱,干了那么重的活,一入水仍然满身精力充沛。游得很远了,双眼贴着湖水环顾,这儿只有我一人,赤条条的,自由自在。不是洗澡,不为锻炼,不在比赛,只是玩乐。此时此刻,四肢全属自己,连生命也掌握在手中。像青蛙,像蝴蝶,像海豚,却又什么都不像,只像人。真正像个人了,以自由和健康,与山水和谐。在这个时刻,我才可怜起古代文人,平时,我只是缅怀和羡慕着他们。今天我敢于与他们打赌称胜:我们才是与太湖最亲热的文人。沈璟只是凭着太湖的神韵作作曲罢了,而我们,却化作了太湖的音符,起伏跃腾。

游泳当时正提倡,负责人不反对,他们自己也游。

为数不少的女大学生们,先站在岸上看,终于她们忍不住了,三五成群地跑回了宿舍。当她们从宿舍出来的时候,全换上了游泳衣。

女子游泳,在城市游泳池里屡见不鲜,但在这里却引起了巨大的骚动。她们平时穿着破旧衣衫下田,繁重的农活使他们失去

196

了性别。每天,在田埂上,当她们挑着绝不比男学生轻的稻担迎面走来的时候,男学生从来没有想到这是一些青春灿烂的姑娘。现在,出现在眼前的,是一座座略带腼腆的生命杰作。风撩了撩她们的散发,她们的步子轻轻盈盈,如踏着音乐,向太湖走去,走进波提切利的《维纳斯诞生》里边。

男学生们被震慑了,刹那间勾起了遗失的记忆,毫无邪念地睁大双眼。他们和她们都20余岁。

此后的日子,渐渐过得暧昧。男女学生接触得多了,有几对明显地往来频繁。一个晚上,几个男学生走过女宿舍门口,正好突然下雨,女学生们热情地挽留他们避雨,还倒了热水让他们洗脸。几天后的一个星期天,所有的男学生出动,在女宿舍门口挖了一口深深的大井,还用小石子在井沿上垒出三字:友谊井。

但是很快传来消息说,这里出现了腐蚀与反腐蚀的斗争,阶级斗争有了新动向。事情说到这个份上,也就好办了。当时正好全国又在兴起什么运动,大学毕业生原来所在的大学向农场派出了好些战斗组,大多由工人宣传队率领。太湖边的草棚子里热闹起来了,夜夜灯光都很晚才熄。青年们第二天一早上工,都头重脚轻,晃晃悠悠。

挖思想、排疑点、理线索、定重点,炊事班每天打出的饭菜,开始有了剩余。好几个小集团被清查出来了,大会上,报告者的口气越来越凶。后来,终于点出了一些名字。罪行最严重的是一个漂亮热情、善于交际的女学生,她在下农场前的一次同学聚会中,被几个男同学戏称为"外交部长"。她竟然笑了笑,没有拒绝,也没有向领导揭发。"这样的反动小集团连职位都分好了,不为夺权为什么!"报告者的推断极其雄辩。

一天傍晚,传来警报,正在受审查的她失踪了。上级命令全体人员分头追寻,几个男学生在湖边找到了她的纱头巾。

把她打捞上来时她的心脏已经停止跳动,一个胖乎乎的男卫生员连忙做人工呼吸。折腾了一会毫无效果,卫生员决定直接给心脏注射强心针。她的衣衫被撕开了,赤裸裸地仰卧在岸草之间。月光把她照得浑身银白,她真正成了太湖的女儿。

遗体必须连夜送往苏州,天已太晚,能动用的交通工具只有船。轮流摇船的仍然是几位男学生,他们解缆架橹,默默地摇走了这艘夜航船。

这次夜航,要经过著名的垂虹桥。垂虹桥历时久远,早已老态龙钟,但十四桥孔仍在,不知夜航船会从哪个桥孔通过。

宋代大词人姜夔对垂虹桥最是偏爱,有一次,他在那里与挚友范成大告别,与他所爱的姑娘小红坐船远去,留下诗作一首:

> 自琢新词韵最娇,
> 小红低唱我吹箫。
> 曲终过尽松陵路,
> 回首烟波十四桥。

今夜,烟波桥下,没有歌声箫声,只有橹声嘎嘎。

五

不知什么原因,两年之后,突然通知我们回城。

实在不知上级出于什么考虑,一定要把出发的时间定在夜间。天刚擦黑,大学毕业生们整队上路,从农场步行到松陵镇。满箱的书已经烧掉,带来的衣服大多已穿破扔了,行李变得很轻便。大家都心急火燎地想早一分钟离开这个地方,下步很快,才一会儿,就到了镇上。再排队到船码头,准备从那里下船去苏州,然后在苏州搭乘火车。

天太黑，数不清那天雇用了多少船。反正是长长一串，把这么多大学生全装下了。首船有柴油机发动，后面的船一艘连一艘，像一条长虫，爬行在河道上。到得船上，安下心来，才猛然想起，最后连太湖都没有看上一眼。明天早晨，太湖醒来，会有多寂寞。

夜航船行进在夜的土地，夜的河港。岸边的村庄黑森森地后退，惊起的水鸟掠着翅膀低飞几圈又回巢了。这条河流淌的是千年波涛，吴地历来文化繁盛，文人的夜航十分平常。明代盛大无比的虎丘山曲会，参赛文人大多是坐船去的，唐寅他们的人生故事，好大一半发生在船上，直到柳亚子先生为南社奔忙，也不得不经常坐船夜航。今天是我们在船上，从千古吴江到千古苏州，去干什么呢？不知道。一群没有了书的书生，茫茫然，昏昏然，一个个打起了瞌睡。

就这样，我终于坐了一次夜航船。算来，也有 20 年了。

信　客

一

　　我国广大山区的邮电网络是什么年代健全起来的,我没有查过,记得早年在乡间,对外的通信往来主要依靠一种特殊职业的人:信客。

　　信客是一种私人职业,不受任何机构管理。这个地方外出谋生的人多了,少不了要带几封平安家信、捎一点衣物食品的,方圆几十里又没有邮局,那就用得着信客了。信客要有一点文化,知道各大码头的情形,还要一副强健的筋骨,背得动重重的行李。

　　细想起来,做信客实在是一件苦差事。乡间外出的人数量并不太多,他们又不集中在一个城市,因此信客的生意不大,却很费脚力。如果交通方便也就用不着信客了,信客常走的路大多七转八拐,换车调船,听他们说说都要头昏。信客如果把行李交付托运也就赚不了什么钱,他们一概是肩挑、背驮、手提、腰缠,咬着牙齿走完坎坷长途。所带的各家各户信件货物,品种繁多,又绝对不能有任何散失和损坏,一路上只得反复数点,小心翼翼。当时大家都穷,托带费十分低廉,有时还抵不回来去盘缠,信客只得买最差的票,住最便宜的舱位,随身带点冷馒头、炒米粉充饥。

信客为远行者们效力，自己却是最困苦的远行者。一身破衣旧衫，满脸风尘，状如乞丐。

没有信客，好多乡人就不会出远门了。在很长的时期中，信客沉重的脚步，是乡村和城市的纽带。

二

我家邻村，有一个信客，年纪不小了，已经长途跋涉了二三十年。

他读过私塾，年长后外出闯码头，碰了几次壁，穷落潦倒，无以为生，回来做了信客。他做信客还有一段来由。

本来村里还有一个老信客。一次，村里一户人家的姑娘要出嫁，姑娘的父亲在上海谋生，托老信客带来两匹红绸。老信客正好要给远亲送一份礼，就裁下窄窄的一条红绸捆扎礼品，图个好看。没想到上海那位又托另一个人给家里带来口信，说收到红绸后看看两头有没有画着小圆圈，以防信客做手脚。这一下老信客就栽了跟头，四乡立即传开他的丑闻，以前叫他带过东西的各家都在回忆疑点，好像他家的一切都来自克扣。但他的家，破烂灰黯，值钱的东西一无所有。

老信客申辩不清，满脸凄伤，拿起那把剪红绸的剪刀直扎自己的手。第二天，他掯着那只伤痕累累的手找到了同村刚从上海落魄回来的年轻人，进门便说："我名誉糟塌了，可这乡间不能没有信客。"

整整两天，老信客细声慢气地告诉他附近四乡有哪些人在外面，乡下各家的门怎么找，城里各人的谋生处该怎么走。说到几个城市里的路线时十分艰难，不断在纸上画出图样。这位年轻人连外出谋生的人也大半不认识,老信客说了又说,比了又比,连他们各人的脾气习惯也作了介绍。

把这一切都说完了,老信客又告诉他沿途可住哪几家小旅馆,旅馆里哪个茶房可以信托。还有各处吃食,哪一个摊子的大饼最厚实,哪一家小店可以光买米饭不买菜。

从头至尾,年轻人都没有答应过接班。可是听老人讲了这么多,讲得这么细,他也不再回绝。老人最后的嘱咐是扬了扬这只扎伤了的手,说"信客信客就在一个信字,千万别学我"。

年轻人想到老人今后的生活,说自己赚了钱要接济他。老人说:"不。我去看坟场,能糊口。我臭了,你挨着我也会把你惹臭。"

老信客本来就单人一身,从此再也没有回村。

年轻信客上路后,一路上都遇到对老信客的问询。大半辈子的风尘苦旅,整整一条路都认识他。流落在外的游子,年年月月都等着他的脚步声。现在,他正躲在山间坟场边的破草房里,夜夜失眠,在黑暗中睁着眼,迷迷乱乱地回想着一个个码头,一条条船只,一个个面影。

乱风下雨时,他会起身,手扶门框站一会,暗暗嘱咐年轻的信客一路小心。

三

年轻的信客也渐渐变老。他老犯胃病和风湿病,一犯就想到老信客,老人什么都说了,怎么没提起这两宗病?顺便,关照家人抽空带点吃食到坟场去。他自己也去过几次,老人逼着他讲各个码头的变化和新闻。历来是坏事多于好事,他们便一起感叹唏嘘。他们的谈话,若能记录下来,一定是历史学家极感兴趣的中国近代城乡的变迁史料,可惜这儿是山间,就他们两人,刚刚说出就立即飘散,茅屋外只有劲厉的山风。

信客不能常去看老人。他实在太忙,路上花费的时间太多,一回家就忙着发散信、物,还要接收下次带出的东西。这一切都要他亲自在场,亲手查点,一去看老人,会叫别人苦等。

只要信客一回村,他家里总是人头济济。多数都不是来收发信、物的,只是来看个热闹,看看各家的出门人出息如何,带来了什么希罕物品。农民的眼光里,有羡慕,有嫉妒,比较得多了,也有轻蔑,有嘲笑。这些眼神,是中国农村对自己的冒险家们的打分。这些眼神,是千年故土对城市的探询。

终于有妇女来给信客说悄悄话:"关照他,往后带东西几次并一次,不要鸡零狗碎的";"你给他说说,那些货色不能在上海存存?我一个女人家,来强盗来贼怎么办"……信客沉稳地点点头,他看得太多,对这一切全能理解。都市里的升沉荣辱,震颤着长期迟钝的农村神经系统,他是最敏感的神经末梢。

闯荡都市的某个谋生者突然得了一场急病死了,这样的事在那样的年月经常发生。信客在都市同乡那里听到这个消息,就会匆匆赶去,代表家属乡亲料理后事、收拾遗物。回到乡间,他就夹上一把黑伞,伞柄朝前,朝死者家里走去。乡间报死讯的人都以倒夹黑伞为标记,乡人一看就知道,又有一个人客死他乡。来到死者家里,信客满脸戚容,用一路上想了很久的委婉语气把噩耗通报。可怜的家属会号淘大哭,会猝然昏厥,他都不能离开,帮着安慰张罗。更会有一些农妇听了死讯一时性起,咬牙切齿地憎恨城市,憎恨外出,连带也憎恨信客,把他当作了死神冤鬼,大声讪斥,他也只能低眉顺眼、听之忍之,连声诺诺。

下午,他又要把死者遗物送去,这件事情更有危难。农村妇女会把这堆简陋的遗物当作丈夫生命的代价,几乎没有一个相信只有这点点。红红的眼圈里射出疑惑的利剑,信客浑身不自在,真像做错了什么事一般。他只好柔声地汇报在上海处置后事的情况,农村妇女完全不知道上海社会,提出的诘问每每使他无从回答。

直到他流了几身汗,赔了许多罪,才满脸晦气地走出死者的家。他能不干这档子事吗?不能。说什么我也是同乡,能不尽一点乡情乡谊?老信客说过,这乡间不能没有信客。做信客的,就得挑着一副生死祸福的重担,来回奔忙。四乡的外出谋生者,都把自己的血汗和眼泪,堆在他的肩上。

四

信客识文断字,还要经常代读、代写书信。没有要紧事带个口信就是了,要写信总是有了不祥的事。妇女们一把眼泪、一把鼻涕在信客家里诉说,信客铺纸磨墨,琢磨着句子。他总是把无穷的幽怨和紧迫的告急调理成文绉绉的语句,郑重地装进信封,然后,把一颗颗破碎和焦灼的心亲自带向远方。

一次,他带着一封满纸幽怨的信走进了都市的一间房子,看见发了财的收信人已与另一个女人同居。他进退两度,犹豫再三,看要不要把那封书信拿出来。发了财的同乡知道他一来就会坏事,故意装作不认识,厉声质问他是什么人。这一下把他惹火了,立即举信大叫:"这是你老婆的信!"

信是那位时髦女郎拆看的,看罢便大哭大嚷。那位同乡下不了台,硬说他是私闯民宅的小偷,拿出一封假信来只是脱身伎俩。为了平息那个女人的哭闹,同乡狠狠打了他两个耳光,并把他扭送到了巡捕房。

他向警官解释了自己的身份,还拿出其他许多同乡的地址作为证明。传唤来的同乡集资把他保了出来,问他事由,他只说自己一时糊涂,走错了人家。他不想让颠沛在外的同乡蒙受阴影。

这次回到家,他当即到老信客的坟头烧了香,这位老人已死去多年。他跪在坟头请老人原谅:从此不再做信客。他说:"这条路越来越凶险,我已经撑持不了。"

他向乡亲们推说自己腿脚有病,不能再出远门。有人在外的家属一时陷入恐慌,四处物色新信客,怎么也找不到。

只有这时,人们才想起他的全部好处,常常给失去了生活来源的他端来几碗食物点心,再请他费心想想通信的办法。

也算这些乡村劫数未尽,那位在都市里打了信客耳光的同乡突然发了善心。此公后来更发了一笔大财,那位时髦女郎读信后已立即离他而去,他又在其他同乡处得知信客没有说他任何坏话,还听说从此信客已赋闲在家,如此种种,使他深受感动。他回乡来了一次,先到县城邮局塞钱说项,请他们在此乡小南货店里附设一个代办处,并提议由信客承担此事。

办妥了这一切,他回到家里慰问邻里,还亲自到信客家里悄悄道歉,请他接受代办邮政的事务。信客对他非常恭敬,请他不必把过去了的事情记在心上。至于代办邮政,小南货店有人可干,自己身体不济,恕难从命。同乡送给他的钱,他也没拿,只把一些礼物收下。

此后,小南货店门口挂出了一只绿色的邮箱,也办包裹邮寄,这些乡村又与城市接通了血脉。

信客开始以代写书信为生,央他写信的实在不少,他的生活在乡村中属于中等。

五

两年后,几家私塾合并成一个小学,采用新式教材。正缺一位地理教师,大家都想到了信客。

信客教地理绘声绘色,效果奇佳。他本来识字不多,但几十年游历各处,又代写了无数封书信,实际文化程度在几位教师中显得拔尖,教起国文来也从容不迫。他眼界开阔,对各种新知识都能容纳。更难能可贵的是,他深察世故人情,很能体谅人,很快成了这所小学的主心骨。不久,他担任了小学校长。

在他当校长期间,这所小学的教学质量,在全县属于上乘。毕业生考上城市中学的比例,也很高。

他死时,前来吊唁的人非常多,有不少还是从外地特地赶来的。根据他的遗愿,他的墓就筑在老信客的墓旁。此时的乡人已大多不知老信客是何人,与这位校长有什么关系。为了看着顺心,也把那个不成样子的坟修了一修。

酒 公 墓

一

一年前，我受死者生前之托，破天荒第一次写了一幅墓碑，碑文曰"酒公张先生之墓"。写毕，卷好，郑重地寄到家乡。

这个墓碑好生奇怪。为何称为"酒公"，为何避其名号，为何专托我写，须从头说起。

酒公张先生，与世纪同龄。其生涯的起点，是四明山余脉鱼背岭上的一个地名：状元坟。相传宋代此地出过一位姓张的状元，正是张先生的祖先，状元死后葬于家乡，鱼背岭因此沾染光泽，张姓家族更是津津乐道。但是，到张先生祖父的一代，全村已找不到一个识字人。

张先生的祖母是一位贤淑的寡妇，整日整夜纺纱织布，积下一些钱来，硬要儿子张老先生翻过两个山头去读一家私塾，说要不就对不起状元坟。张老先生十分刻苦，读书读得很成样子，成年后闯荡到上海学生意，竟然十分发达，村中乡亲全以羡慕的目光看着张家的中兴。

张老先生钱财虽多，却始终记着自己是状元的后代，愧恨自己学业的中断。他把全部气力都花在儿子身上，于是，他的独生儿子，我们的主角张先生读完了中学，又到美国留学。在美国，他读到了胡适之先生用英文写的论先秦逻辑学的博士论文,决定也去攻读逻辑。但他的主旨与胡适之先生并不相同,只觉得中国人思绪太过随意,该用逻辑来理一理。留学生中大家都戏称他为"逻辑救国论者"。20年代末,张先生学成回国,在上海一家师范学校任教。那时,美国留学生已不如胡适之先生回国时那样珍贵。师范校长客气地听完了他关于开设逻辑课的重要性的长篇论述后,莞尔一笑,只说了一句:"张先生,敝校只有一个英文教师的空位。"张先生木然半晌,终于接受了英语教席。

他开始与上海文化圈结交,当然,仍然三句不离逻辑。人们知道他是美国留学生,都主动地靠近过来寒暄,而一听到讲逻辑,很快就表情木然,飘飘离去。在一次文人雅集中,一位年长文士询及他的"胜业",他早已变得毫无自信,讷讷地说了逻辑。文士沉吟片刻,慈爱地说:"是啊是啊,收罗纂辑之学,为一切学问之根基!"旁边一位年轻一点的立即纠正:"老伯,您听差了,他说的是巡逻的逻,不是收罗的罗!"并转过脸来问张先生:"是否已经到巡捕房供职?"张先生一愕,随即明白,他理解的"逻辑"是"巡逻侦缉"。从此,张先生再也不敢说逻辑。

但是,张先生终于在雅集中红了起来,原因是有人打听到他是状元的后代。人们热心地追询他的世谱,还纷纷请他书写扇面。张先生受不住先前那番寂寞,也就高兴起来,买了一些碑帖,练毛笔字。不单单为写扇面,而是为了像状元的后代。衣服也换了,改穿长衫。课程也换了,改教国文。他懂逻辑,因此,告别逻辑,才合乎逻辑。

二

1930年,张先生的父亲去世。遗嘱要求葬故乡状元坟,张先生扶柩回乡。

坟做得很有气派，整个葬仪也慷慨花钱，四乡传为盛事，观者如堵。此事刮到当地青帮头目陈矮子耳中，他正愁没有机会张扬自己的声势，便带着一大帮人到葬仪中寻衅。

那天，无数乡人看到一位文弱书生与一群强人的对峙。对他们来说，两方面都是别一世界的人，插不上嘴，也不愿插嘴，只是饶有兴味地呆看。陈矮子质问张先生是否知道这是谁的地盘，如此筑坟，为何不来禀告一声。张先生解释了自家与状元坟的关系，又说自己出外多年，不知本地规矩。他顺便说明自己是美国留学生，想借以稍稍镇一镇这帮强人。

陈矮子得知了张先生的身份，又摸清了他在官府没有背景，便朗声大笑，转过脸来对乡人宣告："河西袁麻子的魁武帮弄了一个中学生做师爷，神气活现，我今天正式聘请这位状元后代、美国留学生做师爷，让袁麻子气一气！"说毕，又命令手下随从一齐跪在张老先生的新坟前磕三个响头，便挟持着张先生扬长而去。

这天张先生穿一身麻料孝衣，在两个强人的手臂间挣扎呼号。已经拉到很远了，还回过头来，满脸眼泪，看了看山头的两宗坟茔。状元坟实在只是黄土一杯，紧挨着的张老先生的坟新石坚致，供品丰盛。

张先生在陈矮子手下做了些什么，至今还是一个谜。据说，从此之后，这个帮会贴出的文告、往来的函件，都有一笔秀挺的书法。为了这，气得袁麻子把自己的师爷杀了。

又据说，张先生在帮会中酒量大增，猜拳的本事，无人能敌。

张先生逃过三次，都被抓回。陈矮子为了面子，未加惩处。但当张先生第四次出逃被抓回后，终于被打成残疾，逐出了帮会。乡人说，陈矮子最讲义气，未将张先生处死。

张先生从此失踪。多少年后，几个亲戚才打听到，他到了上海，跛着腿，不愿再找职业，不愿再见旁人，躲在家里做寓公。父亲的那点遗产，渐渐坐吃山空。

直到1949年，陈矮子被镇压，张先生才回到家乡。他艰难地到山上拔净了坟头的荒草，然后到乡政府要求工作。乡政府说："你来得正好，不忙找工作，先把陈矮子帮会的案子弄弄清楚。"这一弄就弄了几年，而且越弄越不清楚。他的生活，靠帮乡人写婚丧对联、墓碑、店招、标语维持。1957年，有一天他喝酒喝得晕晕乎乎，在给乡政府写标语时把"东风压倒西风"写成了"西风压倒东风"。被质问时还轻描淡写地说只是受了当天天气预报的影响。此地正缺右派名额，理所当然把他补上了。

本来，右派的头衔对他倒也无啥，他反正原来就是那副朽木架子。只是一个月前，他刚刚与一个比他年长8岁的农村寡妇结婚，女人发觉他成了双料坏人，怕连累前夫留下的孩子，立即离他而去。

四年后，他右派的帽子摘了。理由是他已经改恶从善。实际上，是出于县立中学校长对政府的请求。摘帽没几天，县立中学聘请他去担任英语代课教师。县中本不设英语课，这年高考要加试外语，校长急了，要为毕业班临时突击补课。问遍全县上下，只有张先生一人懂英语。

三

他一生没有这么兴奋过。央请隔壁大娘为他整治出一套干净适体的服装，立即翻山越岭，向县城赶去。

对一群乡村孩子，要在五个月内从字母开始，突击补课到应付高考水平，实在艰难。但是，无论别人还是他，都极有信心，理由很简单,他是美国留学生。县中里学历最高的教师,也只是中师毕业。

开头一切还算顺利,到第四个星期却出了问题。那天,课文中有一句 We all love Chairman Mao,他围绕着常用词 love,补充了一些解释。他讲解道,这个词最普通的含义,乃是爱情。他在黑板上写了一个例句:爱是人的生命。

当他兴致勃勃地从黑板上回过身来,整个课堂的气氛变得十分怪异。女学生全都红脸低头,几个男学生扭歪了脸,傻看着他发愕。突然,不知哪个学生先笑出声来,随即全班爆发出无法遏止的笑声。张先生惊恐地再看了一下黑板,检查有没有写错了字,随即又摸了摸头,捋了捋衣服,看自己在哪里出了洋相。笑声更响了,40 几张年轻的嘴全都张开着,抖动着,笑着他,笑着黑板,笑着爱,震耳欲聋。这天的课无法讲完了,第二天他刚刚走进教室,笑声又起,他在讲台上呆站了几分钟就出来了,来到校长办公室,声称自己身体不好,要回乡休息。

这一年,整个县中没有一人能考上大学。

张先生回家后立即脱下了那身干净服装,塞在箱角。想了一想,端出砚台,重新以写字为生。四乡的人们觉得他命运不好,不再请他写结婚对联,他唯一可写的,只是墓碑。

据风水先生说,鱼背岭是一个极好的丧葬之地,于是,整座山岭都被坟墓簇拥。坟墓中有一大半墓碑出自张先生的手笔。他的字,以柳公权为骨,以苏东坡为肌,遒劲而丰润,端庄而活泼,十分惹目。外地客人来到此山,常常会把湖光山色忘了,把茂树野花忘了,把溪涧飞瀑忘了,只观赏这一座座墓碑。死者与死者家属大多不懂此道,但都耳闻张先生字好,希望用这样的好字把自己的姓名写一遍,铭之于石,传之不朽。

乡间丧事是很舍得花钱的,张先生写墓碑的报酬足以供他日常生活之费。他好喝酒，喝了两斤黄酒之后执笔，字迹更见飞动，因此，乡间请他写墓碑，从不忘了带酒，另备酒肴三五碟。通常，乡人进屋后，总是先把酒肴在桌上整治妥当，让张先生慢悠悠喝着，同时请一年轻人在旁边磨墨，张先生是不愿用墨汁书写的。待到喝得满脸酡红，笑眯眯地站起身来，也不试笔，只是握笔凝神片刻，然后一挥而就。

乡人带来的酒，每次都在 5 斤以上，可供张先生喝几天。附近几家酿酒作坊，知道张先生品酒在行，经常邀他去品定各种酒的等次，后来竟把他的评语，作为互相竞争的标准，因此都尽力来讨好他。酒坛，排满了他陋室的墙角。大家嫌"张先生"的称呼过于板正，都叫他酒公，他也乐意。一家作坊甚至把他评价最高的那种酒定名为酒公酒，方圆数十里都有名气。

前年深秋，我回家乡游玩，被满山漂亮的书法惊呆。了解了张先生的身世后，我又一次上山在墓碑间徘徊。我想，这位半个多世纪前的逻辑救国论者，是用一种最潦倒、最别致的方式，让生命占据了一座小山。他平生未能用自己的学问征服过任何一个人，只能用一枝毛笔，在中国传之千年的毛笔，把离开这个世界的人慰抚一番。可怜被他慰抚的人，既不懂逻辑，也不懂书法，于是，连墓碑上的书法，也无限寂寞。谁能反过来慰抚这种寂寞呢？只有那一排排灰褐色的酒坛。

在美国，在上海，张先生都日思夜想过这座故乡的山，祖先的山。没想到，他一生履历的终结，是越来越多的墓碑。人总要死，墓很难坍，长此以往，家乡的天地将会多么可怕！我相信，这位长于推理的逻辑学家曾一次次对笔惊恐，他在笔墨酣畅地描画的，是一个何等样的世界！

四

　　偶尔,张先生也到酿酒作坊翻翻报纸。八年前,他在报纸上读到一篇散文,题为《笑的忏悔》。起初只觉题目奇特,一读下去,他不禁心跳剧烈。

　　这篇文章出自一位在省城工作的中年人的手笔。文章是一封写给中学同班同学的公开信,作者询问老同学们是否都有同感:当自己品尝过了爱的甜苦,经历过了人生的波澜,现在正与孩子一起苦记着外语单词的时候,都会为一次愚蠢透顶的傻笑深深羞愧?

　　张先生那天离开酿酒作坊时的表情,使作坊工人非常奇怪。两天后,他找到乡村小学的负责人,要求讲点课,不要报酬。

　　他实在是命运险恶。才教课三个月,一次台风,把陈旧的校舍吹坍。那天他正在上课,拐着腿拉出了几个学生,自己被压在下面。从此,他的下肢完全瘫痪,手也不能写字了。

　　我见到他时他正静卧在床。我们的谈话从逻辑开始,我刚刚讲了几句金岳霖先生的逻辑思想,他就抖抖索索地把我的手紧紧拉住。他说自己将不久人世,如有可能,在他死后为他的坟墓写一方小字碑文;如没有可能,就写一幅"酒公张先生之墓"。绝不能把名字写上,因为他深感自己一生,愧对祖宗,也愧对美国、上海的师友亲朋。这个名字本身,就成了一种天大的嘲谑。

　　我问他小字碑文该如何写,他神情严肃地斟酌吟哦了一番,慢吞吞地口述起来:

　　　　酒公张先生,不知籍贯,不知名号,亦不知其祖宗
　　世谱,只知其身后无嗣,孑然一人。少习西学,长而废
　　弃,颠沛流荡,投靠无门。一身弱骨,或踟蹰于文士雅

213

集，或颤慑于强人恶手，或惊恐于新世问诘，或惶愧于幼者哄笑，栖栖遑遑，了无定夺。释儒道皆无深缘，真善美尽数失落，终以浊酒、败墨、残肢、墓碑、编织老境。一生无甚德守，亦无甚恶行，耄年回首，每叹枉掷如许粟麦菜蔬，徒费孜孜攻读、矻矻苦吟。呜呼！故国神州，莘莘学子，愿如此潦倒颓败者，唯张先生一人。

述毕，老泪纵横。我当时就说，如此悲凉的文词，我是不愿意书写的。

张先生终于跛着腿，走完了他的旅程。现在，我书写的七字墓碑，正树立在状元坟，树立在层层墓碑的包围之中。他的四周，全是他恣肆的笔墨。他竭力讳避家族世谱，但三个坟，状元、张老先生和他的，安然并列，连成一线，像是默默地作着他曾热衷过的逻辑证明。不管怎么说，这也算给故乡的山，添了小小一景。

214

老屋窗口

一

前年冬天,母亲告诉我,家乡的老屋无论如何必须卖掉了。全家兄弟姐妹中,我是最反对卖屋的一个,为着一种说不清的理由。而母亲的理由却说得无可辩驳:"几十年没人住,再不卖就要坍了。你对老屋有情分,索性这次就去住几天吧,给它告个别。"

我家老屋是一栋两层的楼房,不知是祖父还是曾祖父盖的。在贫瘠的山村中,它像一座城堡矗立着,十分显眼。全村几乎都姓余,既有余氏祖堂也有余氏祠堂,但是最能代表余氏家族荣耀的,是这座楼。这次我家这么多兄弟姐妹一起回去,每人都可以宽宽敞敞地住一间。我住的是我出生和长大的那一间,在楼上,母亲昨天就雇人打扫得一尘不染。

人的记忆真是奇特。好几十年过去了,这间屋子的一切细枝末节竟然都还贮积在脑海的最低层,一见面全都翻腾出来,连每一缕木纹、每一块污斑都严丝密缝地对应上了。我痴痴地环视一周,又伸出双手沿壁抚摩过去,就像抚摩着自己的肌体,自己的灵魂。

终于,我摩到了窗台。这是我的眼睛,我最初就在这儿开始打量世界。母亲怜惜地看着成日扒在窗口的儿子,下决心卸去沉

215

重的窗板，换上两页推拉玻璃。玻璃是托人从县城买来的，路上碎了两次，装的时候又碎了一次，到第四次才装上。从此，这间屋子和我的眼睛一起明亮。窗外是茅舍、田野，不远处便是连绵的群山。于是，童年的岁月便是无穷无尽的对山的遐想。跨山有一条隐隐约约的路，常见农夫挑着柴担在那里蠕动。山那边是什么呢？是集市？是大海？是庙舍？是戏台？是神仙和鬼怪的所在？我到今天还没有到山那边去过，我不会去，去了就会破碎了整整一个童年。我只是记住了山脊的每一个起伏，如果让我闭上眼睛随意画一条曲线，画出的很可能是这条山脊起伏线。这对我，是生命的第一曲线。

二

这天晚上我睡得很早。天很冷，乡间没有电灯，四周安静得怪异，只能睡。一床刚刚缝好的新棉被是从同村族亲那里借来的，已经晒了一天太阳，我一头钻进新棉花和阳光的香气里，几乎熔化了。或许会做一个童年的梦吧？可是什么梦也没有，一觉睡去，直到明亮的光逼得我把眼睛睁开。

怎么会这么明亮呢？我眯缝着眼睛向窗外看去，兜眼竟是一排银亮的雪岭，昨天晚上下了一夜大雪，下在我无梦的沉睡中；下在岁月的沟壑间，下得如此充分，如此透彻。

一个陡起的记忆猛地闯入脑海。也是躺在被窝里，两眼直直地看着银亮的雪岭。母亲催我起床上学，我推说冷，多赖一会儿。母亲无奈，陪着我看窗外。"诺，你看！"她突然用手指了一下。

顺着母亲的手看去，雪岭顶上，晃动着一个红点。一天一地都是一片洁白，这个红点便显得分外耀眼。这是河英，我的同班同学，她住在山那头，翻山上学来了。那年我才 6 岁，她比我大

10岁，同上着小学二年级。她头上扎着一方长长的红头巾，那是学校的老师给她的。这么一个女孩子一大清早就要翻过雪山来上学，家长和老师都不放心，后来有一位女教师出了主意，叫她扎上这方红头巾。女教师说："只要你翻过山顶，我就可以凭着红头巾找到你，盯着你看，你摔跤了我就上来帮你。"河英的母亲说："这主意好，上山时归我看。"

于是，这个河英上一趟学好气派，刚刚在那头山坡摆脱妈妈的目光，便投入这头山坡老师的注视。每个冬天的清早，她就化作雪岭上的一个红点，在两位女性的呵护下，像朝圣一样，逶逶迤迤走向学校，走向书本。

这件事，远近几个山村都知道，因此每天注视这个红点的人，远不止两位女性。我母亲就每天期待着这个红点，作为催我起床的理由。这红点，已成了我们学校上课的预备铃声。只要河英一爬上山顶，山这边有孩子的家庭就忙碌开了。

三

女孩到十五六岁，在当时的山乡已是应该结婚的年龄。早在一年前，家里已为河英准备了婚礼。举行婚礼的前一天，新娘子找不到了，两天后，在我们教室的窗口，躲躲闪闪地伸出了一个漂亮姑娘蓬头散发的脸。她怎么也不肯离开，要女教师收下她干杂活。女教师走过来，一手抚着她的肩头，一手轻轻地捋起她的头发……刹时，两双同样明净的眼睛静静相对。女教师眼波一闪，说声"跟我走"，拉起她的手走向办公室。

我在《牌坊》一文中已有记述，我们的小学设在一座废弃的尼姑庵里。几个不知从哪里来的美貌女教师，都像是大户人家的小姐，都有逃婚的嫌疑。她们都不姓余，但点名的时候，她们一般都只叫我们的名字，把姓省略了，因为全班学生绝大多数都一个姓。只有坐在我旁边的米根是例外，姓陈，他家是从外地迁来的。

那天河英从办公室出来，她和几个女教师的眼圈都是红红的。当天傍晚放学后，女教师们锁了校门，一个不剩地领着河英翻过山去，去与她的父母亲商量。第二天，河英就坐进了我们教室，成了班级里第二个不姓余的学生。

这件事何以办得这样爽利，直到我长大后还在经常疑惑。新娘子逃婚在山村可是一件大事，如果已成事实，家长势必还要承担"赖婚"的责任。哪部小说、戏曲一写到这样的事不是渲染得天翻地覆、险象环生？河英的父母怎么会让自己的女儿如此干脆地斩断前姻来上学呢？我想，根本原因在于几位女教师的奇异出现。

山村的农民一辈子也难得见到一个读书人，更无法想象一个能识文断字的女人。我母亲因抗日战争从上海逃难到乡下，被乡人发现竟能坐在家里看一本本线装书和洋装书，还能帮他们代写书信、查核契约，视为奇事。好多年了，母亲出门还会有很多人指指点点、交头接耳，吓得母亲只好成天躲在"城堡"里。这天晚上，这么多女教师一起来到山那边的河英家，一定把她父母震慑了。这些完全来自另一世界的雅洁女子，柔声细气地说着他们根本反驳不了的陌生言词。她们居然说，把河英交给她们，过不了几年也能变得像她们这样！父母亲只知抹凳煮茶，频频点头，完全乱了方寸，最后，燃起火把，把女教师们送过了山岭。

据说，那天夜里，与河英父母一起送女教师过山的乡亲很多，连原本该是河英的"婆家"也在，长长的火把阵接成了一条火龙。

只有举行盛大的庙会，才会出现这种景象。

四

河英是我们学校的第一个女生。她进校之后,陆续又有一些女孩子进来,教室里满满的,很像一个班级了。

女教师常常到县城去,观摩正规小学的教学,顺便向县里申请一点经费。她们每次回来,总要在学校里搞点新花样,后来,竟然开起了学生运动会。

当然没有运动衣,教师要求学生都穿短裤和汗衫来参加。那几天,家家孩子都在缠逼自己的母亲缝制土布短裤衫。这也变成了一种事先舆论,等到开运动会的那一天,小操场的短围墙外面早已挤满了观看的乡亲。

学生们排队出来了,最引人注目的是河英。她已是一个大姑娘,运动衫裤是她自己照着画报上女运动员的照片缝制的,深蓝色的土布衣衫裁得很窄,绷得很紧,身材一下子显得更加颀长,线条流畅而柔韧。我记得她走出操场前几次在女教师跟前忸怩退缩,不断抻拉着自己的短裤,像要把它拉长。最后,几个女教师一把将她推出了门外。门外,立即卷起乡亲们的一片怪叫,怪叫过后一片喊嚓,喊嚓过后一片寂静。河英终于把头昂起,开始跨栏、滚翻、投篮。这一天,整个运动会的中心是她,其他稚气未脱的孩子的跳跳蹦蹦,都引不起太多的注意。河英背后,站着一排女教师,她们都穿着县城买来的长袖运动衣,脖子上挂着哨子,满脸鼓励,满脸笑容;再背后,是尼姑庵斑剥的门庭。这里,重叠着三度景深。

这次运动会的后果是灾难性的。从此,经常可以听到妇女这样骂女儿:"你去浪吧,与河英一样!"好几个女孩子退学了,男孩子也经不起家长的再三叮嘱,不再与河英一起玩,一起走路。村里一位近似于族长的老人还找到了女教师,希望将河英退学,说余氏家族很难看得惯这样的学生。我母亲听说这事后，怔怔地出了半天神，最后要我去邀请河英来家里玩。那次河英来玩了之后，母亲特意牵着我的手，笑吟吟地把她送到村口。村民们都惊讶极了，因为母亲平日送客，历来只送到大门。

这以后，河英对我像亲弟弟一样。我本来就与我的邻座陈米根要好，于是三个人老在一起玩，放学后一起到我家做作业，坐在玻璃窗前，由我母亲辅导。母亲笑着对我说："你们姓余的可不能这么霸道，这儿四个人就四个姓！"

五

今天，我躺在被窝里，透过玻璃窗死死盯着远处的雪岭，总想在那里找到什么。好久好久，什么也没有，没有红点，也没有褐点和灰点。

起床后，我与母亲谈起河英，母亲也还记得她，说："可以找米根打听一下，听说他开了一爿小店。"

陈米根这位几十年前的好朋友本来就是我要拜访的，那天上午，我踏雪找到了他的小店，就在小学隔壁。两人第一眼就互相认出来了，他极其热情，寒暄过一阵后，从一个木箱里拿出两块芝麻饼塞在我手里，又沏出一杯茶来放在柜台上。店堂里没有椅子，我们就站着说话。他突然笑得有点奇怪，凑上嘴来说："还是告诉你了吧，最后也瞒不住，这次买你家房子的正是我的儿子。我不出面，是怕伯母在价格上为难。说来见笑，我那时到你家温习功课，就看中了你家的房子。伯母也真是，几十年前就安上了玻璃窗！据说装了四次？"

这个话题谈下去对我实在有点艰难，我只好客气地打断他，打听河英的下落。他说："亏得你还记得她。山里女人，就那个样子了,成天干粗活,又生了一大堆孩子,孩子结婚后与儿媳妇们合不来,分开过。成了老太婆了,我前年进山看到她,连我的名字也忘了。"

就这样,三言两语,就把童年时代最要好的两个朋友都交割清了。

离开小店,才走几步就看到了我们的校门。放寒假了,校园里阒寂无人,我独个儿绕围墙走了一圈便匆匆离开。回家告诉母亲,我明天就想回去了。母亲忧伤地说:"你这一回去,再也不会来了。没房了,从此余家这一脉的后代真要浪迹天涯了。"

六

第二天一早,我依然躺在被窝里凝视着雪岭。那个消失的红点,突然变得那么遥远,那么抽象,却又那么震撼人心。难道,这红点竟是倏忽而逝的哈雷彗星?

迷迷糊糊地,心中浮现出一位早就浪迹天涯的余姓诗人写哈雷彗星的几句诗。

你永远奔驰在轮回的悲剧
一路扬着朝圣的长旗
......

废　墟

一

　　我诅咒废墟，我又寄情废墟。

　　废墟吞没了我的企盼，我的记忆。片片瓦砾散落在荒草之间，断残的石柱在夕阳下站立，书中的记载，童年的幻想，全在废墟中殒灭。昔日的光荣成了嘲弄，创业的祖辈在寒风中声声咆哮。夜临了，什么没有见过的明月苦笑一下，躲进云层，投给废墟一片阴影。

　　但是，代代层累并不是历史。废墟是毁灭，是葬送，是诀别，是选择。时间的力量，理应在大地上留下痕迹；岁月的巨轮，理应在车道间辗碎凹凸。没有废墟就无所谓昨天，没有昨天就无所谓今天和明天。废墟是课本，让我们把一门地理读成历史；废墟是过程，人生就是从旧的废墟出发，走向新的废墟。营造之初就想到它今后的凋零，因此废墟是归宿；更新的营造以废墟为基地，因此废墟是起点。废墟是进化的长链。

　　一位朋友告诉我，一次，他走进一个著名的废墟，才一抬头，已是满目眼泪。这眼泪的成分非常复杂。是憎恨，是失落，又不完全是。废墟表现出固执，活像一个残疾了的悲剧英雄。废墟昭示着沧桑，让人偷窥到民族步履的蹒跚。废墟是垂死老人发出的

222

指令,使你不能不动容。

废墟有一种形式美,把拔离大地的美转化为皈附大地的美。再过多少年,它还会化为泥土,完全融入大地。将融未融的阶段,便是废墟。母亲微笑着怂恿过儿子们的创造,又微笑着收纳了这种创造。母亲怕儿子们过于劳累,怕世界上过于拥塞。看到过秋天的飘飘黄叶吗?母亲怕它们冷,收入怀抱。没有黄叶就没有秋天,废墟就是建筑的黄叶。

人们说,黄叶的意义在于哺育春天。我说,黄叶本身也是美。

两位朋友在我面前争论。一位说,他最喜欢在疏星残月的夜间,在废墟间独行,或吟诗,或高唱,直到东方泛白;另一位说,有了对晨曦的期待,这种夜游便失之于矫揉。他的习惯,是趁着残月的微光,找一条小路悄然走回。

我呢,我比他们年长,已没有如许豪情和精力。我只怕,人们把所有的废墟都统统刷新、修缮和重建。

二

不能设想,古罗马的角斗场需要重建,庞贝古城需要重建,柬埔寨的吴哥窟需要重建,玛雅文化遗址需要重建。

这就像不能设想,远年的古铜器需要抛光,出土的断戟需要镀镍,宋版图书需要上塑,马王堆的汉代老太需要植皮丰胸、重施浓妆。

只要历史不阻断,时间不倒退,一切都会衰老。老就老了吧,安详地交给世界一副慈祥美。假饰天真是最残酷的自我糟践。没有皱纹的祖母是可怕的,没有白发的老者是让人遗憾的。没有废墟的人生太累了,没有废墟的大地太挤了,掩盖废墟的举动太伪诈了。

还历史以真实,还生命以过程。

——这就是人类的大明智。

当然,并非所有的废墟都值得留存。否则地球将会伤痕斑斑。废墟是古代派往现代的使节,经过历史君王的挑剔和筛选。废墟是祖辈曾经发动过的壮举,会聚着当时当地的力量和精粹。碎成齑粉的遗址也不是废墟,废墟中应有历史最强劲的韧带。废墟能提供破读的可能,废墟散发着让人留连盘桓的磁力。是的,废墟是一个磁场,一极古代,一极现代,心灵的罗盘在这里感应强烈。失去了磁力就失去了废墟的生命,它很快就会被人们淘汰。

并非所有的修缮都属于荒唐。小心翼翼地清理,不露痕迹地加固,再苦心设计,让它既保持原貌又便于观看。这种劳作,是对废墟的恩惠。全部劳作的终点,是使它更成为一个名副其实的废墟,一个人人都愿意凭吊的废墟。修缮,总意味着一定程度的损失。把损坏降到最低度,是一切真正的废墟修缮家的夙愿。也并非所有的重建都需要否定。如果连废墟也没有了,重建一个来实现现代人吞古纳今的宏志,那又何妨。但是,那只是现代建筑家的古典风格,沿用一个古名,出于幽默。黄鹤楼重建了,可以装电梯;阿房宫若重建,可以作宾馆;滕王阁若重建,可以辟商场。这与历史,干系不大。如果既有废墟,又要重建,那么,我建议,千万保留废墟,傍邻重建。在废墟上开推土机,让人心痛。

不管是修缮还是重建,对废墟来说,要义在于保存。圆明园废墟是北京城最有历史感的文化遗迹之一,如果把它完全铲平,造一座崭新的圆明园,多么得不偿失。大清王朝不见了,熊熊火光不见了,民族的郁忿不见了,历史的感悟不见了,抹去了昨夜的故事,去收拾前夜的残梦。但是,收拾来的又不是前夜残梦,只是今日的游戏。

三

中国历来缺少废墟文化。废墟二字,在中文中让人心惊肉跳。

或者是冬烘气十足地怀古,或者是实用主义地趋时。怀古者只想以古代今,趋时者只想以今灭古。结果,两相杀伐,两败俱伤,既斫伤了历史,又砍折了现代。鲜血淋淋,伤痕累累,偌大一个民族,前不见古人,后不见来者,念天地之悠悠,独怆然而涕下。

在中国人心中留下一些空隙吧!让古代留几个脚印在现代,让现代心平气和地逼视着古代。废墟不值得羞愧,废墟不必要遮盖,我们太擅长遮盖。

中国历史充满了悲剧,但中国人怕看真正的悲剧。最终都有一个大团圆,以博得情绪的安慰,心理的满足。唯有屈原不想大团圆,杜甫不想大团圆曹雪芹不想大团圆,孔尚任不想大团圆,鲁迅不想大团圆,白先勇不想大团圆。他们保存了废墟,净化了悲剧,于是也就出现了一种真正深沉的文学。

没有悲剧就没有悲壮,没有悲壮就没有崇高。雪峰是伟大的,因为满坡掩埋着登山者的遗体;大海是伟大的,因为处处漂浮着船楫的残骸;登月是伟大的,因为有"挑战者号"的殒落;人生是伟大的,因为有白发,有诀别,有无可奈何的失落。古希腊傍海而居,无数向往彼岸的勇士在狂波间前仆后继,于是有了光耀百世的希腊悲剧。

诚恳坦然地承认奋斗后的失败,成功后的失落,我们只会更沉着。中国人若要变得大气,不能再把所有的废墟驱逐。

四

废墟的留存，是现代人文明的象征。

废墟，辉映着现代人的自信。

废墟不会阻遏街市，妨碍前进。现代人目光深邃，知道自己站在历史的第几级台阶。他不会妄想自己脚下是一个拔地而起的高台。因此，他乐于看看身前身后的所有台阶。

是现代的历史哲学点化了废墟，而历史哲学也需要寻找素材。只有在现代的喧嚣中，废墟的宁静才有力度；只有在现代人的沉思中，废墟才能上升为寓言。

因此，古代的废墟，实在是一种现代构建。

现代，不仅仅是一截时间。现代是宽容，现代是气度，现代是辽阔，现代是浩瀚。

我们，挟带着废墟走向现代。

夜 雨 诗 意

一

　　早年为了学写古诗,曾买过一部线装本的《诗韵合璧》,一函共 6 册,字体很小,内容很多。除了供查诗韵外,它还把各种物象、各种情景、各种心绪分门别类,纂集历代相关诗句,成了一部颇为齐全的诗歌词典。过去文人要应急写诗时,查一查,套一套,很可快速地炮制出几首来。但是毫无疑问,这样写出来的诗都是不值一读的。只有在不带写诗任务时随便翻翻,看看在同一名目下中国诗化语词的多方汇集,才有一点意思。

　　翻来翻去,眼下出现了"夜雨"这一名目,那里的诗大多可读。既然是夜间,各种色相都隐退了,一切色彩斑斓的词汇也就失去了效能;又在下雨,空间十分逼仄,任何壮举豪情都铺展不开,诗句就不能不走向朴实,走向自身,走向情感,李商隐著名的《夜雨寄北》堪称其中典范。

　　光听着窗外夜色中时紧时疏的雨声,便满心都会贮足了诗。要说美,也没有什么美,屋外的路泥泞难走,院中的花零落不堪,夜行的旅人浑身湿透。但正是在这种情境下,你会感受到往常的世俗喧嚣一时浇灭,天上人间只剩下了被雨声统一的宁定,被雨声阻隔的寂寥。人人都悄然归位,死心塌地地在雨帘包围中默默端坐。外界的一切全成了想象,夜雨中的想象总是特别专注,特别遥远。

夜雨款款地剥夺了人的活力,因此夜雨中的想象又格外敏感和畏怯。这种畏怯又与某种安全感拌和在一起,凝聚成对小天地中一脉温情的自享和企盼。在夜雨中与家人围炉闲谈,几乎都不会拌嘴;在夜雨中专心攻读,身心会超常地熨帖;在夜雨中思念友人,会思念到立即寻笔写信;在夜雨中挑灯作文,文字也会变得滋润蕴藉。

在夜雨中想象最好是对窗而立。黯淡的灯光照着密密的雨脚,玻璃窗冰冷冰冷,被你呵出的热气呵成一片迷雾。你能看见的东西很少,却似乎又能看得很远。风不大,轻轻一阵立即转换成淅沥雨声,转换成河中更密的涟漪,转换成路上更稠的泥泞。此时此刻,天地间再也没有什么会干扰这放任自由的风声雨声。你用温热的手指划去窗上的雾气,看见了窗子外层无数晶莹的雨滴。新的雾气又朦上来了,你还是用手指去划,划着划着,终于划出了你思念中的名字。

二

夜雨是行旅的大敌。

倒不是因为夜间行路艰难,也不是因为没有带着雨鞋和伞。夜雨会使旅行者想家,想得很深很深。夜雨会使旅行者企望安逸,突然憬悟到自己身陷僻远、孤苦的处境,顾影自怜,构成万里豪情的羁绊。

不是急流险滩,不是崇山峻岭,而是夜雨,使无数旅行者顿生反悔,半途而归。我不知道法显、玄奘、郑和、鉴真、徐霞客他们在一次次夜雨中心境如何,依我看,他们最强的意志,是冲出了夜雨的包围。

如我无用之辈,常常会在大雨如注的夜晚,躲在乡村旅店里,把地图拿出来细细查看。目光在已经走过的千里之间来回,痴想着其间在夜幕雨帐笼罩下的无数江河和高山。这样的夜晚,我常常失眠。为了把这种没出息的惰怠心绪驱赶,我总会在夜雨中邀几个不相识的旅人长时间闲谈。

但是,真正让心绪复归的,完全不是这种谈话,而是第二天晴朗的早晨。雨后的清晨,铺天盖地奔泻着一种兴奋剂,让人几乎把昨夜忘却;又不能完全忘却,留下一点影子,阴阴凉凉的,添一份淡淡的惆怅。

三

在人生的行旅中,夜雨的魅力也深可寻探。

我相信,一次又一次,夜雨曾浇熄过突起的野心,夜雨曾平抚过狂躁的胸襟,夜雨曾阻止过一触即发的争斗,夜雨曾破灭过凶险的阴谋。当然,夜雨也斫折过壮阔的宏图、勇敢的进发、火烫的情怀。

不知道历史学家有没有查过,有多少乌云密布的雨夜,悄悄地改变了中国历史的步伐。将军舒眉了,谋士自悔了,君王息怒了,英豪冷静了,侠客止步了,战鼓停息了,骏马回槽了,刀刃入鞘了,奏章中断了,敕令收回了,船楫下锚了,酒气消退了,狂欢消解了,呼吸匀停了,心律平缓了。

不知道传记学家有没有查过,一个个雨夜,扭转了多少杰出人物的生命旅程。人生许多关节点的出现常常由于偶然。种种选择发端于一颗柔弱的心,这颗心不能不受到突发性情景的执意安排。一场雨,既然可以使一位军事家转胜为败,那么,它也能使一个非军事的人生计划改弦易辙。无数偶然中隐伏着必然，换言之，堂皇的必然中遍布着偶然。人生长途延伸到一个偶然性的境遇，预定的走向也常常会扭转。因此，哪怕是夜，哪怕是雨，也默默地在历史中占据着地位。

如果人生和历史都是拔离了琐碎事物的构建，那么它们也就不属于现实世界。

于是人们每时每刻遇到的一切，都可能包孕着恢宏的蕴涵。诗人的眼光，正在于把两者钩连。夜雨中，人生和历史都在蹒跚。

四

渐渐，我对夜雨的诗意，有了一点新的思考。

记得几年前我在庐山上旅行的时候，常常能在荒岭草径边看到一座座坍弛在屋基，从屋基的用料看，绝不是山民的居舍，而应该是精雅别墅的所在。不知是哪些富有的雅士诗兴突发，要在这儿离群索居，独享自然。然而，他们终于没有住久，我想多半是因为无法消受荒山夜雨时可怖的氛围。但毫无疑问，此间的诗意却是无与伦比的充沛。

去年我遇到一位美国教授，闲谈间竟也提到了夜雨。教授说，他也深深迷恋着这种诗意，所以特意在城郊的山顶造了一间考究的白木房子，只要有夜雨袭来，他就立即驾车上山。

他邀请我到他的白木房子里住几天，我至今未去，但完全能想象，我以前对夜雨的感悟与他领受的大为逆反。狼狈的苦旅不见了，荒寂的恐怖不见了，只是在紧张生活的空闲，读一首诗，亲抚一下自然，一切是那样的轻松和潇洒。

在这里，我们显然遇到了一个美学上的麻烦。某种感人的震撼和深厚的诗意似乎注定要与艰难相伴随，当现代交通工具和营造手段使夜雨完全失去了苦涩味,其间的诗意也就走向浮薄。我至今还无法适应在中国传统的山水画中加上火车、汽车和高压电线,尽管我对这种文明本身毫无推拒之意。去一趟四川恨不得能买到当天的飞机票,但家里挂的却要一幅描尽山道奇险、步履维艰的"蜀山行旅图"。在灯光灿烂的现代都市街道上驾车遇雨,实在是谈不上多少诗意的,只有一次在国外一个海滨,天色已晚,瓢泼大雨就像把我们的车摔进了大瀑布的中心,替我驾车的女士完全认不得路了,一路慌乱地在水帘和夜幕间转悠,事后倒觉得有了点诗意,原因也许正是碰到了自然所给予的艰难。

　　人类在与自然周旋的漫漫长途中,有时自然的暴力会把人完全吞没,如地震,如海啸,如泥石流,一时还很难从这些事端中提取出美。人至少要在有可能与自然对峙的时候才会酿造美,在这种对峙中,有时人明确无误地战胜了自然,例如汽车、电灯、柏油路的出现,产生了一种松快愉悦的美;有时人与自然较量得十分吃力,两相憋劲,势均力敌,那就会产生峻厉、庄严、扣人心弦的悲剧美。由于这种美衬托了人类严峻的生存状态,考验了人类终极性的生命力,因此显得格外动人心魄。人类的生活方式可以日新月异,但这种终极性的体验却有永久价值。也许正是这个原因吧,历史上一切真正懂艺术的人总会着迷于这种美学形态,而希腊悲剧乃至种种原始艺术总是成为人类不衰的审美热点。过于整饬、圆熟的审美格局反射了人对自然的战胜状态和凌驾状态,可以让人产生一种方便感和舒坦感,却无法对应出一种生命考验。为此,欧洲启蒙主义的大师们不赞成法国古典主义的大一统,不赞成把人类的社会生活和艺术生活都处理成凡尔赛宫规整无比的园林一般。他们呼唤危崖、怒海、莽林,呼唤与之相对应的生命状态。这便是他们心中的诗意,狄德罗甚至直捷地说,人类生活越是精雅文明就越缺少诗意。难道是他们在抵拒现代吗?

不，他们是启蒙者，分明启蒙出了一个活生生的现代。现代，本不是一种文质彬彬的搭建，而是人类的一种原始创造力的自然发展。

因此，再现代的人也愿意一再地在"蜀山行旅图"中把延绵千年的生命力重温一遍，愿意一再地品味苦涩的夜雨，然后踩着泥泞走向未来。

前不久听到有人对那些以黄土文化为背景的艺术作品提出批评，认为它们写得过土过野。这些批评家不愿意看到人类行旅上的永久性泥泞，只希望获得一点儿成果性的安慰。无论在生命意识还是在审美意识上，他们都是弱者，狄德罗所说的诗意他们无法理解。

笔 墨 祭

一

中国传统文人究竟有哪些共通的精神素质和心理习惯,这个问题,现在已有不少海内外学者在悉心研究。这种研究的重要性是显而易见的,但也时时遇到麻烦。年代那么长,文人那么多,说任何一点共通都会涌出大量的例外,而例外一多,所谓共通云云也就很不保险了。如果能对例外作一一的解释,当然不错;但这样一来,一篇文章就成了自己出难题又自己补漏洞的尴尬格局。补来补去,痛快淋漓的主题都被消磨掉了,好不为难煞人。

我思忖日久,头脑渐渐由精细归于朴拙,觉得中国传统文人有一个不存在例外的共通点:他们都操作着一副笔墨,写着一种在世界上很独特的毛笔字。不管他们是官居宰辅还是长为布衣,是侠骨赤胆还是蝇营狗苟,是豪壮奇崛还是脂腻粉渍,这副笔墨总是有的。

笔是竹杆毛笔,墨由烟胶炼成。浓浓地磨好一砚,用笔一舔,便簌簌地写出满纸黑生生的象形文字来。这是中国文人的基本生命形态,也是中国文化的共同技术手段。既然如此,我们何不干脆偷偷懒,先把玩一下这管笔、这锭墨再说呢?

一切精神文化都是需要物态载体的。五四新文化运动就遇到过一场载体的转换,即以白话文代替文言文;这场转换还有一种更本源性的物质基础,即以"钢笔文化"代替"毛笔文化"。五四斗士们自己也使用毛笔,但他们是用毛笔在呼唤着钢笔文化。毛笔与钢笔之所以可以称之为文化,是因为它们各自都牵连着一个完整的世界。

二

作为一个完整的世界的毛笔文化,现在已经无可挽回地消逝了。

诚然,我并不否定当代书法的成就。有一位朋友对我说,当代书法家没有一个能比得上古代书法家。我不同意这种看法。古代书法家的队伍很大,层次很多,就我见闻所及,当代一些书法高手完全有资格与古代的许多书法家一比高低。但是,一个无法比拟的先决条件是,古代书法是以一种极其广阔的社会必需性为背景的,因而产生得特别自然、随顺、诚恳;而当代书法终究是一条刻意维修的幽径,美则美矣,却未免失去了整体上的社会性诚恳。

在这一点上有点像写古诗。五四以降,能把古诗写得足以与古人比肩的大有人在,但不管如何提倡张扬,唐诗宋词的时代已绝对不可能复现。诗人自己可以写得非常得心应手(如柳亚子、郁达夫他们),但社会接纳这些诗作却并不那么热情和从容了。久而久之,敏感的诗人也会因寂寞而陷入某种不自然。他们的艺术人格,或许就会因社会的这种选择而悄悄地重新调整。这里遇到的,首先不是技能技巧的问题。

我非常喜欢的王羲之、王献之父子的几个传本法帖,大多是生活便条。只是为了一件琐事,提笔信手涂了几句,完全不是为

234

了让人珍藏和悬挂。今天看来，用这样美妙绝伦的字写便条实在太奢侈了，而在他们却是再自然不过的事情。接受这张便条的人或许眼睛一亮，却也并不惊骇万状。于是，一种包括书写者、接受者和周围无数相类似的文人们在内的整体文化人格气韵，就在这短短的便条中泄露无遗。在这里，艺术的生活化和生活的艺术化相溶相依，一枝毛笔并不意味着一种特殊的职业和手艺，而是点化了整体生活的美的精灵。我相信，后代习摹二王而维妙维肖的人不少，但谁也不能把写这些便条的随意性学到家。

在富丽的大观园中筑一个稻香村未免失之矫揉，农舍野趣只在最平易的乡村里。时装表演可以引出阵阵惊叹，但最使人舒心畅意的，莫过于街市间无数服饰的整体鲜亮。成年人能保持天真也不失可喜，但最灿烂的天真必然只在孩童们之间。在毛笔文化鼎盛的古代，文人们的衣衫步履、谈吐行止、居室布置、交际往来，都与书法构成和谐，他们的生命行为，整个儿散发着墨香。

相传汉代书法家师宜官喜欢喝酒，却又常常窘于酒资，他的办法是边喝边在酒店墙壁上写字，一时观者云集，纷纷投钱。你看，他轻轻发出了一个生命的信号，就立即有那么多的感应者。这与今天在书法展览会上让人赞叹，完全是另一回事了。整个社会对书法的感应是那样敏锐和热烈，对善书者又是如此尊敬和崇尚。这使我想起现代的月光晚会，哪个角落突然响起了吉他，整个晚会都安静下来，领受那旋律的力量。

书法在古代的影响是超越社会藩篱的。师宜官在酒店墙上写字，写完还得亲自把字铲去，把墙壁弄得伤痕斑斑，但店主和酒保并不在意，他们也知书法，他们也在惊叹。师宜官的学生梁鹄在书法上超越了老师，结果成了当时的政治权势者争夺的人物。他曾投于刘表门下，曹操破荆州后还特意寻访他，既为他的字，也为他的人。在当时，字和人的关系难分难舍。曹操把他的字悬挂在营帐中，运筹帷幄之余悉心观赏。在这里，甚至连政治军事大业也与书法艺术相依相傍。

我们今天失去的不是书法艺术，而是烘托书法艺术的社会气氛和人文趋向。我听过当代几位大科学家的演讲，他们写在黑板上的中文字实在很不像样，但丝毫没有改变人们对他们的尊敬。如果他们在微积分算式边上写出了几行优雅流丽的粉笔行书，反而会使人们惊讶，甚至感到不协调。当代许多著名人物用毛笔写下的各种题词，恕我不敬，从书法角度看也大多功力不济，但不会因此而受到人们的鄙弃。这种情景，在古代是不可想象的。因为这里存在着两种完全不同的文化信号系统和生命信号系统。

古代文人苦练书法，也就是在修炼着自己的生命形象，就像现代西方女子终身不懈地进行着健美训练，不计时间和辛劳。

由此，一系列现代人难以想象的奇迹也随之产生。传说有人磨墨写字，日复一日，把贮在屋檐下的几缸水都磨干了；有人写毕洗砚，把一个池塘的水都洗黑了；有人边走路边在衣衫上用手指划字，把衣衫都划破了……最令人惊异的是，隋唐时的书法家智永，写坏的笔头竟积了满满五大簏子，这种簏子每只可容一百多斤的重量，笔头很轻，但五簏子加在一起，也总该有一二百斤吧。唐代书法家怀素练字，用坏的笔堆成了一座小丘，他索性挖了一个坑来掩埋，起名曰"笔冢"。没有那么多的纸供他写字，他就摘芭蕉叶代纸，据说，近旁的上万株芭蕉都被他摘得光秃秃的。这种记载，即便打下几成折扣，仍然是十分惊人的。如果仅仅为了练字谋生，完全犯不着如此。

"古墨轻磨满几香，砚池新浴灿生光"。这样的诗句，展现的是对一种生命状态的喜悦。"非人磨墨墨磨人"，是啊，磨来磨去，磨出了一个个很道地的中国传统文人。

在这么一种整体气氛下，人们也就习惯于从书法来透视各种文化人格。颜真卿书法的厚重庄严，历来让人联想到他在人生道路上的同样品格。李后主理所当然地不喜欢颜字，说"真卿得右军之筋而失之粗鲁"，"有楷法而无佳处，正如叉手并脚田舍汉。"初次读到这位风流皇帝对颜真卿的这一评价时我忍不住笑出了声，从他的视角看去，说颜字像"叉手并脚田舍汉"是非常贴切的。这是一个人格化的比喻，比喻两端连着两种对峙的人格系统，往返观看煞是有趣。

苏东坡和董其昌也是两种截然不同的文人。在董其昌看来，浓冽、放达、执著的苏东坡连用墨都太浓丽了，竟讥之为"墨猪"。他自己则喜欢找一些难贮墨色的纸张，滑笔写去，淡远而又浮飘。

赵孟頫的字总算是漂亮的了，但是耿直侠义的傅青主却由衷地鄙薄。他实在看不惯赵孟頫以赵宋王朝亲裔的身份投降元朝的行为，结果从书法中也找出了奴颜媚骨。他说："予极不喜赵子昂，薄其人，遂恶其书。"他并不是故意地以人格取消书法，只要看他自己的书法，就会知道他厌恶赵书是十分真诚的。他的字，通体古拙，外逸内刚。

有些书法家的人格更趋近自然，因此他们的笔墨也开启出另一番局面。宋代书法家政黄牛喜欢揣摩儿童写的字，他曾对秦观说："书，心画也，作意则不妙耳。故喜求儿童字，观其纯气。"汉代书法家蔡邕则一心想把大自然的物象纳入笔端，他说："凡欲结构字体，皆须像其一物，若鸟之形，若虫食禾，若山若树，纵横有托，运用合度，方可谓书。"这些书法家在讲写字，更在吐露自己的人生观念、哲学观念、宗教观念。如果仅仅就书法技巧论，揣摩儿童笔画，描画自然物象，不是太离谱了么？只有把书法与生命合而为一的人，才会把生命对自然的渴求转化成笔底风光。

在我看来，书法与主客观生命状态的关系，要算韩愈说得最生动。他在《送高闲上人序》中说及张旭书法时谓："往时张旭善草书，不治他技，喜怒窘穷，忧悲愉佚，怨恨思慕，酣醉，无聊，不平，有动于心，必于草书焉发之。观于物，见山水崖谷，鸟兽虫鱼，草木之花实，日月列星，风雨水火，雷霆霹雳，歌舞战斗，天地事物之变，可喜可愕，一寓于书，故旭之书，变动犹鬼神，不可端倪，以此终其身而名后世。"记得宗白华先生就曾借用这段话来论述过中国书法美学中的生命意识。

宗白华先生是在研究高深的美学，而远在唐朝的韩愈却在写着一篇广传远播的时文。韩愈的说法今天听来颇为警策，而在古代，却是万千文人的一种共识。相比之下，我们今天对笔墨世界里的天然律令，确已渐渐生疏。

三

文章写到这里，很容易给人造成一个误会，以为古代书法可以与各个文人的精神品格直接对应起来。"文如其人"、"书如其人"，这些简陋的观点确也时常见之于许多文章。

"文如其人"有大量的例外，这一点已有钱钟书先生作过列述。书法艺术在总体上是一种形式美，它与人品的关系自然更加曲折错综。要说对应也只是一种"泛化对应"，在泛化过程中交糅进了种种其他因素。

不难举出，许多性格柔弱的文人却有一副奇崛的笔墨，而沙场猛将留下的字迹倒未必有杀伐之气。有时，人品低下、节操不济的文士也能写出一笔矫健温良的好字来。例如就我亲眼所见，秦桧和蔡京的书法实在不差。

人的生命状态的构建和发射是极其复杂的。中国传统文人

238

面壁十年，博览诸子，行迹万里，宦海沉浮，文化人格的吐纳几乎是一个浑沌的秘仪，不可轻易窥探。即如秦桧、蔡京者流，他们的文化人格远比他们的政治人格暧昧，而当文化人格折射为书法形式时，又会增加几层别样的云霭。

被傅青主所瞧不起的赵孟頫，他的书法确有甜媚之弊，但甜媚之中却又嶙嶙峋峋地有着许多前人风范的沉淀。因写《艺舟双楫》而出名的清代书法理论家包世臣说，见到一幅赵孟頫的墨迹，乍看全是赵孟頫，但仔细一看，这个过于纯净的赵孟頫就不可能是赵孟頫。赵孟頫学过二王，学过李北海，学过褚河南，没有这些先师们的痕迹，赵孟頫只剩了一种字形，显然是赝品。

这个论断着实高妙。像赵孟頫这么复杂的文人，只能是多重人格结构汇聚和溶化的结果；已经汇聚、溶化成了一个卓然独立的大家，竟还可以一一寻其脉络，并在墨迹指认出来。这种现象，与人们平时谈艺时津津乐道的"溶汇百家而了无痕迹"正好相悖。这里，展露了中国文化的一种重要特征。

"溶汇百家而了无痕迹"的情况也是有的，主要出现在早期创业者群体中。如王羲之，曾悉心学习过卫夫人的书法，后来又追慕钟繇和张芝，还揣摩过其他许多秦汉以来的碑迹。他自称隶胜钟而草孙张，终于融汇贯通而攀上万世瞩目的书学峰巅。要在王羲之行书中一一辨认出他所师法过的前代书家痕迹，不太容易。但是，当高峰树起之后，它也就成了后世书家不能不继承的遗产。继承者又成了高峰，遗产也就累聚成一座深幽重叠的迷宫，使代代子孙既富足又惶恐，即便力求创新也摆脱不了遗传的干系。苏东坡算得敢于独立创新的了，但清代翁方纲却一眼看破，说苏字中最好的仍然是带有晋贤风味的那一种。二王余绪的远代流注，连苏东坡也逃不过。

胆子更大一点的书法革新家，虽然高举着叛逆的旗幡，却也要有意无意地让人看出种种承袭的游丝，其中有人还专门著文来说明自身隐潜的连脉。米芾承颜而恣野，郑板桥学黄山谷而后以隶为楷，怪怪的金农自称得意于"禅国山碑"和"天发神谶碑"，赵之谦奇峰兀立而其实"颜底魏面"……

这就是可敬而可叹的中国文化。不能说完全没有独立人格，但传统的磁场紧紧地统摄着全盘，再强悍的文化个性也在前后牵连的网络中层层损减。本该健全而响亮的文化人格越来越趋向于群体性的互渗和耗散。互渗于空间便变成一种社会性的认同；互渗于时间便变成一种承传性定势。个体人格在这两种力量的拉扯中步履维艰。生命的发射多多少少屈从于群体惰性的熏染，刚直的灵魂被华丽的重担渐渐压弯。请看，仅仅是一枝毛笔，就负载起了千年文人的如许无奈。

比较彻底的文化革新很难从这么漫长的岁月中站起身来。别的且不说，看淼淼百代，偌大的中国会有哪个人，敢用别的书写工具来写信记帐？

四

也许，应该静静地等待时间的自然流变。

但是，既然整个传统文化早已构成互渗性的一统，时间并不能把中国文化推上逐级进化的台阶。

记得郭沫若曾经为书法提供过一则时间性变迁的范例，断定王羲之的字迹应不脱魏晋隶书笔意，传世《兰亭序》因此是伪作。《兰亭序》的真伪且不去说它，就基本思路论，我觉得郭沫若忽视了中国文化前后左右的互渗关系，忽视了中国文人复杂的艺术可能性，忽视了在前面这两个前提下魏晋时代书法艺术面对不同的实际需要（如刻碑、修帖、写便条）所必然产生的多元性。

从魏晋开始的一个极其漫长的历史过程中,在书法领域内部,几乎一切都是可能的。因为这是一个浑然一统的世界。颠倒、错位、裹卷、涡旋、复旧、超前,什么也不用奇怪。大体的阶段和脉络有一点,时肥时瘦,时浓时枯,但一旦要作过于科学的裁割,立即会顾此失彼,手忙脚乱。

事情必须要等到一个整体性变革的来临,才能出现根本性的阻断。

终于,有了辛亥革命和五四运动。

终于,有了胡适之和白话文。

终于,有了留学生和"烟士披里纯"。①

终于,有了化学分子式和数学定理。

毛笔文化的一统世界开始动摇了。起初,谁也没有想到新的时代会对遍洒中国的无数枝毛笔过不去。大家先从文化的内容着眼,因内容而想到载体,于是提倡白话文。毛笔只是一种手段性的工具,对它的去留人们不大在意。

林琴南用文言文翻译了大量的外国文艺作品,用的当然是毛笔。懂外文的助手们捧着原著把文意口述给他听,他的毛笔在纸页上飞快地舞动着,一页又一页,一叠又一叠,一本又一本,涌向书肆,散落到无数青年手上。这或许是中国毛笔文化极成功的一次后期呈现,你看,就凭着毛笔和文言文,不是把域外的新文艺生动地介绍了么?它不是已经适应了新的时代和世界潮流了么?谁说旧瓶不能装新酒呢?

但是,喝了新酒的人渐渐上了瘾,他们开始用疑惑的眼光来打量这家专做二道生意的林氏酒坊。他们发现了原装酒,一喝,

---

① 英文"灵感"一词的音译,五四前后常见诸报刊,有人还把这5个字写入白话诗中。

劲儿大多了,他们不再满足林琴南手上那只古色古香的小酒坛。

许多新文化的迷醉者因林译小说的启蒙而学了外文,因学外文而放弃了毛笔。毛笔之外的天地是那么广阔,他们变得义无返顾。

林琴南握着毛笔的手终于颤抖了。他停止了翻译,用毛笔写下了声讨白话文兼及整个新文化的愤怒檄文。他的文章,是对毛笔文化的一次系统维护。人们对这位老人怀着一种复杂的情感:他是窗户的开启者,又是大门的把守者。他可以用毛笔指点一些什么,却绝不允许让毛笔文化的整体构架涣散。

相比之下,当时新文化的斗士们却从容得多,除了蔡元培给林琴南写了一封回信,刘半农假冒"王敬轩"给他开了个玩笑,没有再与这位老人多作争辩。他们洞悉世界大潮和时代走向,信心十足,忙着干许多更重要的事。他们没有更多的精力与一种顽固的逻辑怪圈纠缠日久,对于他们自己也在用的毛笔,更不作任何攻难。

新文化队伍中的人士,写毛笔字在总体上不如前代。他们有旧学根基,都能写;但当主要精力已投注到新的文化方式之后,笔墨的优劣已不是他们的价值系统中的敏感部位。陈独秀和胡适的毛笔字都写得一般,鲁迅、郭沫若、茅盾写得较好,鲁、郭两位或许还能跻身书法家的行列。对他们来说,毛笔字主要已成为一种并不强悍的工具形态。"文房四宝",已完全维系不住他们的人格构架。

五

然而,事情又一次地出现了负面。

毛笔文化既然作为一个完整的世界存在过数千年,它的美色早已锻铸得极其灿烂。只要认识中国字，会写中国字，即便是现代人，也会被其中温煦的风景所吸引。吸引得深了，还会一步步登堂入室，成为它的文化圈中新的成员。

五四文化新人与传统文化有着先天性的牵连，当革新的大潮终于消退，行动的方位逐渐模糊的时候，他们人格结构中亲近传统一面的重新强化是再容易不过的。像一个浑身湿透的弄潮儿又回到了一个宁静的港湾，像一个筋疲力尽的跋涉者走进了一座舒适的庭院，一切都显得那么自然。中国文化的帆船，永久载有这个港湾的梦；中国文人的脚步，始终沾有这个庭院的土。因此，再壮丽的航程，也隐藏着回归的路线。

我们很难疾言厉色，说这种回归是叛变。文化人格学的阐释，要比社会进化论达观得多。中国的事情总是难办，重要原因就在于有这一幅幅文化人格图谱不易索解。

陈独秀够激进的了，但他在杭州遇到沈尹默时，却首先批评了这位青年书法家的字："昨天看见你写的一首诗，诗很好，字则其俗在骨。"对这句话，沈尹默刻骨铭心。沈尹默后来也写写白话诗，但主要精力却投注在书法上，终身不懈，成了中国现代毛笔文化的一个重要孑遗。

周作人不失为五四前期头脑特别清醒的斗士之一，他竟能在本世纪初年就一把抓住人的主题，提出"人的文学"的口号，在人文理性品格上明显地高人一筹。但他后来却深深地埋向毛笔文化而不可自拔，即便每天用毛笔抄一些古书古文也怡然自得。他抄书为文当然也有一系列并不落后的文化哲学观念在左右，但留给社会的整体形象，已成为一个毛笔世界里不倦的爬剔者。他写于1936年2月的一篇散文《买墨小记》，道尽了他所沉溺的那个天地，也展露了那个天地中的他。文章写得很有韵味，不妨抄下一段：

我写字多用毛笔,这也是我落伍之一,但是习惯了
不能改,只好就用下去,而毛笔非墨不可,又只得买墨。
本来墨汁是最便也最经济的,可是胶太重,不知道用的
什么烟,难保没有"化学"的东西,写在纸上常要发青,
写稿不打紧,想要稍保存就很不合适了。……
　　买墨为的是用,那么一年买一两半两就够了。这话
原是不错的,事实上却不容易照办,因为多买一两块留
着玩玩也是人之常情。

墨到可玩的地步当然是要有年代的,周作人买来磨的是光绪至
道光年间的墨。据说严格一点应该用光绪五年以前的墨,再后
面,墨法已遭浩劫。周作人还搜集到了俞樾、赵之谦、范寅等人的
著书之墨,"舍不得磨,只是放着看看而已。"周作人不是收藏家,
他的玩墨,反映了一种人格情趣。而这种人格情趣又偏偏出现在
一位新文化代表人物的身上,真是既奇异又必然。

　　很巧,就在周作人写《买墨小记》的半年前,他的哥哥鲁迅也
写了一篇有关笔墨的文章,题曰《论毛笔之类》。尽管不是故意
的,兄弟俩围绕着同一个问题发表的意见大相径庭,真可称作是
一场"笔墨官司"了。鲁迅说:

　　　我自己是先在私塾里用毛笔,后在学校里用钢笔,
后来回到乡下又用毛笔的人,却以为假如我们能够悠
悠然,洋洋焉,拂砚伸纸,磨墨挥毫的话,那么,羊毫和
松烟当然也很不坏。不过事情要做得快,字要写得多,
可就不成功了,这就是说,它敌不过钢笔和墨水。譬如
在学校里抄讲义罢,即使改用墨盒,省去临时磨墨之

烦,但不久,墨汁也会把毛笔胶住,写不开了,你还得带洗笔的水池,终于弄到在小小的桌子上,摆开"文房四宝"。况且毛笔尖触纸的多少,就是字的粗细,是全靠手腕作主的,因此也容易疲劳,越写越慢。闲人不要紧,一忙,就觉得无论如何,总是墨水和钢笔便当了。

两位成熟的大学者忽然都在乍看起来十分琐碎的用笔用墨问题上大做文章,似乎令人奇怪,但细细品味他们的文句即可明白,这里潜伏着一种根本性的人格对峙。鲁迅洒笔开去,从用笔说到了中国社会变革的一个大课题:"便于使用的器具的力量,是决非劝谕,讥刺,痛骂之类的空言所能制止的。假如不信,你倒去劝那些坐汽车的人,在北方改用骡车,在南方改用绿呢大轿试试看。"鲁迅说,改造传统很艰难,而禁止青年人却很容易。在中国,当"改造传统"和"禁止青年"各不相让的时候,常常是后者占上风。但禁止的结果只能是"使一部分青年又变成旧式的斯文人"。

鲁迅究竟是鲁迅,他从笔说到了人。"笔墨官司"所打的,原来是青年一代中国文人的人格选择。

这种人格选择的实际范畴当然比用笔用墨大得多。就在周氏兄弟写文章的前两年,当年讽刺过林琴南的五四文化新人刘半农作为教授参加北京大学招生阅卷,见到一位考生把"昌明文化"误写成了"倡明文化",他竟为此发表了诗作并加注,考证"倡"即"娼",嘲笑学生是不是指"文化由娼妓而明"。刘半农的这种讽刺显然是极不厚道的,但更重要的是,他如今心目中青年学生应有的形象已经纳入一条乾嘉式的道路。为此,其他新文化人士十分不满,记得曹聚仁还借此发表了一个著名的观点:我们以为青年人错了的地方,很可能恰恰是对的,我们今天以为正字的，很可能是真正的别字；中国文字构架如此宏大繁复，青年人难免会经常写别字、读别字，这是青年人应享的权利。

曹聚仁也够水准，他同样从别字说到了人，与鲁迅相呼应。他国学根底深厚，却不主张让青年人重返港湾和庭院，反对他们在毛笔文化中把聪明才智耗尽。宁肯鲁莽粗糙一点，也不要成为古风翩然、国学负担沉重的旧式斯文人。

六

过于迷恋承袭，过于消磨时间，过于注重形式，过于讲究细节，毛笔文化的这些特征，正恰是中国传统文人群体人格的映照，在总体上，它应该淡隐了。

这并不妨碍书法作为一种传统艺术光耀百世。喧闹迅捷的现代社会时时需要获得审美慰抚，书法艺术对此功效独具。我自己每每在头昏脑胀之际，近乎本能地把手伸向那些碑帖。只要轻轻翻开，洒脱委和的气韵立即扑面而来。

我真希望有更多的中国人能够擅长此道，但良知告诉我，这个民族的生命力还需要在更宽广的天地中展开。健全的人生须不断立美逐丑，然而，有时我们还不得不告别一些美，张罗一个个酸楚的祭奠。世间最让人消受不住的，就是对美的祭奠。

只好请当代书法家们好生努力了，使我们在祭奠之后还能留下较多的安慰。

藏 书 忧

一

近年来我搬了好几次家，每次搬的时候都引来许多围观的人。家具没有什么好看的，就看那一捆捆递接不完的书。搬前几星期就得请几位学生帮忙，把架子上的书按次序拿下来，扎成一捆捆的。这是个劳累活，有两位学生手上还磨出了水泡。搬的时候采用流水作业，一排人站在楼梯上，一捆捆传递下去。书不像西瓜，可以甩着来，一捆书太重，甩接几次就没有手劲了。摔破一个西瓜不要紧，摔坏了书却叫人心疼。因此，这支小心翼翼的传送队伍确实是很有趣的，难怪人们要围观。

我当然称不上什么藏书家。好书自然也有不少，却没有版本学意义上的珍本和善本。我所满意的是书房里那种以书为壁的庄严气氛。书架直达壁顶，一架架连过去、围起来，造成了一种逼人身心的文化重压。走进书房，就像走进了漫长的历史，鸟瞰着辽阔的世界，游弋于无数闪闪烁烁的智能星座之间。我突然变得琐小，又突然变得宏大，书房成了一个典仪，操持着生命的盈亏缩胀。

一位外国旅游公司的经理来到我的书房，睁大眼睛慢慢地巡视一遍，然后又站在中间凝思良久，终于诚恳地对我说，"真的，我也想搞学问了。"我以为他是说着玩玩的，后来另一位朋友告诉我，这位经理现在果真热心于跑书店，已张罗起了一个很像样子的书房。我想，他也算是一位阅尽世间美景的人了，何以我简陋书房中的杂乱景况，竟能对他产生如此大的冲撞？答案也许是，他突然闻到了由人类的群体才智结晶成的生命芳香。

罗曼·罗兰说，任何作家都需要为自己筑造一个心理的单间。书房，正与这个心理单间相对应。一个文人的其他生活环境、日用器物，都比不上书房能传达他的心理风貌。书房，是精神的巢穴，生命的禅床。

我的家一度在这个城市的东北部，一度在喧闹的市中心，现在则搬到了西南郊。屋外的情景时时变换，而我则依然故我，因为有这些书的围绕。有时，窗外朔风呼啸，暴雨如注，我便拉上窗帘，坐拥书城，享受人生的大安详。是的，有时我确实想到了古代的隐士和老僧，在石窟和禅房中吞吐着一个精神道场。

二

然而我终究不是隐士和老僧，来访的友人每天络绎不绝。友人中多的是放达之士，一进书房便爬上蹲下，随意翻阅。有的友人一进门就宣布，不是来看我，而是来看书的，要我别理他们，照样工作。这种时候我总是很高兴，就像自己的财富受到了人们的鉴赏。但是，担忧也隐隐在心头升起，怕终于听到那句耳熟的话。那句话还是来了："这几本我借去了！"

我没有学别人，在书房里贴上"恕不借书"的布告。这种防范密守，与我的人生态度相悖。我也并不是一个吝啬的人，朋友间若有钱物的需要，我一向乐于倾囊。但对于书，我虽口头答应，心中却在嗫嚅。这种心情，大概一切藏书的学人都能体谅。

248

我怕人借书，出于以下三方面的担忧。

其一，怕急用的时候遍找无着。

自己的书，总或多或少有内容上的潜在记忆。写文章时想起某条资料需要引证，会不由自主地站起走向某个书架，把手伸到第几层。然而那本书却不在，这下就慌了手脚，前后左右翻了个遍，直闹得脸红心跳、汗流浃背。文章一旦阻断，远比其他事情的暂停麻烦，因为文思的梳理、文气的酝酿，需要有一个复杂的过程，有时甚至稍纵即逝，以后再也连贯不上。有的文章非常紧迫，很可能因几条资料的失落，耽误了刊物的发稿，打乱了出版社的计划。于是只好定下心来，细细回想是谁借走了这几本书。想出来也没有用，因为这种事大多发生在深夜。

借书的朋友有时也很周到，经过反复掂量，拿走几本我"也许用不到"的书。其实文章一旦展开，谁知道用到用不到呢。有时我只好暗自祈祷：但愿最近真的用不到。即如我写这篇文章，几次想起周作人几本文集中有几条关于藏书的材料，可惜这几本文集不知被谁借去了，刚才还找得心急火燎。

其二，怕归还时书籍被弄"熟"弄脏。

这虽是外在形态的问题，对藏书的人来说却显得相当重要。藏书藏到一定地步，就会对书的整体形式重视起来，不仅封面设计，有时连墨色纸质也会斤斤计较。捧着一本挺展洁净的书，自己的心情也立即变得舒朗。读这样的书，就像与一位头面干净、衣衫整齐的朋友对话，整个气氛回荡着雅洁和高尚。但是，借去还来的书，常常变成卷角弯脊，一派衰相。有时看上去还算干净，却没有了原先的那份挺拔，拿在手上软绵绵、熟沓沓，像被抽去了筋骨一般。遇到这种情况，如果书店里还有这本书卖，我准会再去买一本，把"熟"了的那本随手送掉。

或问："你不是也购置远年旧书吗，旧书还讲究得了什么挺拔?"我的回答是:那是历史风尘,旧得有味,旧得合乎章法。我们不能因为古铜鼎绿锈斑剥,把日常器皿也都搞脏。

其三,怕借去后彼此忘掉。我有好些书,多年不见归还,也忘了是谁借的,肯定永远也不会回来了。我坚信借书的朋友不想故意吞没,而是借去后看看放放,或几度转借,连他们也完全遗忘。3年前我去一位朋友家,见他书架上一套《阅微草堂笔记》十分眼熟,取下一看,正是我的书,忘了是什么时候被他借去的。朋友见我看得入神,爽朗地说:"你要看就借去吧,我没什么用。"这位朋友是位极其豁达大方的人,平生绝无占他人便宜的嫌疑;他显然是忘了。那天在场友人不少,包括他的妻子儿女,我怕他尴尬,就笑了一下,把书放回书架。那是一个20年代印的版本,没有太大的价值,我已有了新出的版本,就算默默地送给这位朋友了吧。好在他不在文化界工作,不会看到我的这篇文章。

但是,有些失落不归的书是无法补购的了。有人说,身外之物,何必顶真?但是这些书曾经参加了我的精神构建,失落了它们,我精神领域的一些角落就失去了参证。既有约约绰绰的印象,又空虚飘浮得无可凭依,让人好不烦闷。不是个中人很难知道:失书和丢钱完全是两回事。

由此我想到了已故的赵景深教授。他藏书甚富,乐于借人,但不管如何亲密,借书必须登记。记得那是一个中学生用的练习本,一一记下何人何时借何书,一目了然。借了一段时间未还,或他自己临时要用,借书者就会收到他的一封信。字迹娟小,言词大方,信封下端一律盖着一个长条蓝色橡皮章,印着他的地址和姓名。

还想到了毛泽东警卫员尹荆山的一则回忆。50年代末,毛泽东向黄炎培借取王羲之书帖一本,借期一个月。黄炎培借出后心中忐忑,才一星期就接连不断打电话催问,问是否看完,什么时候还。毛泽东有点生气，整整看了一个月，在最后一天如期归还。黄炎培也真够大胆的，但文人对自己的藏书痴迷若此，并不奇怪。

又想起了我的一位朋友，半年前，他竟在报上发表告示，要求借了他书的人能及时归还。我知道他的苦衷，他借书给别人十分慷慨，却是个不记事的马大哈，久而久之突然发现自己的书少了那么多，不知向谁追讨，除了登报别无良策。我见报后不久来到他家，向他表白，我没有借过。他疑惑的目光穿过厚厚的镜片打量着我，问了一声"真的?"我不无惶恐，尽管我确实没有借过。

我生性怯懦，不知如何向人催书。黄炎培式的勇气，更是一丝无存。有时我也想学学赵景深教授，设一个登记簿，但赵先生是藏书名家，又德高望重，有资格把事情办得如此认真。我算什么呢，区区那一点书，面对亲朋好友，也敢把登记簿递过去?

三

藏书者就这样自得其乐，又担惊受怕地过着日子。不知从什么时候开始，一种更大的担忧渐渐从心底升起：我死了之后，这一屋子书将何去何从?

这种担忧本来只应属于垂垂老者，但事实是，我身边比我大不了几岁的学术界朋友已在一个个离去。

早在读大学时，我的一个同学就因患尿毒症死去。他本也是个买书迷，身边钱不多，见有好书即便节衣缩食也要弄到手。学校课程安排紧张，夜间书店又不开门，等到星期天又怕书卖完，因此，他总在午休时间冒着炎暑、寒风赶到书店，买回一本就引起全宿舍的羡慕。他死时，家里的一个书架已经相当充盈，但他长年守寡的母亲并不识字，他也没有兄弟姐妹。当时，全班没有一个同学有足够的钱能把这些书买下来，即使有，也不想让那位可怜的母亲伤心。我估计这位母亲会永远地守护着这些书，直至自己生命的终了。照年岁计算，这位母亲已离开人世，那么这一架书到哪里去了呢，这些并不珍贵却让一个青年学子耗尽了心血的书？假设这架书还在，我敢断言，当年同宿舍的同学大多还能记起，哪一本书是在什么样的情况下买来的，当时引起过何等样的欣喜。这是一截截生命的组接，当买书者的自然生命消逝之后，这些书就成了一种死灰般的存在，或者成了一群可怜的流浪汉。

如果说这一架书不足为道，那末，许多博学的老学者逝世的时候，如何处置丰富的藏书确实成了一个苦涩的难题。学问不会遗传，老学者或因受尽了本专业的风波险阻，或怕父子同在一个行当诸多不便，大多没有让自己的子女承袭己业。有的子女在专业上与父亲比较靠近，但在钻研深度上往往不能望其父亲之项背。总而言之，老学者的丰富藏书，对子女未必有用。学者死后，他原来所在大学的图书馆很想把藏书全数购入，但这是图书馆预算外的开支，经费当然不足，派往谈判者既要以行家的姿态向家属说明这些藏书价值不大，又要以同仁的身份劝家属不要让藏书随便流散，以保存永久性的纪念。家属对这些言词大多抱有警惕，背地里悄悄地请了旧书店的收购员前来估价。旧书店收购了他们所需要的书，学校图书馆也就因恼怒而不再登门接洽，余下的书籍最后当作废纸论斤卖掉，学者的遗稿也折腾得不知去向……

有的学者因此而下了决心，事先立下遗嘱，死后把藏书全部献给图书馆。但是这些学者并非海内大儒，图书馆不会开设专室集中存放。个人藏书散入大库，哗啦一下就什么踪迹也找不到了。学者无私的情怀十分让人感动，但无可否认，这是学者的第二次死亡。

有位教授对着书房反复思量，这也不是，那也不是，最后忽发奇想，决定以自己的余年寻找一个能够完整继承藏书的女婿。这种寻找十分艰苦，同专业的研究生是有的，但人品合意、女儿满意的又是凤毛麟角。教授寻找的，其实是自己第二生命的延续，经历了一系列的悲剧和滑稽，他终于领悟，能谈得上延续的至多是自己写的书；至于藏书，管不得那么多了。

四

写藏书写出如许悲凉，这是我始料所未及的。但我觉得，这种悲凉中蕴涵着某种文化品尝。

中国文化有着强硬的前后承袭关系，但由于个体精神的稀薄，个性化的文化承传常常随着生命的终止而终止。一个学者，为了构建自我，需要吐纳多少前人的知识，需要耗费多少精力和时间。苦苦汇聚，死死钻研，筛选爬剔，孜孜矻矻。这个过程，与买书、读书、藏书的艰辛经历密切对应。书房的形成，其实是一种双向占有：让你占领世间已有的精神成果，又让这些精神成果占领你。当你渐渐在书房里感到舒心惬意了。也就意味着你在前人和他人面前开始取得了个体自由。越是成熟，书房的精神结构越带有个性，越对社会历史文化具有选择性。再宏大的百科全书、图书集成也代替不了一个成熟学者的书房，原因就在这里。但是，越是如此，这个书房也就越是与学者的生命带有不可离异性。书房的完满构建总在学者的晚年，因此，书房的生命十分短暂。

新的一代起来了，他们必须从头来起，先是一本本地购读，一点点地汇聚，然后再一步步地自我构建。单单继承一个书房，就像贴近一个异己的生命，怎么也溶不成一体。历史上有多少人能最终构建起自己的书房呢？社会上多的是随手翻翻的借书者。而少数好不容易走向相对完整的灵魂，随着须发皓然的躯体，快速地在书房中殒灭。历史文化的大浪费，莫过于此了。

嗜书如命的中国文人啊，你们的光荣和悲哀，该怎样裁割呢？

腊　梅

一

人真是奇怪,蜗居斗室时,满脑都是纵横千里的遐想,而当我在写各地名山大川游历记的时候,倒反而常常有一些静定的小点在眼前隐约,也许是一位偶然路遇的老人,也许是一只老是停在我身边赶也赶不走的小鸟,也许是一个让我打了一次瞌睡的草垛。有时也未必是旅途中遇到的,而是走到哪儿都会浮现出来的记忆亮点,一闪一闪的,使飘飘忽忽的人生线络落下了几个针脚。

是的,如果说人生是一条一划而过的线,那末,具有留存价值的只能是一些点。

把那些枯萎的长线头省略掉吧,只记着那几个点,实在也够富足的了。

为此,我要在我的游记集中破例写一枝花。它是一枝腊梅,地处不远,就在上海西郊的一个病院里。

它就是我在茫茫行程中经常明灭于心间的一个宁静光点。

二

步履再矫健的人也会有生病的时候,住医院对一个旅行者来说可能是心理反差最大的一件事。要体力没体力，要空间没空间，在局促和无奈中等待着，不知何时能跨出人生的下一站。

看来天道酬勤，也罚勤。你们往常的脚步太洒脱了，就驱赶到这个小院里停驻一些时日，一张一弛。不管你愿意不愿意，习惯不习惯。

那次我住的医院原是一位外国富商的私人宅邸，院子里树木不少，可惜已是冬天，都凋零了。平日看惯了山水秀色，两眼全是饥渴，成天在树丛间寻找绿色。但是，看到的只是土褐色的交错，只是一簇簇相同式样的病房服在反复转圈，越看心越烦。病人偶尔停步攀谈几句，三句不离病，出于礼貌又不敢互相多问。只有两个病人一有机会就高声谈笑，护士说，他们得的是绝症。他们的开朗很受人尊敬，但谁都知道，这里有一种很下力气的精神支撑。他们的谈笑很少有人倾听，因为大家拿不出那么多安慰的反应、勉强的笑声。常常是护士陪着他们散步，大家远远地看着背影。

病人都喜欢早睡早起，天蒙蒙亮，院子里已挤满了人。大家赶紧在那里做深呼吸，动动手脚，生怕天亮透，看清那光秃秃的树枝和病恹恹的面容。只有这时，一切都将醒未醒，空气又冷又清爽，张口开鼻，抢得一角影影绰绰的清晨。

一天又一天，就这么过去了。突然有一天清晨，大家都觉得空气中有点异样，惊恐四顾，发现院子一角已簇拥着一群人。连忙走过去，踮脚一看，人群中间是一枝腊梅，淡淡的晨曦映着刚长出的嫩黄花瓣。赶近过去的人还在口中念叨着它的名字，一到它身边都不再作声，一种高雅淡洁的清香已把大家全都慑住。故意吸口气去嗅，闻不到什么，不嗅时却满鼻都是，一下子染透身心。

花，仅仅是一枝刚开的花，但在这儿，是沙漠驼铃，是荒山凉亭,是久旱见雨,是久雨放晴。病友们看了一会,慢慢侧身,把位置让给挤在后面的人,自己在院子里踱了两圈,又在这儿停下,在人群背后耐心等待。从此,病院散步,全成了一圈一圈以腊梅为中心的圆弧线。

三

住院病人多少都有一点神经质。天地狭小,身心脆弱,想住了什么事怎么也排遣不开。听人说,许多住院病人都会与热情姣好的护士产生一点情感牵连,这不能全然责怪病人们逢场作戏,而是一种脆弱心态的自然投射。待他们出院,身心恢复正常,一切也就成为过眼烟云。

现在,所有病人的情感都投射在腊梅上了,带着一种超常的执迷。与我同病房的两个病友,一早醒来就说闻到了腊梅的香气,有一位甚至说他简直是被香气熏醒的,而事实上我们的病房离腊梅不近,至少隔着四五十米。

依我看来,这枝腊梅确也当得起病人们的执迷。各种杂树乱枝在它身边让开了,它大模大样地站在一片空地间,让人们可以看清它的全部姿态。枝干虬曲苍劲,黑黑地缠满了岁月的皱纹,光看这枝干,好象早就枯死,只在这里伸展着一个悲怆的历史造型。实在难于想象,就在这样的枝干顶端,猛地一下涌出了那么多鲜活的生命。花瓣黄得不夹一丝混浊,轻得没有质地,只剩片片色影,娇怯而透明。整个院子不再有其他色彩,好像叶落枝黄地闹了一个秋天,天寒地冻地闹了一个冬天,全是在为这枝腊梅铺垫。梅瓣在寒风中微微颤动,这种颤动能把整个铅蓝色的天空摇撼。病人们不再厌恶冬天,在腊梅跟前,大家全部懂了,天底下的至色至香,只能与清寒相伴随。这里的美学概念只剩下一个词:冷艳。

它每天都要增加几朵,于是,计算花朵和花蕾,成了各个病房的一件大事。争论是经常发生的,争执不下了就一起到花枝前仔细数点。这种情况有时发生在夜里,病人们甚至会披衣起床,在寒夜月色下把头埋在花枝间。月光下的腊梅尤显圣洁,四周暗暗的,唯有晶莹的花瓣与明月遥遥相对。清香和夜气一拌和,浓入心魄。

有一天早晨起来,天气奇寒,推窗一看,大雪纷飞,整个院子一片银白。腊梅变得更醒目了,袅袅婷婷地兀自站立着,被银白世界烘托成仙风道骨,气韵翩然。几个年轻的病人要冒雪赶去观看,被护士们阻止了。护士低声说,都是病人,哪能受得住这般风寒?还不快回!

站在底楼檐廊和二楼阳台上的病人,都柔情柔意地看着腊梅。有人说,这么大的雪一定打落了好些花瓣;有人不同意,说大雪只会催开更多的蓓蕾。这番争论终于感动了一位护士,她自告奋勇要冒雪去数点。这位护士年轻苗条,刚迈出去,一身白衣便消融在大雪之间。她步履轻巧地走到腊梅前,捋了捋头发,便低头仰头细数起来。她一定学过一点舞蹈,数花时的身段让人联想到《天女散花》。最后,她终于直起身来向大楼微微一笑,冲着大雪报出一个数字,惹得楼上楼下的病人全都欢呼起来。数字证明,承受了一夜大雪,腊梅反而增加了许多朵,没有凋残。

这个月底,医院让病人评选优秀护士,这位冒雪数花的护士得了全票。

过不了几天,突然下起了大雨,上海的冬天一般不下这么大的雨,所有的病人又一下子拥到了檐廊、阳台前。谁都明白,我们的腊梅这下真的遭了难。几个眼尖的,分明已看到花枝地下的片片花瓣。雨越来越大,有些花瓣已冲到檐下,病人们忧愁满面地仰头看天,声声惋叹。就在这时,一个清脆的声音在耳边响起:"我去架伞!"

这是另一位护士的声音,冒雪数梅的护士今天没上班。这位护士虽然身材颀长,却还有点孩子气,手上夹把红绸伞,眸子四下一转。人们像遇到救星一样,默默看着她,忘记了道谢。有一位病人突然阻止了她,说红伞太刺眼,与腊梅不太搭配。护士噘嘴一笑,转身回到办公室,拿出来一把黄绸伞。病人中又有人反对,说黄色对黄色会把腊梅盖住。好在护士们用的伞色彩繁多,最后终于挑定了一把紫绸伞。

护士穿着乳白色雨靴,打着紫伞来到花前,拿一根绳子把伞捆扎在枝干上。等她捆好,另一位护士打着伞前去接应,两个姑娘互搂着肩膀回来。

四

春天来了,腊梅终于凋谢。病人一批批出院了,出院前都到腊梅树前看一会儿。

各种树木都绽出了绿芽,地上的青草也开始抖擞起来,病人的面色和眼神都渐渐明朗。不久,这儿有许多鲜花都要开放,蜜蜂和蝴蝶也会穿墙进来。

病房最难捱的是冬天,冬天,我们有过一枝腊梅。

这时,腊梅又萎谢躲避了,斑剥苍老,若枯枝然。

几个病人在打赌:"今年冬天,我要死缠活缠闯进来,再看一回腊梅!"

护士说:"你们不会再回来了,我们也不希望健康人来胡调。健康了,赶路是正经。这腊梅,只开给病人看。"

说罢,微微红了点脸。

家住龙华

1988 年 12 月 15 日。

我家住在上海西南角龙华。这是一个古老的地名，一闭眼睛，就能引出不少远年遐想。但在今天上海市民心目中，龙华主要成了一个殡仪馆的代名词。记得两年前学院宿舍初搬来时，许多朋友深感地处僻远，不便之处甚多。一位最达观的教师笑着说："毕竟有一点方便，到时候觉得自己不行了，用不着向殡仪馆叫车，自己慢慢走去就是。"蒋星煜先生立即安慰道："它不至于只会就地取材。"

我素来是乐天派，相信可以把这样的笑话轻松地说它几十年。最近竟然病了，而且不轻，说笑话稍稍有点勉强。请了病假，把学院的杂事推给几位朋友，又有点空闲读文学作品了。昨夜读的是霍达的《国殇》，才读两页，纸页就被泪水浸湿。他们也是中年，他们也是教授，全死了。

返观自身，我有权利说一点他们的死因。单为一项工作奋斗，再累也累不死人。最痛楚的是生命的分裂。已经被书籍和学问铸就了一大半生命，又要分匀出去一大半来应付无穷的烦人事。每件事都是紧迫的，无可奈何的，甚至是堂皇庄严的。于是，只好在敲门声和电话铃不会再响起的半夜，用凉水抹一把脸，开始翻开书籍、铺展文稿、拆阅来信。这又是一个世界，自己正与各国同行征战。从来没有在这种征战中认输的习惯，那就掯住呵欠,用杯杯浓茶来呐喊助威。天色微明,过几个小时又得去开会、谈话。累?当然,但想想在军垦农场拼命的当年,对自己身体忍耐力的自信又悄悄回来。闹钟响了,立即起床,全不理会病魔早已在屋角等待。

我今天不用上班,睡足了起身,提个篮子去买菜。菜场很远,要走过古塔和古寺。身体不好,走得慢一点,多看看古塔和古寺吧。这地方实在是有年代了,连唐朝的皮日休过龙华时都有一种怀古感:

> 今寺犹存古刹名,
> 草桥霜滑有人行。
> 尚嫌残月清光少,
> 不见波心塔影横。

想着这么漫长的历史,心气又立即浮动起来,真想动笔。这一年我一直在《收获》杂志上连载《文化苦旅》,想借山水古迹探寻中国文人艰辛跋涉的脚印。这项写作被一个坚拒日久的行政任命阻断了,但龙华真需要补一篇。那么苍老的目光逼视着一座近代都市的兴衰,其中很有一些可说的话。哪怕是最浮滑的近代上海文人,他们的精神幅度也不能不往来于古老的历史和现代的潮流之间。对这个课题研究得特别出色的是历史学家陈旭麓教授,应该把他论中国近代知识分子人格结构和海派特征的文章,再找出来读一读。

买菜回来,赶快走进书房,陈旭麓教授的文章怎么也找不到,电话铃响了,接来一听,脸色大变。我又不能不相信神秘的超自然力量了。电话中分明说的是:"陈旭麓教授的遗体告别仪式,今天下午2时在龙华殡仪馆举行!"

打电话的朋友特别叮咛："你家在龙华，很近，一定要去。"

　　在我的抽屉里还有陈旭麓教授的来信："近来偶有空闲，到长风公园走走，自诩长风居士。"

　　但是，遗体告别仪式上的悼词证明，陈先生根本没有这般优闲。他刚刚到外地参加5个学术讨论会回来，去世前几小时还在给研究生讲课，就在他长眠之后的今天，他案头求他审阅的青年人的文稿和自己未完成的书稿，还堆积如山。

　　我自认是他少有的忘年交，但在吊唁大厅里，六七百人都痛哭失声，连以前从未听到过他名字的汽车司机们也都在这个气氛下不能自恃。他是一个在19年前死了妻子，亲手把一大群孩子带大的辛劳父亲；同时，他又是100多位研究生的指导教师。他不断地从家庭生活费中抽出三五十元接济贫困学生，自己却承受着许多中国知识分子都遇到过的磨难、折腾和倾轧。他对谁也不说这一切，包括对自己的子女和学生，只是咬着牙，一天又一天，把近代史的研究推到了万人瞩目的第一流水平。

　　他走了，平平静静。他的大女儿向来宾致谢，并低声向父亲最后道别："爸爸，今天你的行装又是我打点的，你走好，我不能搀扶你了……"

　　仪式结束了。我默默看看大厅里的种种挽联，擦不完的眼泪，堵不住的哽咽。突然，就在大厅的西门里侧，我看到了我的另一位朋友献给陈旭麓先生的挽联，他的名字叫王守稼。但是，他的名字上，竟打着一个怪异的黑框！

　　连忙拉人询问，一位陌生人告诉我："这是我们上海历史学界的不幸，接连去世两位！王守稼在给陈旭麓先生送挽联后，接受手术，没有成功。"那人见我痴呆，加了一句："明天下午也在这里，举行王守稼副教授的遗体告别仪式。"

　　我实在忍不住了。站在王守稼书写的挽联前，为他痛哭。就在刚才，我还在厅堂里到处找他。他，今年46岁，也是一个少见的好人。早在复旦大学读书时，因家贫买不起车票，每星期从市西的家里出发，长途步行去学校，却又慷慨地一再把饭菜票支援更贫困的外地同学。我忘不了他坦诚、忧郁、想向一切人倾诉又不愿意倾诉的目光。人越来越瘦，学术论文越发越多。脸色越来越难看，文章越写越漂亮。论明清时期的经济、政治、外交乃至倭寇，精彩备至。他经常用宁波话讲着自己的写作计划，"还有一篇，还有一篇……"像是急着要在历史上找到身受苦难的病根。陈旭麓教授就曾对我说，王守稼是他最欣赏的中年历史学家之一。直到去世，王守稼依然是极端繁忙，又极端贫困。他的遗嘱非常简单：恳求同学好友帮忙，让他年幼的儿子今后能读上大学。这也许是我们这一代最典型的遗嘱。

是的，家住殡仪馆很近，明天，再去与守稼告别。

朋友们走了，我还在。不管怎么样，先得把陈旭麓先生的几篇文章找出来，好好读读，再把我关于龙华的那篇《文化苦旅》写完。今夜就不写了，病着，又流了那么多泪，早点睡。

篇后附记

以上这篇匆匆写于病中的日记式随笔，被江曾培兄拿到他主编的《小说界》杂志发表了，没想到竟在文化界引起反响，并不知不觉地在一次颇具规模的"上海人一日"征文中获得首奖。我想这大概是由于评委都是文人，对我笔底流露的某种苦涩味也有一点切身感受的缘故。我在文中提到要在《文化苦旅》中加一篇以龙华为题材的文章，致使不少读者经常问起，但我一直未能写出，真是抱歉。

龙华是不好写的。它长久默默地审视着上海的历史，而历史对它本身却没有过多的垂爱,就像我上文写到的两位历史学家。是的,龙华就是一位年迈、潦落而昧于自己生平的历史学家。

至今无法考定龙华寺和龙华塔究竟建于何时,几种可能性之间的时距竟相隔700多年之遥。放达一点,我们可以接受一般传说中的说法,龙华塔由三国时代的孙权建于公元247年;谨慎一点,考察现存的塔砖和塔基只是公元977年(北宋年间)的遗物。我反正不以严谨的历史科学为专业,向来对一切以实物证据为唯一依凭的主张不以为然,反而怀疑某种传说和感悟中或许存在着比实物证据更大的真实。传说有不真实的外貌,但既然能与不同时空无数传说者的感悟对应起来,也就有了某种深层真实;实物证据有真实的外貌,但世界万事衍化为各种实物形态的过程实在隐伏着大量的随机和错位。靠龙华塔中北宋年间的砖料当然不能确证塔的初建年代,但倘若依据孙权建塔的传说,那时龙华地区应还是海水漫漫,间或有一些零星渔户、芦荻荒滩。也许吧,在一个无法敲实的年代,一位远行的高僧登岸了,他要去的是建业(今南京)或其他比较著名的地方,先在这海边茅棚中歇歇脚。渔民由于成天与灾难周旋,凶吉难卜,特别容易接受高僧口中善恶报应的布道,于是天长日久,渔舍间渐渐有了僧寮,也开始产生了建造比较简陋的镇海之塔的可能。我在上文中引述了唐代诗人皮日休的诗,想以此说明龙华寺和龙华塔在唐代诗人眼中已是一种古迹,但皮日休的诗本身也并不是确证无疑的。拙文被收到一个集子中时资深的责任编辑左泥先生还曾为此诗向我查问,我告诉他,此诗未见诸《皮子文薮》,而见于康熙年间的《上海县志》,1936年柳亚子等编的《上海研究资料》也有引述。我们姑且相信了吧,相信康熙年间史志编纂者们起码的负责精神,相信应该有比较著名的诗人到过这个地方并留下声音。在一定的时候,历史常常得求助于诗人。历史在明明暗暗地搭建着过程，把过程中的愁苦和感叹留给诗人，但正由于此，诗人的感叹也就成了历史的旁证。

皮日休曾参加过黄巢起义，但据说龙华正是在这次起义中遭到过不小的破坏，致使他来的时候已一片寥落。大概在皮日休来后又过了100年左右，景象更是不济了，公元978年，北宋吴越忠懿王钱俶常夜泊海上，风雨骤至，但在朦胧中只见岸边草莽间有一种奇怪的光在闪耀，而且还隐隐听到了钟梵声，钱俶常忙问这是什么地方，随从人员告诉他，这是古龙华寺的地基，早成废墟。钱俶常觉得这天晚上上天对他投下了启示和期待，立即下令重建，这就是至今塔砖塔基上能找出那个年代印记的原因吧。不管怎么说，从那时开始，龙华塔就像奠基标杆一样一直挺拔地插立在这块土地上了。如果要我们站在今天的方位像星象学家一样来破译钱俶常那夜看到的奇光和钟梵，那么不妨说，这种异相所预示的内容要大得多，或许已在预示着多少年后这儿将出现普天之下最密集的人群海潮般的聚合呢。

但是，历史之神并没有因为龙华是终将出现的世界级大都市上海的奠基标杆而对它有特殊的佑护。谁也不知道它的宿命，只得听任兵燹、倭寇一次次将它破坏，然后又有一批苦行僧含辛茹苦一次次把它修建。几大佛教名山一直香烟缭绕地堂皇在那里，而可怜的龙华寺却历来没有受到各代佛教界的重视，甚至连住持或驻锡龙华寺的著名僧人也几乎都进不了高僧传记和佛教史籍，尽管他们经常要承担募款重修的任务，对佛教事业的贡献并不比名山僧人少。今天，我们可以勉强从历朝上海县志中找见龙华寺众多住持的名字，但往往什么材料也没有留下，而如所周知，名字也仅止于法名。

一个又一个，一代接一代，飘然而来，溘然而逝，终于留下了塔寺，留下了钟梵，留下了衣钵；而对文化学者们来说，则是留下了一个特定方域的远年标帜，一个长江下游民众精神皈依的佐证，一个长久的属于海边的希望，一个不息地祈祷昌盛的记忆。

是无数的历史寂寞，铸就了强悍的历史承传。在此，存在着一种超越宗教的文化启悟。孤标独立的龙华塔只想舐风蘸雨，在悠悠蓝天上默然划过，而不想在《高僧传》上记下一笔。且把现代的繁盛看成可以对之拈花一笑的大法会吧，承受过历史之神诏喻的文化灵魂，最终还要归于冷清和沉潜。

三十年的重量

其 一

时至岁末,要我参加的多种社会文化活动突然壅塞在一起,因此我也变得"重要"起来,一位朋友甚至夸张地说,他几乎能从报纸的新闻上排出我最近的日程表。难道真是这样了? 我只感到浑身空荡荡、虚飘飘。

实在想不到,在接不完的电话中,生楞楞地插进来一个苍老的声音。待对方报清了名字,我不由自主地握着话筒站起身来:那是我 30 年前读中学时的语文老师穆尼先生。他在电话中说,30 年前的春节,我曾与同班同学曹齐合作,画了一张贺年片送给他。那张贺年片已在"文革"初抄家时遗失,老人说:"你们能不能补画一张送我,作为我晚年最珍贵的收藏?"老人的声音,诚恳得有点颤抖。

放下电话,我立即断定,这将是我繁忙的岁末活动中最有意义的一件事。

我呆坐在书桌前,脑海中出现了 60 年代初欢乐而清苦的中学生活。那时候,中学教师中很奇异地隐藏着许多出色的学者,记得初中一年级时我们自修课的督课老师竟是著名学者郑逸梅先生,现在说起来简直有一种奢侈感。到高中换了一所学校,依

267

然学者林立。我的英语老师孙珏先生对英语和中国古典文学的双重造诣，即便在今天的大学教师中也不多见。穆尼先生也是一位见过世面的人，至少当时我们就在旧书店里见到过他在青年时代出版的三四本著作，不知什么原因躲在中学里当个语文教师。记得就在他教我们语文时，我的作文在全市比赛中得了大奖，引得外校教师纷纷到我们班来听课。穆尼老师来劲了，课程内容越讲越深，而且专挑一些特别难的问题当场向我提问，我几乎一次也答不出来，情景十分尴尬。我在心中抱怨：穆尼老师，你明知有那么多人听课，向我提这么难的问题为什么不事先打个招呼呢？后来终于想通：这便是学者，半点机巧也不会。

哪怕是再稚嫩的目光，也能约略辨识学问和人格的亮度。我们当时才十四五岁吧，一直傻傻地想着感激这些老师的办法，凭孩子们的直觉，这些老师当时似乎都受着或多或少的政治牵累，日子过得很不顺心。到放寒假，终于有了主意，全班同学约定在大年初一到所有任课老师家拜年。那时的中学生是买不起贺年片的，只能凑几张白纸自己绘制，然后成群结队地一家家徒步送去。说好了，什么也不能吃老师家的，怯生生地敲开门，慌忙捧上土土的贺年片，嗫嚅地说上几句就走。老师不少，走得浑身冒汗，节日的街道上，一队匆匆的少年朝拜者。

我和曹齐代表全班同学绘制贺年片。曹齐当时就画得比我好，总该是他画得多一点，我负责写字。不管画什么，写什么，也超不出10多岁的中学生的水平。但是，就是那点稚拙的涂划，竟深深地镌刻在一位长者的心扉间，把30年的岁月都刻穿了。

今日的曹齐，已是一位知名的书画家，在一家美术出版社供职。我曾看到书法选集乃至月历上印有他的作品。画廊上也有他的画展。当他一听到穆尼老师的要求，和我一样，把手上的工作立即停止，选出一张上好宣纸，恭恭敬敬画上一幅贺岁清供，然后迅速送到我的学院。我早已磨好浓浓一砚墨，在画幅上端满满写上事情的始末，盖上印章，再送去精细裱装。现在，这卷书画已送到穆尼老师手上。

老师，请原谅，我们已经忘记了 30 年前的笔墨，失落了那番不能复制的纯净，只得用两双中年人的手，卷一卷 30 年的甜酸苦辣给你。

在你面前，为你执笔，我们头上的一切名号、头衔全都抖落了，只剩下两个赤诚的学生。只有在这种情况下，我们才能超拔烦嚣，感悟到某种跨越时空的人间至情。

凭借着这种至情，我有资格以 30 年前的中学生的身份对今天的青少年朋友说：记住，你们或许已在创造着某种永恒。你们每天所做的事情中，有一些立即就会后悔，有一些却有穿越几十年的重量。

其 二

我在前面提到了 30 年前做中学生时一篇作文得奖的事，对这件远年小事还有几句话想说。

大概在两年前吧，我中学时代的一位老师带给我一封很奇怪的信。收信人是我，而信封上写的地址却是 30 年前的中学和班级。老师早已退休，这天去学校领薪水，偶尔在收发室见到了这封信，他闹不明白是怎么回事，受好奇心驱使，辛辛苦苦地打听到我家地址，亲自送来了。

拆开信，终于明白，这是湖北北部农村的一位初中女学生写来的，前不久他们学校发给学生一本新出版的《优秀作文选》，其中收了我 30 年前的那篇作文，署名前依旧印了我当时的"番号"，于是这位中学生搞误会了。她很大方地称我"同学"，而且建议每个月与她交换一篇作文,特别是交换那些"老师不喜欢而自己喜欢"的作文。

送信来的老师搞清原委后笑了一下,立即又严肃地盯着我出神,好久,他很哲理地说:"其实今天的她,就是我记忆中的你;今天的你,就是当年的我。"可不是,这个农村小姑娘不期然地把人生的岁月涡旋在一起,使我和我的老师都晕眩起来。她用稚嫩的笔画,把时间的沟壑干净利落地勾划掉了。

给她回信动了我不少脑筋。我生怕她知道真相后发窘,而我自己也愿意在一种逝去长久的无忧无虑的纯净心态中与她对话一阵,但这弄不好会变成大人对小孩的捉弄,最终还会使她伤心。犹豫再三,决定在回信中用一种非常轻松的口气与她谈话,也不提我的职业,让她觉得这种书信往来极其正常和自然,只是在言词间很不经意似地提一句,那是我很多年之前的作文。

看来孩子还是被惊吓了,她不知道该如何来对付这么一个大人,只能向父母亲求援。父母亲都是中学语文教师,知道我,于是事情就更麻烦了。我收到她的第二封来信的开头竟然是:"尊敬的教授……"

涡旋停止了,时间的沟壑依然生楞楞地横在眼前。

可以想象,以后的通信变得有点艰难。她非常想从我这里知道通向文学艺术殿堂的路途该怎么走,但在语气上怎么也轻松不起来了。她压抑住了真实的自我,而变成了一个急于求成的"问道"者。信中的文词除了拘谨外还有一种雕饰感,一定是她父母亲帮着修改过的。

通信越来越少了,但我脑中却经常出现30年前的自己。送信来的老师说得对,当年的我有点像她,痴痴地钟爱着文学和艺术,但只要把这种钟爱稍稍衍伸,就碰到了一个大人的世界,于是便天天盼望着岁月快快流逝。

270

记得我那篇得奖作文是在一个夏天的黄昏坐在一个小板凳上一挥而就的，好像是为了应付暑假作业吧，一写完就飞奔出去玩耍了。待到有一天惊奇万分地看到它刊登在报纸上，而且后面还印有口气堂皇的长篇评语，从审题、选材、详略取舍、辞章修养一一加以赞扬，我立即变得严肃起来了。在一个极其隆重的授奖大会上，我看到有一位风度不凡的大学教师坐在主席台上，据大会主席说，他是全上海这次作文比赛的总裁判，我暗想，我作文后的那篇评语大概也是他写的。他讲话了，音色浑厚，知识渊博，潇洒幽默，在全场一阵阵地畅笑中把文章之道讲得那样清楚，我几乎全身心地被他收服了。散会之后，我悄悄跟在他后面，他在给另外一些大人讲话，我很想再听到一点什么，再看看他走路的姿势，怎么摆手，怎么迈腿。此后，我读书写作时常常会想起这位大学教师，揣想着如果他在我眼前，会叫我怎么读、怎么写，这种揣想常常是毫无根据的，因此我变得很苦恼。总之，这位根本不认识我的大学教师既向我展示了一种高度，一种风范，也取走了我的轻松和自在，我终于因他而告别了少年心态。

　　我之所以不太愿意再给湖北的那位中学生写信，也就是怕我的片言只语使她失落很多本不应早早失落的东西。对于这样的失落，孩子本人是不会觉得什么的，但年岁越大越会感到痛切。人生就是这样，年少时，怨恨自己年少，年迈时，怨恨自己年迈，这倒常常促使中青年处于一种相对冷静的疏离状态和评判状态，思考着人生的怪异，然后一边慰抚年幼者，一边慰抚年老者。我想，中青年在人生意义上的魅力，就在于这双向疏离和双向慰抚吧。因双向疏离，他们变得洒脱和沉静；因双向慰抚，他们变得亲切和有力。但是，也正因为此，他们有时又会感到烦心和惆怅，他们还余留着告别天真岁月的伤感，又迟早会产生暮岁将至的预感。他们置身于人生涡旋的中心点，环视四周，思前想后，不能不感慨万千。

一年前，我与那位大学教师又有了一次遭遇。当时我正担任上海市高等学校高级职称评审委员会中文学科组组长，与其他几位教授一起成天审阅着各大学申报的中文学科正副教授的材料。在已经退休而想评一个教授资格的名单中，我突然看到了他的名字。从材料看，他虽然一直在大学任教，却主要从事着中学语文教学的研究和辅导，编写过的东西很多，质量也不低，但按上海市各大学晋升正教授的标准，材料并不过硬，他没有完整的学术著作，也没有在某个领域处于国内领先、国际可比的地位。

很巧，几天后，我在一个活动场所见到了他。是他先向我作自我介绍的，他知道我前些天在评职称，但只随口提了一句，没有向我打听什么。我还能认出他来，他确实老了，体态沉重，白发斑斑。他非常诚恳地告诉我，曾读过我的哪些著作和文章。我很想告诉他，他还读过我的另一篇文章，在30年之前。但我终于忍住了，我不敢向他表白，我曾是他最虔诚的崇拜者，他曾作过一次决定我终生的指点，那年我才14岁。

我怕什么呢？此间复杂的心情也许只可意会。要是他并不是我走向社会的第一篇文章的评判者，而我也没有在30年后反而成了他职称的评判者，事情绝不会如此尴尬。我并不认为这种前后因缘能给我增添一点什么色彩，因为我一直坚信人生并不是一场你胜我败的角逐，而更像一场前赴后继的荒野接力赛。谁跑得慢一点，谁跑得快一点，很可能是环境和气候使然，要是我也像他一样遇到那么多风霜雨雪、陡坡泥潭，步子也许比他还慢。他指点过我，那么，他的力就接在我的脚下了，这里只有一种互溶关系，不存在超越和被超越。但是，这一切，他能理解么？如果他理解，他又能理解我能理解的么？当这些沟通尚未具备，我不能为了揭开这种30年前后的人生折叠而引起老人心头哪怕淡淡一丝的窘态。

你看，做一个中年人就是这样麻烦，仅仅为了一篇早年的作文，刚刚还在设法如何不使湖北那位小姑娘受窘，转眼又要把这个难题转向一位老人。多少年后，当我也成了老人，那位湖北小姑娘会不会也来这样慰抚我呢？到那时，我能不能感受到这种慰抚呢？

小事一桩，但细想之下，百味皆备，只能莫名地发一声长长的感叹，感叹人生的温馨和苍凉，感叹岁月的匆迫和绵长。

西方一位哲人说，只有饱经沧桑的老人才会领悟真正的人生哲理，同样一句话，出自老人之口比出自青年之口厚重百倍。对此，我不能全然苟同。哲理产生在两种相反力量的周旋之中，因此它更垂青于中年。世上一切真正杰出的人生哲学家都是在中年完成他们的思想体系的。到了老年，人生的磁场已偏于一极、趋于单相中年人不见得都会把两力交汇的困惑表达成哲理的外貌，但他们大多置身于哲理的磁场中。我想，我在30年前是体会不到多少人生的隐秘的，再过30年已在人生的边沿徘徊，而边沿毕竟只是边沿。因此且不说其他，就对人生的体味论之，最有重量的是现在，是中年。为此，我为短文《三十年的重量》写下这个续篇。

漂泊者们

其　一

很难相信一座如此繁华的城市会放逐出一块如此原始的土地,让它孤零零地呆在一边。从新加坡东北角的海岬雇船渡海,过不久就能看到这个岛。

船靠岸的地方有三两间简陋的店铺,一间废弃的小学。小学操场上壅塞着几十辆破旧轿车,据说是由于年老从城市里退休下来的,但因性能完好不忍毁弃,堆在这里,谁想逛岛驶一辆走就是。车盖车身积满了泥灰,看来并没有多少人来麻烦它们。

往里走,就是密密层层的蕉丛和椰林了。遍地滚满了熟落的椰子,多得像河边的鹅卵石。荒草迷离,泥淖处处,山坡上偶尔能见到一两家人家,从山脚开始,一层栅栏,又一层栅栏,层层包围上去,最终抵达房舍,房舍并不贴地而筑,都高踞吊脚台上。背后屏挡着原始林,四周掩映着热带树,煞似一座小小的城堡。没见哪一座是开门的,也没见哪一座闪现过一个人影,满耳只是潮水般的鸟鸣。

这边山崖上露出一角飞檐,似有一座小庙,赶紧找路,攀援而上。庙极小,纵横三五步足矣,多年失修,香火却依然旺盛。供品是几枚染着艳色的米糕,一碟茶叶,一堆热带水果。另有一大叠问卜的签条挂在墙上。直眼看去,仿佛到了中国内地的穷乡僻壤,一样的格局,一样的寒伧,一样的永恒。小庙供的是"大伯公",一切闯南洋的中国漂泊者心中的土地神。家乡的土地容不下他们了,他们踏上了摇摆不定的木船。但是,这群世世代代未曾离开过黄土地的轩辕氏后代怎么也舍弃不了心中的土地神,舍弃了,整个儿生命都失去平衡。因此,这儿也是大伯公,那儿也是大伯公,大大小小的土地庙一路盖过去,千万里海途蠕动着千万里香火。就这么一个弹丸小岛,野林荒草间,竟也不声不响地飘浮着一缕香火。这缕香火飘得有年头了,神位前的石鼎刻于清朝道光年间。

离别了土地又供奉着土地,离别了家乡又怀抱着家乡,那么,你们的离别又会包含着多少勇气和无奈!在中国北方的一些山褶里有一些极端贫瘠的所在,连挑担水都要走几十里的来回,但那里的人家竟世世代代不肯稍有搬迁——譬如,搬迁到他们挑水的河边。他们是土地神的奴隶,每一个初生婴儿的啼哭都宣告着永久性的空间定位。你们倒好,背着一个土地神满世界走,哪儿有更好的水土就在哪儿安营扎寨。你们实在是同胞中的精明人,但你们又毕竟是屈原的后代,一步三回头,满目眷恋,把一篇《离骚》化作了绵远不足的生命体验。

其实,这个岛的真正土地神不是大伯公,而是我去拜访的老人。他叫林再有,80多岁,福建人。很年轻的时候就到了南洋,挑着一副担子做货郎。货郎走百家,漂泊者们的需求了然于心。家家户户都痴痴地询问着有没有家乡用惯了的那种货品,林再有懂得这份心思,尽力一一采办。天长日久,他的货郎担成了华人拴住家乡生活方式的锁链,而他的脚步,他的笑容,也成了天涯游子的最大安慰。人们向他诉说苦恼,他也就学着一一排解,于是,家家的悲欢离合都与他有了牵连。

漂泊者中的绝大部分是独身男子。在离开家乡时,他们在父老兄弟面前发了誓,成了家的,则在妻儿跟前抹了泪,下决心不混出个人样儿不回来。但是,他们之中能有几个真正发达,可以衣锦还乡或挟着一大笔盘缠把全家老小接来?当时的南洋,湿溽烟瘴,精壮男子一个个倒下了,没有亲人,没有祠堂,没有家族的坟山。一切还是请这位货郎四方张罗吧,林再有不知掩埋过多少失败者的遗恨,插立过多少写不出准确姓名的木牌。每次做完这些事,他在第二天挑着货郎担挨家挨户游荡的时候,会给大家简略通报死者的情况,发几声感叹,算是作了一篇悼词,一篇祭文。

就这样,林先生一年年老去,在地方上的威信也越来越高。他没有担任过任何职位,没有积聚多少钱财,也没有做过什么了不起的大事,但每天,只要这位身材瘦小的老货郎还在风雨骄阳中一摇一晃,这些村落也就安定了。

他的住所在全岛离码头最远的地方,一座高爽的两层木楼,也有几道栅栏围着,却又紧贴路边。哪家发生了什么事都来找他,他的家必须向大路敞开。栅栏门虚掩着,我轻轻推门时,老人正佝偻着身子在翻弄什么。陪我去的陈小姐以前来过这里,便大声告诉他来了中国客人。

老人一听,立即敏捷地跳将起来,伸着手朝我走来。他不是握手,而是捧着我的手轻轻抚摩着,口里喃喃说着我不能完全听懂的福建话。然后返身进屋,颤颤颠颠地端出一盘切开的月饼,又移过几案上原来就放着的一套喝功夫茶的茶具,开始细细筛茶。我猜想这些年来不大会有中国人像我这样摸到这个小岛上来逛,因此见多识广的老人稍稍有点慌张。铁观音一杯杯筛下去,月饼一块块递过来,一味笑着,也不问我的职业,以及为什么到新加坡来。当我实在再也吃不下月饼时,他定睛打量我是不是客气,然后说:"那好,就看看我的家。"

他先领我们朝檐廊东边走去，突然停步，嘿嘿一笑。我抬头四顾，竟然是几十架巨大的铁丝笼，里边鸟在飞翔，猴在攀援，蛇在蜿蜒，活生生一个动物园。我正待细细观赏，他却拉着我的手从边门进入了屋内。屋内非常干净，一间间看去，直到厨房。厨房一角有一个硕大冰箱，大到近似一间房子，应该称作冰库才合适。老人见我注意到了大冰箱，非常满意，便又请我上楼。楼梯很陡，楼上是他家卧室，更是一尘不染。朝南有一个木架阳台，站在那里抬眼一望，可看到小半个浓绿丛丛的岛屿。我相信，清晨或傍晚时分，老人会站在这儿细细打量自己的"领地"，虽然都是看熟了的地方，有时不免也会发几声感叹。大大的中国不呆，漂洋过海找到这么一个小岛，在这里度过一生，又在这里埋葬。这是一个多么酸楚又多么浪漫的故事啊。老人忽然拍拍自己的头，对我说："你看，差点给忘了，我那儿还有房！"说着指了指东南方向的海滩。

　　当然还得跟他去。路不近，一路上遇到不少岛民，大家都恭敬地立在一边向老人问好。老人庄重地向他们点点头，然后趋身过去轻轻说一句："中国来的！"他是在向他们介绍我，我都听到了。

　　终于到了海滩，那里有一个不小的鱼塘，鱼塘靠海的一边有一道坚固的闸门。到这里才知道，这是老人近年来的生活来源。这个鱼塘和闸门，可以在海潮涨落之间为老人提供为数可观的海鲜，大部分出售，小部分自享，厨房里的大冰库该是天天常满。闸边有一间小小的木屋，开门进去，见宽阔的床铺，日常生活器具，乃至炊事设备，一应俱全。老人找开南窗，赤道的长风鼓荡进来，凉爽极了。海天尽头隐隐约约处，已是印度尼西亚。不难设想，老人是经常住在这里等待潮涨潮落的，有时风雨太大，懒得回去了，就在这里过夜。他已不必出海捕鱼，只是守株待兔，开出一个小小的闸门静等鱼虾自来。海明威《老人与海》中的老人太辛苦了,我们这个老人安详得多,中国的血统给了他一种中庸委和的生态。

老人在小屋里慢悠悠地对我说,现在他已不大到小屋来住了,小屋一直空着。如果我有心绪,有时间,要看点书或写点什么的,尽可以住到这间小屋里来,与海作伴,伴海同眠,住上十天半月。

实在,这是一种天大的福分,要是我能够。我一生做过许多有关居舍的梦,这间小屋,今后无疑会经常在我梦中徘徊。

等我们从海滩回到他的家,家门口却等着两个印度人。老人用英语与他们交谈,才知他们是政府官员,前来考察这座岛的开发问题了。是啊,刚才我还一直在惊讶寸金宝地的新加坡怎么会让这样一个岛屿荒芜着呢。新加坡政府做事干脆利落,只要他们下决心开发,过不了一两年,全岛会彻底换个模样。是成为一个国际俱乐部,一个度假别墅群,还是一个大企业的所在地,或者一个废品处理所?这一切都不知道了,等考察之后看。这两个官员不知从哪里打听到老人对这个岛的重要性,专程寻来了解一些资料。

老人听罢,手忙脚乱地在檐廊堆杂物的桌上翻找,好半天找出几本皱巴巴的小簿子,纸张都已发黄了,递给官员。他没有请这两位高个儿印度人坐,只是仰着头给他们说着什么,声音轻轻的。我突然觉得有点不忍去听,一种不可避免的事情就要发生了,一种绵长的生态就要结束了,两个高高的印度人站在这个华族老货郎、岛的老领主面前,大大的文件夹摊开在手上,老人递上去的黄纸小簿落在文件夹中,铁丝笼里的动物冲着两个肤色陌生的客人乱叫,这一切,老人都要承受了。

官员抄录了一些什么,很快就走了。我们也默默站起身,准备告辞。老人进屋换了件衬衫，说"我陪你们走"。我再三推阻，他全不理会，也不关门，已经走到了路上。

我不知道老人平时走路是不是这样走的，一路行去，四处打量，仰头看看树顶，竖耳听听鸟鸣，稍稍给我指点一些什么，有时又在自言自语。这神态，既像是一个领主巡行，又像是在给自己领地话别。

我按着他的指引、他的节奏走着，慢慢地，像是走了几十年。货郎担的铃声，漂泊者的哭笑，拌和着一阵阵蕉风椰雨。老人走了一辈子，步态依然矫健，今天陪着我，一个不知任何详情，只知是中国人的人，一起摇摇摆摆，走出一段历史。说实话，我真想扶他一把，但他用不着。

走到码头了，老人并不领我到岸边，而是拐进一条杂草繁密的小径，说要让我看一看"大伯公"。我说刚才已经看过，他说"你看到的一定是北坡那一尊，不一样。"说着我们已钻到一棵巨人无比的大树荫下，只见树身有一人字形的裂口，构成一个尖顶的小门形状，竟有级级石阶通入，恍若跨入童话。石阶顶端，供着一个小小的神像，铭文为"拿督大伯公"。老人告诉我，"拿督"是马来语，意为"尊者"。从中国搬来的大伯公冠上了一个马来尊号，也不要一座神庙，把一棵土生土长的原始巨树当作了神庙，这实在太让我惊奇了。老人说，当初中国人到了这儿，出海捕鱼为生，命运凶吉难卜，开始怀疑北坡那尊纯粹中国化的土地神大伯公是否能管辖得住马来海域上的风波。于是他们明智地请出一尊"因地制宜"的大伯公，头戴马来名号，背靠扎根巨树，完全转换成一副土著模样，从树洞里张望着赤道海面上的华人樯帆。

老人很哲理地朝我笑笑，说："入乡随俗，总得跟着变。"是啊，本来是捧着一尊传统老神闯荡世界，小心翼翼像捧着家谱，捧着根本，捧着一个到哪儿都散不了架的小天地。没想到真的落

279

脚一处,连老神在内,一切都得变。老人已经回身,招呼我去码头了。看着他的背影,我想,这位连英文也已熟习的"拿督大伯公"是会接受小岛即将面临的变化的,哪怕这个变化是那么大,又发生在他晚年。他一生告别过太多的东西,最后静静地守着这座人丁稀少的岛屿。现在要他告别这种宁静了,他的鱼塘,他的海滩小屋,他的家庭动物园,也许都会失去。他会受得了的,作为漂泊者,他已习惯于告别。

那好,我也要与他告别了。船码头那三两间店铺有点热闹,原来已到了吃午饭的时分。老人真诚地邀我们在一家小吃店坐下,要请我们吃饭。店铺里的人有点惶恐,好像总统突然宣布要在这里举办国宴。老人大声地对他们说:"这是中国客人!"众人一律笑脸,唯唯称诺。

我们婉谢了老人的好意,雇船解缆。半晌,老人还站在岸边挥手。

其　　二

一天,我和一位朋友在一个闹市区游逛,朋友突然想要去银行取款,我懒得陪他过马路,就在这边街口等。刚等一会儿就觉得无聊,开始打量起店铺来了。身后正好是一家中药店,才探头,一股甘草、薄荷和其他种种药材相交糅的香味扑鼻而来。

这是一种再亲切不过的香味。在中国,不管你到了多么僻远的小镇,总能找到一两家小小的中药店。都是这股气味,一闻到就放心了,好像长途苦旅找到了一个健康保证,尽管并不去买什么药。这股气味,把中国人的身体状况、阴阳气血,组织成一种共通的旋律,在天涯海角飘洒得悠悠扬扬。我觉得,没有比站在中药店里更能自觉到自己是一个中国人的了。站在文物古董商店也会有这个感觉，但那太高雅，太脱离世俗。不像在中药店，几乎和一切中国人有关，而那股味道又是那样真切，就像直接从无数同胞的身心中散发出来的，整个儿把你笼罩。

很想多闻一会儿，但新加坡商店的营业员都很殷勤，你刚有点驻足的意思他们就迎过来打招呼了，因此我得找一点什么由头。正好，药店深处有一堵短墙，墙侧放一张桌子，有一老人正坐在边上翻书，他头旁的墙上贴着字幅，说明他是"随堂中医"。这种在一家药店摆张桌子行医的医生，过去中国也很多，后来不知怎么取消了。我想，如果有重病，当然还是到医院去妥当，但大数的小毛小病请这种随堂医生看看倒是十分方便的，犯不着堂而皇之地到大医院去挂号、预检、排队、问诊、配药、付款，一关一关走得人真地生起病来。我在这位老医生身边的一张椅子上坐下，用轻松的口气说："医生，我没什么病，只是才来南洋几个月，总觉得有点内热。"

这是真的，我所说的"热"不是西医里的 fever，体温很正常，根本没有发烧。如果说给西医听，多半会被赶出来，只能说给中医听，他们才懂。这位老中医会怎么做我也知道，不等他要求，我已伸出手去让他按脉，并且张开嘴让他看舌苔。

"是啊是啊，是有点热。"他说。于是开药方，他用握毛笔的手法握着钢笔直行书写，故意在撇捺之间发挥一下，七分认真三分陶醉。一切上了年纪的中医都是这样的，在这种时候，你的目光应该既赞叹又佩服地看着他的那枝笔，这比说任何感谢的话都强。

正事很快办完了，我拿起药方要去取药，老医生用手把我按住了，说："不忙，过会儿我去取。先生从国内来？府上在哪里？"这里年老的华人不习惯说"从中国来"，而是说"从国内来"，光这么一个说法就使得我想多坐一会儿了。他显然也是想与我聊一会儿。我转头看看店外街口,朋友正在东张西望找我,赶紧出去说明情况。朋友说:"那你们就好好谈一会儿吧,我正好可以在隔壁超级市场买点东西。"

老医生是客家人,年轻时离开中国大陆,曾在台湾、香港、马来西亚等地行医,晚年定居新加坡。"人就是怪,青年时东闯西闯不在乎,年纪一过 50 就没完没了地想起老家来。"他说,"变成一个长长的梦,越做越离奇,也越做越好看。到了这时候,要是不回去,就会变成一种煎熬。

"10 多年前,可以回去了,你知道我有多紧张。那些天也不行医了,成天扳着手指回忆村子里有哪些人家,那么多年没回去,礼物一家也不能漏。中国人嘛,一村就像一个大家。

"我就这样肩扛、手提、背驮,拖拖拉拉地带着一大批礼物回去了,可是在中国海关遇到了麻烦,因为太像一个走私犯了。我与几个年轻的海关人员说了半天,说我不是走私犯,而是圣诞老人,分发礼物去了。海关人员愕愕地看着我。

"我又说,其实这些礼物送给谁,我也不知道。村子里的人我还能认识几个?你们收下也可以,我的心尽了。我说的是真话,但海关人员以为我在讽刺他们,非常生气。

"我知道我错了。他们这么年轻,哪会理解老华侨疯疯癫癫的一片痴心?最后我只得与他们商量,有没有年老的负责人出来与我谈一谈。他们真的找来一位,没谈几句,全都理解了。很快办了手续,放了我这位圣诞老人。

"接着是一路转车换船,好不容易摸回到了村里。奇怪的是,那些老乡不知怎么回事,拿了礼物掂量着,连声谢谢也不太愿意说,我腆着脸想与他们叙家常,却总也叙不起来。

"屋后那座山,应该是翠绿的,却找不到几棵像样的树了。我左看右看,有点疑惑,也许原来就是这个样子。反正几十年翠绿色的梦褪了颜色了,我该回来了。

"但回来刚安定下几个月,又想念了。梦还在做,变成了瓦灰色,瓦灰色也牵肠挂肚。于是再筹划回去一次。不瞒你说,这些年来,我一共已经去了7次。每次去都心急火燎,去了都有点懊丧,回来后很快又想念,颠来倒去,着了魔一般。

"从去年开始,我与此地几个同乡华侨商议,筹款为家乡办一所小学。到今年已筹到20万,上个月我又回去了,与地方上谈办小学的事。可惜那些人不大喜欢多谈校舍设计和教师聘用,喜欢谈钱。

"现在我的气又消了。钱不够就再多筹一点吧,只要小学能办起来。"

……

老医生就这样缓缓地给我说着。他抱歉地解释道,很少有地方可以说这样的话。说给儿孙们听吧,儿孙们讥笑他自作多情、自作自受、单相思;说给这儿的同乡华侨听吧,又怕筹不到款,他只能在筹款对象面前拼命说家乡可爱。他把许多话留在嘴里,留得难受了,就吐给了我,一个素昧平生却似乎尚解人意的中国人。除了感动得有点慌乱的目光,我不知道该怎么来安慰他,哪怕是几句比较得体的话。

老医生面前的桌子很小,只有小学生的课桌那么大,这是自然的,药店本身就不大,匀不出那么多地方给随堂医生。桌上放着几本早就翻旧了的中医书籍。他与我讲话时不断请我原谅,说占了我的时间。最后在要不要付医药费的问题上又与我争执起来。我恳求他按照正常计价收取医药费,他终于算出来了,一共8元。报了这个低廉的数字,他还连声说着"真不好意思!真不好意思!"

我在他跟前足足坐了2个小时,没见另外有人来找他看病,可见他的生意清淡。"回去都以为我是华侨富商,哪儿啊。你看我这,打肿脸充胖子罢了。"他的语气带着腼腆和羞愧,羞愧自己没有成为百万富翁。

其　三

本地的报纸陆续刊登了我讲学的一些报道,他看到了,托一位古董店的老板来找我。带来的话是:很早以前,胡愈之先生曾托他在香港印了一批私用稿纸,每页都印有"我的稿子"四字,这种稿纸在他家存了很多,想送几刀给我,顺便见个面。

这是好愉快的由头啊,我当然一口答应。他 70 多岁,姓沈,半个世纪前的法国博士。在新加坡,许多已经载入史册的国内国际大事他都亲身参与,与一代政治家有密切的过从关系。在中国,他有过两个好友,一个吴晗,一个华罗庚,都已去世,因此他不再北行。他在此地资历深,声望高,在我见他那天,古董店老板告诉我,陪着我想趁机见他一面的人已不止一个。其中一个是当地戏剧界的前辈,广受人们尊敬,年岁也近花甲,但一见他却恭敬地弯腰道:"沈老,40 年前,我已读您的文章;30 年前,我来报考过您主持的报社,没有被您录取……"

沈老从古董店那张清代的红木凳上站起身来,递给我那几刀大号直行稿纸,纸页上已有不少黄棕色的迹斑。稿纸下面,是一本美国杂志 Newsweek,他翻到一页,那里介绍着一个著名的法国哲学家 E. M. Cioran,有照片。沈老说,这是他的同学、朋友,今年该是 78 岁了。我一眼看去,哲学家的照相边上印着一段语录,粗划黑体,十分醒目:

Without the possibility of suicide,I would have

killed myself long ago.

沈老说，这本杂志是最新一期，昨天刚刚送到，不是因为有这篇介绍才特意保存的。"一辈子走的地方太多，活的时间又长，随手翻开报刊杂志都能发现熟人。我的熟人大多都是游荡飘零的人，离开了祖国，熬不过异国他乡的寂寞，在咖啡馆蹲蹲，在河边逛逛，到街心花园发发呆，互相见了，眼睛一对就知道是自己的同类，那份神情，怎么也逃不过。不管他是哪个国家来的，同是天涯沦落人，相逢何必曾相识？一起上酒吧，一起叹气说疯话，最后又彼此留地址，一来二去，成了好友。很快大家又向别的地方游荡去了，很难继续联系，只剩下记忆。但这种记忆怎么也淡忘不了，就像白居易怎么也忘不了那位琵琶女。你看我和这个Cioran，几十年前的朋友，照片上老得不成样子了，我一眼就认了出来。"

显然这是确实的。Newsweek 编辑部说 Cioran 原是罗马尼亚人，1937 年他 26 岁时才到巴黎，一个典型的漂泊者。现在，七老八十的他，已经成了世界上读者最多的哲学家之一，一接受采访开口还是谈他的故乡罗马尼亚，他说由于历史遭遇，罗马尼亚人是世界上最大的怀疑主义者。可以设想，在巴黎的酒店里，年轻的 Cioran 和年轻的沈博士相遇时话是不会少的，更何况那时中国和罗马尼亚同时陷于东西方法西斯铁蹄之下。

我们一伙，由古董店老板作东，在一家很不错的西菜馆吃了午餐。餐罢，谈兴犹浓，沈博士提议，到一家"最纯正的伦敦风味"的咖啡座继续畅谈。

新加坡几乎拥有世界各地所有种类的饮食小吃，现在各店家之间所竞争的就是风味的纯正地道与否了。要精细地辨别某地风味，只有长居该地的人才有资格。沈博士在这方面无疑享有广泛和充分的发言权。他领着我们，一会儿过街，一会儿上楼，一会儿乘电梯，七转八弯，朝他判定的伦敦风味走去。一路上他左指右点，说这家日本餐馆气氛对路，那家意大利点心徒有其名。这么大年纪了，步履依然轻健，上下楼梯时我想扶他一把，他像躲避什么似地让开了，于是他真的躲开了衰老，在全世界的口味间一路逍遥。终于到了一个地方，全是欧美人坐着，只有我们一群华人进去，占据一角。

"完全像在伦敦。你们坐着，我来张罗。"沈博士说："别要中国茶，这儿不会有。这儿讲究的是印度大吉岭茶，一叫"大吉岭"，侍者就会对你另眼看待，因为这是一种等级，一种品格，比叫咖啡神气多了。茶点自己去取，随意，做法上也完全是伦敦。"

当"大吉岭"、咖啡、茶点摆齐，沈老的精神更旺了。那架势，看来要谈一个下午，就像当年在巴黎，面对着 Cioran 他们。他发现我对漂泊世界的华人有兴趣，就随手拈来讲了一串熟人。

"我在巴黎认识一个同胞，他别的事情都不干，只干一件事，考博士。他没有其他生活来源，只有读博士才能领到奖学金，就一个博士学位、一个博士学位地拿下去。当我离开巴黎时，他已经拿到 8 个博士学位，年岁也已不小。后来，他也不是为生计了，这么多学位戴在头上，找个工作是不难的。他已经把这件事情当作一种游戏，憋着一口气让欧洲人瞧瞧，一个中国人究竟能拿到几个博士！也许他在民族自尊心上受过特殊刺激，那在当时是经常有的事，也是必然有的事，我没有问过他。见面只问：这次第几个了？

"他是一个真正的、无可救药的酒鬼。只要找到我，总是讨酒喝。喝个烂醉，昏睡几天，醒来揉揉眼，再去攻博士。漂泊也要在手上抓根缆绳，抓不到就成了无头苍蝇，他把一大串学位拿酒拌一拌，当作了缆绳。我离开巴黎后就没听到过他的消息，要是还活着,准保还在考。"

我忙问沈老,这个酒鬼的 8 个博士学位,都是一些什么专业?沈老说,专业幅度相差很大,既有文学、哲学、宗教,也有数学、工程、化学,记不太清了。这么说来,他其实是在人类的知能天域中漂泊了,但他哪儿也不想驻足,像穿了那双红鞋子,一路跳下去。他不会不知道,他的父母之邦那样缺少文化,那样缺少专家,但他却睹气似地把一大群专家、一大堆文化集于一身,然后颓然醉倒。他已经变成了一个永不起运的知识酒窖,没准会在最醇浓的时候崩坍。

他肯定已经崩坍,带着一身足以验证中国人智慧水平的荣耀。但是,不要说祖国,连他的好朋友也没有接到噩耗。

"还有一位中国留学生更怪诞,"沈老说:"大学毕业后没找到职业,就在巴黎下层社会瞎混,三教九流都认识,连下等妓院的情况都了如指掌。不知怎么一来,他成了妓院区小教堂的牧师,成天拯救着巴黎烟花女和嫖客们的灵魂。我去看过他的布道,那情景十分有趣,从他喉咙里发出的带有明显中国口音的法语,竟显得那样神秘;我们几个朋友,则从这种声音里听出了潦倒。"

"亏他也做了好几年,我们原先都以为他最多做一二年罢了。不做之后,他开始流浪,朝着东方,朝着亚洲,一个国家一个国家逛过来。逼近中国了,却先在外围转悠。那天逛到了越南西贡,在街上被一辆汽车截住,汽车里走出了吴庭艳,他在巴黎时的老熟人。吴庭艳那时正当政,要他帮忙,想来想去,他当过牧师,就在西贡一所大学里当了哲学系主任。据说还当得十分称职,一时有口皆碑,俨然成了东南亚一大硕儒。后来越南政局变化,他不知到哪里去了……"

我想,这个人的精神经历,简直可以和浮士德对话了。他的漂泊深度，也许会超过那位得了很多博士学位的人。如果以这样的人物作为原型写小说，该会出现何等的气魄！中国近代的悲剧性主题，大半汇集在陈旧国门的隆隆开启之中。一代文人把整个民族几个世纪来的屈辱和萎靡，驮着背着，行走在西方闹市间，走出一条勉强可以跨步的人生路。现代喧嚣和故家故国构成两种相反方向的磁力拉扯着他们，拉得他们脚步踉跄，心神不定。时间一久，也就变得怪异。

这么想着，我也就又一次打量起沈老本人。他还是一径慢悠悠地讲着，也不回避自己。他自己的经历由于常与著名的政治人物和政治事件牵涉在一起，难于在这里复述，我只能一味建议："沈老，写回忆录吧，你不写，实在太浪费了。"

沈老笑着说："为什么我家藏有那么多稿纸？还不是为了写回忆录！但是我写过的几稿都撕了，剩下的稿纸送人。"

我问他撕掉的原因，他说："我也说不清，好像是找不准方位。写着写着我就疑惑，我究竟算是什么地方的人？例如有一年在一个国际会议上一位政府首长要我寻找中国大使，我找了几次都错了，亚洲国家的人都长得很像，最后我凭旗袍找到大使夫人，再引出大使本人。这样写本来也不错，但是写到最后出问题的是叙述主体。我是谁？算是什么人？在找什么？……我回答不了这些问题，越写越不顺，把已经写了的都撕了，撕了好几次。"

我问沈老，什么时候会回中国大陆看看？他说，"心里有点怕，倒也不怕别的，是怕自己，就像撕那一叠叠的稿纸一样，见到什么和感到什么，都要找方位，心里毛毛乱乱的。何况老朋友都不在了，许多事情和景物都变了，像我这样年纪，经不大起了。"

"但我最后一定会去一次的。最后，当医生告诉我必须回去一次的时候。"他达观地笑了。

在等待这最后一次的过程中，老人还会不会又一次来了兴致，重新动手写回忆录？我默默祝祈这种可能的出现。但是，他会再一次停笔、再一次撕掉吗？

他毕竟已经把一叠稿纸送给了我。稿纸上，除了那一点点苍老的迹斑，只是一片空白。

华 语 情 结

语言有一个底座。说一种语言的人属于一个（或几个）种族，属于身体上某些特征与别人不同的一个群。语言不脱离文化而存在，不脱离那种代代相传地决定着我们生活面貌的风俗信仰总体。

语言是我们所知道的最庞大最广博的艺术，是世世代代无意识地创造出来的无名氏的作品，像山岳一样伟大。

——Edward Sapir：《语言论》

其　一

说得真好，语言像山岳一样伟大。不管哪一种，堆垒到 20 世纪，都成了山。华语无疑是最高大幽深的巨岳之一了，延绵的历史那么长，用着它的人数那么多，特别有资格接受 E. Sapir 给予的"庞大"、"广博"这类字眼。一度与它一起称雄于世的其他古代语言大多已经风化、干缩，唯有它，竟历久不衰，陪伴着这颗星球上最拥挤的人种，跌跌撞撞地存活到今天。就是这种声音，就是这种语汇，就是这种腔调，从原始巫觋口中唱出来，从孔子庄子那里说下来，从李白杜甫苏东坡嘴里哼出来，响起在塞北沙场，响起在江湖草泽，几千年改朝换代未曾改掉它，《二十五史》中的全部吆喝、呻吟、密谋、死誓、乞求都用着它，偌大一个版图间星星点点的茅舍棚寮里全是它，这么一座语言山，还不大么？

但是，山一大又容易让人迷失在里边。苏东坡早就写好一首哲理诗放着呢："横看成岭侧成峰，远近高低各不同。不识庐山真面目，只缘身在此山中。"终身沉埋在华语圈域中的人很难辨识华语真面目，要真正看清它，须走到它的边沿，进出一下山门。

我揣想最早进出山门的比较语言学家是丝绸之路上的客商。听到迎面而来的驼铃，首先要做的是语言上的判断。那时唐朝强盛，华语走红，种种交往中主要是异邦人学华语。这就像两种溶液相遇，低浓度的溶液只能乖乖地接受高浓度溶液的渗透。尽管当时作为国际都市的长安城大约有百分之五的人口是各国侨民、外籍居民及其后裔，华语反而因他们的存在而显得更其骄傲。请读这一阕词：

> "云带雨，浪迎风，钓翁回棹碧湾中。春酒香熟鲈鱼美。谁同醉？缆却扁舟蓬底睡。"

这竟然出自一个沿着"丝绸之路"而来的波斯商人后代的手笔！他叫李珣，在唐代诗歌领域已占有一席之地。就从这几句便足可看出，华语，连带着它背后的整个华夏文化人格，曾经被一个异邦人收纳到何等熨帖的程度。语言优势与心理优势互为表里，使得唐代的中国人变得非常大度。潇潇洒洒地请一位波斯大酋长代表中国出使东罗马，请一位日本人担任唐朝国家图书馆馆长（秘书监），科举考试也允许外国留学生参加，考上了称作"宾贡进士"，也能在朝廷担任官职。这些外国人当然都讲华语，都在一种无形强磁波的统摄下，不必深加防范的。在这种情况下，华语对于别种语言，不太平等。

抱着极平等的心态深入往返于两种语言文化间的，或许应首推玄奘。他如此艰辛地走啊走，为的是走出实在太辽阔也太强大的华语文化圈。但是，无论是他的出去还是回来，他对华语文化和梵文文化完全不存一丁点儿厚此薄彼的倾向，在他的脚下和笔下，两种语言文化只有互补性的发现，还不构成争胜式的对峙。于是，一些极为温煦的场景出现了：并不太信仰佛教的唐太宗愉快地召见了这位远游归来已经多年没说华语的大师，还亲赐一篇《圣教序》来装点玄奘带回来的一大堆梵文经典。这位很有文化见识的皇帝特地请人用晋代书法家王羲之的字拼集出这篇《圣教序》，让华语文化更增添一层形式美去与域外文化联姻。从此，玄奘安静地主持弘福寺和慈恩寺译场，天天推敲着两种语言间的宗教性转换。在他身后，九州大地佛号声、诵经声此起彼伏，无数目不识丁的中国老太太的瘪嘴中，倾吐出一种镶嵌着不少梵文词汇的华语方式，并且代代相传，他无意中实现了对华语文化吞吐能力的一次测试和开拓。

到得明清时期，华语文化与西方文化的交往就再也不会出现玄奘那样的安详气韵了。不管是欧洲传教士的纷至沓来还是中国文人的厕身洋务，心情都有点怪异，敏感、窥测、自尊、叹息，拌和成一团驱之不散的烟雾，飘浮在两种语言的交接间。这全然不是个人的事，欧洲文明的崛起使曾经极为脆响的华语稍稍变得有点嗫嚅。另一种不太平等的态势出现了，而且越到近代越甚，在国内国外有些地方，华语简直有点"虎落平阳"的景况了。

一个苍老而疲惫的母亲常常更让儿女们眷恋，于是，就从华语在国际交往中逐渐不大景气的时候开始，在中国的文化漂流者心中，一种"恋母情结"产生了。当然并不能与 Oedipus Complex（俄狄浦斯情结）完全等同，但那种隐潜，那种焦虑，那种捧之弃之,远之近之的矛盾心理,那种有时自惭形秽、有时又恨不得与人厮杀一场的极端性摇摆,还是颇得"情结"三昧的。

这些年在华语圈边沿上晃荡进出的人数之多,可能已达到历史之最。青年知识分子中很少有完全不理会外语的,这实在是中国走向世界、走向现代、走向未来的吉兆,一点也不应该抱怨。从趋向看,进出华语圈的人还会多起来。几乎所有大城市里的父母亲,都在关注着子女们的外语成绩。至于华语的好不好,反而已不是关心的重点。前不久听一位中年学者演讲,他讲到自己曾默默与一个外国同行作过对比,觉得除了英语,其他都可超过。"我英语不如他,但他华语不如我呀,扯平了!"学者说到这里引得全场哄笑。大伙不能不笑,他们似乎已经不习惯把华语放在与英语平等的地位上。据说产生笑的机制之一是把两个完全没有可比性的东西比到了一起,酿发出一种出人意料的不谐调感。难道,华语在世界语言丛林中真已变成了这样的角色?笑容只能在脸上凝冻,心底卷来绵长的感叹。

其　二

黄皮肤,黑眼睛,整个神貌是道地的华人,一位同样是华人的记者在采访他,两人说的是英语,这在南洋各国都不奇怪。

采访结束了,记者说:"您知道我们是华文报,因此要请教您的华文名字,以便刊登。"

"我没有华文名字。"他回答得很干脆。

记者有点犯难:把一个写明是华人的采访对象称作杰克逊或麦克斯韦尔之类,毕竟有点下不了手。采访对象看出了记者的顾虑,宽慰地说:"那你就随便给我写一个吧!"

这种经常发生的对话是如此平静,但实在足以震得近在咫尺的土地神庙、宗乡会馆柱倾梁塌。时间并不遥远，那些从福建、广东等地漂流来的中国人登陆了，在家乡，隔一道山就变一种口音，到了南洋，与马来人、印度人、欧洲人一羼杂，某种自卫意识和凝聚意识渐渐上升，这种自卫的凝聚是一种多层构建，最大一个圈圈出了全体华人，然后是省份、县邑、宗族、姓氏，一层层分解，每一层都与语言口音有关。不知经过多少次灾祸、争斗，各种地域性、宗教性的会馆竞相设立，而最稳定、最牢靠的"会馆"，却屹立在人们的口舌之间。一开口就知道你是哪儿人，除了很少的例外，多数难于逃遁。

怎么也没有想到会涡卷起一种莫名的魔力，在短短数十年间把那一圈圈、一层层的自卫、凝聚构建一古脑儿软化了，把那一些由故乡的山梁承载的、由破旧的木船装来的华语，留给已经不大出门的爷爷奶奶，留给宗乡会馆的看门老汉，而他们的后代已经拗口。用英语才顺溜，尽管这种英语带着明显的南洋腔调，却也能抹去与故乡有关的种种分野，抹去家族的颠沛、时间的辛酸，就像从一条浑浊的历史河道上潜泳过来，终于爬上了一块白沙滩，耸身一抖，抖去了浑身浑浊的水滴，松松爽爽地走向了现代。不知抖到第几次，才抖掉了华语，然后再一用力，抖掉了姓氏，只好让宗乡会馆门庭冷落了，白沙滩上走着的正是黄皮肤黑眼珠的杰克逊和麦克斯韦尔。

在这一个过程中，我所关注的理论问题是，一个群体从学习外语到不讲母语需要经历多大的心理转换，大概需要多长的时间，再进一步，从不讲母语到遗落家族姓氏又需要经历多大的心理转换，还需要多长的时间。当然，更迫切的问题还在于，这一切是不是必然的，能在多大程度上避免。不管怎么说，我已看到了大量不争的事实：语言的转换很快就造就了一批斩断根脉的"抽象人"。

新加坡实践话剧团演过一个有趣的话剧《寻找小猫的妈妈》，引起很大的社会轰动。这个话剧，确实是以"话"作为出发点的。一个三代同处的家庭，第一代讲的是福建方言，第二代讲的是规范华语，第三代只懂英语，因此，每两代之间的沟通都需要翻译，而每一次翻译都是一次语义和情感上的重大剥落。如果是科学论文、官样文章，可能还比较经得起一次次的翻译转换，越是关乎世俗人情、家庭伦理的日常口语，越是无奈。结果，观众们看到的是，就在一个屋顶之下，就在一个血统之内，语言，仅仅是因为语言，人与人的隔阂是那样难于逾越。小小的家庭变得山高水远，观众在捧腹大笑中擦起了眼泪。

无数家庭都在经历着的这类文化悲剧，人们并不是轻而易举就能避开的。恨恨地骂几句"数典忘祖"，完全不能解决现实问题。就拿新加坡来说，一代政治家急切地要把这个以华人为主的年轻国家快速推入现代国际市场，就必然要强悍地改换一套思维方式和节奏方式，那么，没有比改换一种语言氛围更能透彻有效地达到这个目的的了，因为语言连带着一个整体性的文化——心理基座，把基座"移植"过来，其他一切也就可以顺水推舟了。当然也可以不这样做，但这样做的效果却显而易见。整个国家是这样，每个家庭也是这样。年幼的孩子如果学好英语，中学毕业后可以直接投考欧美各国的名牌大学，即使不读大学也能比较顺利地进入这个国际商市的大多数公司企业。至少在目前，华语水平确实不是新加坡青年谋职的必需条件，而要学好华语，耗费的时间和精力却远超英语。在中国大陆通过很自然的方式已经学好了华语的中国青年也许不会痛切地感到学习华语之难，而在新加坡，竟有华人小孩因华语课太难而准备自杀，使得父母不得不搬家到澳洲或别的用不着学华语的地方。是的，华语牵连着远祖的精魂，牵连着五千年的文明，他们都知道；但门外的人生竞争是那么激烈，哪一位家长都不太愿意让孩子花费几十年去死啃一种极其艰难又不太有用的语言。尽管年迈的祖父还在一旁不满地嘀咕，尽管客厅的墙上还挂着中国书法，父母代孩子填下了学英语的志愿，把华语的课目轻轻划去。血缘原则、情感原则、文化原则暂时让位给了开放原则、实用原则、经济原则。谁也无法简单地判断怎么是对，怎么是错，这里赫然横亘着一个无可奈何。

我认识一位流浪过大半个中国的华侨著名发型师，他对华人黑发的造型有精湛的研究。求他做头发造型的华族小姐络绎不绝，但不少小姐总是把母亲也带到美发厅里来，原因只在于，这位发型师有一个怪脾气，为华人黑发造型时他只说华语，小姐们的母亲是来充当翻译的。年老的发型师力图营造一个发色和语言相协调的小天地，保存一点种族性的和谐，但他实际上并没有成功。中国人的头发几万几千年一直黑下来，黑过光荣，黑过耻辱，将来还会一直黑下去，但语言却并不是这样固执。或许最终还是固执的，但现在却已不易构成与中国人的生理特征一样稳定的审美造型。对此，发型师是痛苦的，小姐们是痛苦的，母亲们也是痛苦的，这是一种不愿反悔、更不愿谴责的痛苦，一种心甘情愿的痛苦，而这种痛苦正是最深切的痛苦。

这种痛苦早就有过，而且都已老化为沉默。我想"牛车水"这个地名就是这样的沉默物。三个字本身就是一种倔强的语言硬块，浑身土俗地屹立在现代闹市间。据说新加坡开发之初很缺淡水，就有一批华人打了深井，用牛拉盘车从井里打水，然后又驱赶着牛车到各地卖水。每天清晨，这座四面环海却又十分干渴的城市醒来了，来自各国的漂泊者们都竖起耳朵期待着一种声音。木轮牛车缓缓地碾在街石上，终于传来一个极其珍贵的字眼：

水……！

当然是华语，那么婉转，那么回荡，那么自豪和骄傲！一声声喊去，一天天喊去，一年年喊去，新加坡一片滋润。

如今，牛车水一带街道的旧屋门口，有时还能看到一些闲坐着的古稀老人。也许他们呵出过太多的水气，干瘪了，只剩下满脸沟壑般的皱纹。眼前，是他们呵出的一个现代化的城市，但在这座城市间，他们已成了陌生人。

看着他们木然的神情，我总会去思考有关漂泊的最悲怆的含义，出发的时候，完全不知道航程会把自己和自己的子孙带到哪里。

直到今天，不管哪一位新一代的华人漂泊者启程远航，欢快的祝愿和告别中仍然裹卷着这种悲怆的意绪。

其 三

英语里的 billionaire 翻译成华语成了"亿万富翁"，但她是女性。市民小报中有"富婆"的字眼，我当然不会用在她头上，人家是高品位的文化人。华语还没有来得及为各种巨富调理好足够的词汇，我们不正在评说华语吗，这是华语的缺憾。

她在一家豪华饭店的"李白厅"里请我吃饭。在李白的名字下请中国文人显然是合适的，但为什么要请我呢？我想主要是因为我从上海来。

在新加坡要找一个上海人，远比纽约、旧金山、东京困难。好像华侨也有个分工，南洋显然是被福建、广东包了，上海人乃至江浙人挤在这里显得无趣，跑到别处去了。结果，一个上海人要在这里听几句道地的上海话成了一种奢侈的愿望。我在这里遇到过几次没有前因后果的聚会，参加者就是几个偶尔相识的上海人。名字还没有一一搞清呢，却来邀请吃饭了，主茶是"腌笃鲜"、炝蟹什么的,当然要去。有次我请当地一位演员驾车载我赴约,为了不使这位演员受冷落,预先在电话里讲明"不全讲上海话"。结果是,一进门大伙就忘情,弄得演员在饭桌一隅呵欠连连、昏昏欲睡。

我进李白厅时,她已坐在那里,整个大厅就她一个顾客,一群女招待显然都认识她,极其恭敬地站在一边看着她,注意她有什么最细小的要求,例如要移一下茶杯、挪一挪椅子之类,陪她等。我风风火火闯进去,她的上海话就劈头盖脑地过来了,讲得十分流利和纯正。华语的庞大家族中有许多分支是很难学道地的,上海话就是其中的一种。一开口就听出来,半点马虎不过去,说了两三句,已可充分表明你和上海的早期缘分。

话题一展开,她的上海话渐渐有点不够用了,她离开上海已经整整半个世纪,而现今的谈话,多数词汇都是这半个世纪来新冒出来的,她不知道用上海话该怎么说。她开始动用上海腔很重的"普通话",还是不解决问题,最后只好在一切名词概念上统统用她最纯熟的语言——英语来表达了。

突然,奇迹一般地,她嘴里又冒出来一大堆湖南话。原来她原籍并非上海,而是湖南,父亲是长沙郊区一个菜农的儿子,靠刻苦读书考上了官费留学,学成回国成了上海一个著名的工程师,但还是满口湖南腔。她在上海出生、长大,读中学时,在鲁迅小说中了解了中国农民,因此有意去摹仿父亲的湖南话,希图从中找到一点祖父的面影。结果是,8年前她第一次到长沙,满口长沙话把湘江宾馆的服务员小姐吓了一跳。

语言实在是一种奇怪的东西,有时简直成了一种符咒,只要轻轻吐出,就能托起一个湮没的天地,开启一道生命的闸门。我知道,这位多少年来一直沉溺于英语世界中的女士真正说湖南话和上海话的机会是极少极少的,但那些音符,那些节奏,却像隐潜在血管中的密码,始终未曾消失。她曾经走遍了世界各地,人生的弓弦绷得很紧,但是,不管在什么地方,当她在繁忙的空隙中一人静处,唤回自我的时候,湖南话和上海话的潜流就会悄悄泛起,然后又悄悄消褪。如果不是这样,就无法解释为什么几乎半个世纪没有真正说过的湖南话和上海话依然如此纯正。"年纪大了就喜欢回首往事,哪怕在梦中。"她说:"做梦是一截一截的,每一截都讲着不同的方言语音。"

她年轻时在上海的居住地是斜桥。斜桥地区我很熟悉,根据她的依稀描述,我一条街一条街 地在脑子里爬梳过去,想找到一幢带花园的影影绰绰的楼,找不到。她不记得路名,不记得门牌,记得也没有用,50 年间,什么没变?她找不回去了,只剩下那一口上海话,留在嘴边。

她说,她明天去泰国,那儿他们家正在筹建一座餐厅。"李白厅"的名字已被这儿用掉了,她打算把泰国的那一家叫做"杜甫厅"。可是,这个名称用湖南话一说就成了"豆腐厅"。"豆腐虽然我也爱吃,却不能这么去糟蹋中华民族的一个伟大诗人。"因此直到今天,她还在为餐厅的名字苦恼着。

她从泰国回来,又邀我到她家去了一次,一起被邀请的还有参加当时正巧召开着的世界华文教育会议的好几位其他国家的教授。邸宅的舒适华贵可以想象,印度门卫,马来西亚仆人,菲律宾女佣,忙忙碌碌地围着几个客人转。客人与主人一样,是华人,讲华语。今天晚上在这个院子里,华语就像在唐代一样神气。

客厅里挤挤地摆设着世界各地的工艺品,而兜门正墙上却悬挂着一幅垂地长轴,上面以楷书抄录着孟郊的《游子吟》:

> 慈母手中线,游子身上衣。
> 临行密密缝,意恐迟迟归。

谁言寸草心，报得三春晖。

这些毛笔字写得生硬、稚拙，但又显得极其认真。这是女主人的女儿写给妈妈的，女儿从小受英语教育，是一位造诣和名声都很高的英语作家，曾荣获过联合国主办的英语小说大奖。这么一位女才子，不知怎么一来，竟捏着一枝毛笔练起中国字来，一定是练了好久才写得下这一幅字的；至于孟郊那首诗，要由这样一位立足英语背景的作家来找到、读通，以至感同身受，更是要花费好些时日的。但她毕竟写出来了，亮堂堂地挂在这儿，就像一个浪迹天涯的游子揣摩了好久家乡口音只为了深情地叫一声"娘！"这当然是对着她的母亲，但不期然地，也同时表现出了对母语的恭敬。她把这两者混在一起了，即便对精通英语的母亲，她也必须用华语来表示感谢。我们不妨顺着她的混同再往前走出一步；如果把华语也一并看作是"慈母"，那么，从她手中拉牵出来的线真是好长好远，细密地绾接着无数海外游子的身心。事实上，这条线已成了种族繁衍的缆索，历史匍匐的纤维。

其　　四

我听很有特点的马来西亚华语，是在一个不到 20 岁的小伙子口中。他叫 K.L.、华裔，马来西亚怡保市人，刚从中学毕业。瘦瘦的，静静的，眼睛清彻透明，整天埋头干活，一抬头，见有人在看他，立即脸红。这是华人传统观念中最老实本份的"乖孩子"，可是无论在大陆，在台湾，在香港，乃至在新加坡，都不很容易找到了，冷不丁从马来西亚走出来一个，我十分惊奇。

K.L. 曾与我在同一幢楼里相邻而居。当时他正在为实践话剧团的一次演出帮忙，每天搞得很晚回来。半夜，这个高级住宅区阒寂无声,突然每个院子门口的狗都叫了起来,我知道,那是他回来了。他进门要开好几道门:花园的铁门,楼房的栅栏门,屋子的木门,以及他的房门,但他竟然可以不发出任何一点声音,为的是怕惊动我。有几次我简直怀疑起刚才狗叫的准确性,推开房门探头一看,他的房门底沿下已露出一线灯光。第二天,等我起床漱洗,他却早已出门,证据是:大门口报箱里的两大叠中、英文早报,已经取来整整齐齐放在会客室的茶几上。

我奇怪了,晚回来是因为演出,但那么早出门又是为了什么呢?

终于有一天,他没出门,对我说,明天就要回马来西亚,今天整理行李。他的行李全是书,层层叠叠堆在桌上、椅上、床上,绝大部分是华文艺术书籍。我知道,要在新加坡收集这么多华文艺术书籍是极不容易的,原来他每天一早出门是在忙这个。

他告诉找,他在马来西亚读中学时爱上了中国的文学艺术,但靠着这种爱是无法在今日南洋立足谋生的,因此父母亲要他到日本去读大学。父母亲是城市平民,经济不宽裕,他只得先到新加坡打工,筹措留学经费。但一到新加坡,就像鬼使神差一般,他不能不欺骗父母和自己了。他什么赚钱的工作也不找,专奔新加坡唯一的专业华语剧团来,十分投入地参与他们的各种艺术活动,得到一点报酬就买华文书。有中国大陆或台湾来的华语演出和电影,再贵也咬咬牙买票看。现在他的居留期已满,不能不回去了,明天,父母亲一定会问他去日本的经费的,他会如何回答呢?他本来想,没赚下钱,至少买一身像样的衣服回去让父母眼睛一亮,但一犹豫,衣服又变成了两本华文书,他随身的衣物放进一个小小的塑料食品袋里就可带走。鞋破了,趿着拖鞋回去。

临别,他细细地关照我,菜场在哪里,该坐什么车,哪家的狗最凶，最近的邮箱在何处。我只是一味地问他回去后如何向父母亲交待，他沉默了一会儿，然后用使我惊异的老成语调向我引述一位行将退休的新加坡政治家的话。这位政治家的意思是，100年后，朝鲜还将是朝鲜，日本还将是日本，越南还将是越南，但新加坡会怎么样，却很难想象，因为我们最注重的是英语，但我们的英语讲得再好，英国人、美国人也不会承认和接纳我们。要维系住一个国家的本体面貌，不能不重新唤醒溶解在我们血脉中的母语文化。

是的，我记起来了，几天前我在电视屏幕前听过这位政治家用缓慢的华语发表提倡华语的讲话。娴熟地讲了一辈子英语的他，在晚年已不止一次地提倡过华语，银发苍然，目光诚恳，让人感动。

但是，K.L.不一会儿又忧郁起来，他深知他的父母能理解这位政治家的话，但为了儿子的现实生计，还是会要求他去日本读大学的。何况，他们家不在新加坡，是在马来西亚。

背着一大堆华文书，背着一个不知来自何处的眷恋，他回国了。他肯定会去日本或其他国家的，但华文书太重，他走得很慢。他还不习惯出远门，不会打行李包，稀稀拉拉地几乎是抱着华文书走的。他回过头来向我招手，但不愿大声地说什么，因为他对我说过，他的华语有很重的马来腔，怕别人笑话。然而他不怕别人笑他抱着行李、趿着拖鞋回国。啪哒、啪哒，他的拖鞋已踩过了国境线。

其　　五

那天，许多年老的新加坡华人都挤到了一个剧场中，观看一台从台湾来的相声剧，相声剧的编导是35岁的赖声川博士，获得美国加州柏克莱大学戏剧研究所有史以来最高成绩的毕业生，目前在台湾文化界极孚声望。他还没有到过大陆，但他的多数作品却引导观众反复品尝中华民族离异的苦涩，从而来验证一种历史的归属感。这次带来的相声剧也是如此。

这样的戏，不管给海峡两岸的哪一边看，都会引起强烈回响，尽管是相声剧，观众也会以噙泪的笑声来品味"中国人"这一艰辛的课题。但是，今天这出戏是在新加坡演出，剧场里的反应会是怎样的呢？相声作为一种语言艺术，最能充分表达一个社会中某些微妙的共鸣，那么，今天中国人埋藏在插科打诨背后的离合悲欢，还能不能被其他国家的华人理解？如果不能，那么，我们深深沉浸其间的一切，岂不成了矫揉造作、顾影自怜？赖声川代表着中国人来接受一次自我拷问，他胆子很大，但在开演前却对我说，他准备启幕后好久听不到掌声和笑声。如果真是这样，他就会沮丧地坐下来，重新苦苦思考华语在当今世界的表达功能和沟通功能。

毫无疑问，与赖声川先生抱有同样担忧的只能是我。新加坡剧场的朋友也会担心，但那完全是另一回事。幕拉开了，在场的海峡两岸中国人的心也就悬起来了。也许我们还太年轻、太敏感，生怕数千年历史的拥有者在异国街市间丢脸，生怕自己的哭声让人发笑，自己的笑声让人掉泪。我这个人由于职业关系，曾安然地目睹过无数次剧场波澜，可今天，竟战战兢兢、如饥似渴地期待着新加坡观众的每一丝反应。我无法预计，如果台湾相声中的俏皮话今晚引不出应有的笑声，我会多么难堪。

好了，终于放心了，此地观众的反应非常热烈。华语，我们的华语，还有控制各种海外华人的笑声的能力。谢谢新加坡！——这种感谢自然有点自作多情，就像那天看到一批欧洲观众对一台从中国搬来的传统舞蹈热烈鼓掌，我几乎想站起来向他们鞠躬一样荒诞。

赖声川先生是我的老熟人。初次见到是在香港召开的国际比较文学会议上,后来很巧,同在两年前被新加坡戏剧界邀来演讲,这次相遇是第三次。记得两年前我们同住一家宾馆,天天神聊到深夜,肚子饿了就到附近一处小贩中心吃宵夜。我们互相"盘剥"着海峡两岸的种种社会规范、生活细节、心理习惯、世俗趣闻,出于自尊,彼此还为自己一方辩护,说到许多相似或相左的用语常常乐不可支、笑作一团。西哲有言,剧场里一句微妙的台词引起一片笑声,那是素不相识的观众在逞示着一种集体的一致性。莫非我们一代真的已到了可以用语言和笑声来认同的时分?对此我与赖先生还没有太大的信心,但是赖先生并不甘心于此,他把两年前的笑语扩充成一个艺术作品,仍然带回到新加坡,兑换成满场欢腾。正巧我又在,这还不值得庆祝一下?演出结束后我们又去了两年前天天去的那个小贩中心,尽管明知那里的小贩喜欢欺侮外国人。

理直气壮地用华语叫菜,今天晚上,这座城市的笑声属于中国人。坐在我身边的演员李立群先生是今夜无可置疑的明星,我对他说:"你在台上学遍了大陆各地的方言,维妙维肖,唯独几句上海话学得不道地。"大陆的相声演员学各地方言早已司空见惯,说实话,我对这一招已经厌烦,但现在听台湾相声演员学来却产生了另一种感觉,谐谑的调侃猛地变成了凄楚的回忆、神圣的呼唤。学一种方言就像在作一种探寻,一种腔调刚出口,整个儿身心就已在那块土地间沉浸。因此,我不能让他们学不像上海话,这会对不起他们,也对不起上海。于是就在小贩中心的餐桌旁,我依据那几句台词一句句地教开了。赖声川先生的母亲在上海住过,因而他对我的发音并不生疏,频频点着头。李立群先生从我的发音想起了他以前一位江浙师傅,边摹仿边首肯:"是这样,师傅当年也这样说的。"一句又一句,一遍又一遍,轻一声,重一声,已经认真到了虔诚。这显然已不完全是为了演出,相声演出中的学语用不着那么标准。

学会了那几句上海话,一阵轻松,开始胡乱漫谈。大家竟当着情同手足的新加坡东道主郭宝崑先生的面,极不厚道地嘲讽起新加坡人的华语水准。我想郭宝崑先生一定会原谅的:这些远隔两岸的中国人好久没有这么亲热了,一亲热就忘乎所以,拿宽厚的朋友们嘲讽一遍,好像共同获得了一种优越感,背靠着艰深的华夏文化,驱走了阔别的忧伤、海潮的寒冷。特别是那位李立群先生,专找那些只有中国人才能听懂的话与我对仗,跳跳跃跃,十分过瘾。讲禅宗,讲怪力乱神,讲文天祥会不会气功,讲天人合一的化境。这种谈话,即使翻译了,也几乎没有多少西方人能真正听懂。今晚大家像是在发狠,故意在异国土地上翻抖中华语文中的深致部位,越是瞎凑和就越贴心。

上茶了,少不了又讲陆羽,讲《茶经》的版本,讲采茶的山势、时机,煮茶的陶壶、炉炭,当然讲得最神往、也最伤心的是水。喝了几千年茶的中国人,还能找到多少真正清洌的水来润喉呢?如果不多了,那么今后讲出来的华语会不会变得浑浊一点呢?

我告诉李立群,古代文人为喝几口好茶,常常要到某座山上,"买泉两眼"……

李立群来劲了:"好个买泉两眼!潇洒之极!不是我吹嘘,我台湾老家山上确有好泉,想法去买它一眼,你什么时候来,我领你去喝茶!"

我赶紧叮嘱李立群先生,赶快回去买下那眼泉,好生看管着,别让它枯了。我们还不算老,也许真能喝得上一口。但是,仔细一想又觉得悲哀,这样的泉眼无论如何不会太多了,那种足以把华语晤谈的环境推到极致的阵阵茶香,已不会那么纯净。华语自然还会讲下去的，但它的最精雅蕴藉的那部分，看来总要渐渐湮没了。还会出现新的精雅部位吗？但愿。

这里真安静

一

我到过一个地方,神秘得像寓言,抽象得像梦境。

很多长住新加坡的人都不知道有这么个地方,听我一说,惊讶万分。

是韩山元先生带我去的。韩先生是此地一家大报的高级编辑,又是一位满肚子掌故的乡土历史学家。那天早晨,他不知怎么摸开了我住所的大铁门,从花园的小道上绕到我卧室的南窗下,用手指敲了敲窗框。我不由竦然一惊,因为除了一位轻手轻脚的马来亚园丁,还从来没有人在这个窗下出现过。

他朝我诡秘地一笑,说要带我去一个很少有人知道的奇怪地方。我相信了他,他一定会发现一点什么的,就冲他绕来绕去绕到我这个窗下的劲头。

我打开大门,那里还等着两位女记者,韩先生的同事,也算我在这里的学生。她们都还年轻,对探幽索秘之类的事,兴趣很大。于是,一行四人。

其实韩先生也不太记得路了。在车上他托着下巴,支支吾吾地回忆着、嗫嚅着。驾车的女记者每到岔道口就把车速放慢,好让他犹豫、判断、骂自己的记性。韩先生寻路的表情越艰难,目的地也就变得越僻远、越离奇。

二

目的地竟是一个坟地。

新加坡的坟地很多,而且都很堂皇。漂泊者们葬身他乡已经够委屈的了,哪能不尽量把坟地弄得气派一点?但是,这个坟地好生奇特,门面狭小,黑色的旧铁栏萎萎缩缩。进得里面才发现占地不小,却冷冷清清不见一个人影。一看几排墓碑就明白,这是日本人的坟地。

"世界上没有哪一个坟地比它更节俭的了。你看这个碑",韩先生用手一指,那只是许多墓碑中的一个矮小的方尖碑,上面刻着六个汉字:

纳骨一万余体

碑下埋着的,是一万余名侵略东南亚的"皇军"的骨灰。

"再看那边,"顺着韩先生的指点,我看到一片广阔的草地上,铺展着无数星星点点的小石桩,"一个石桩就是一名日本妓女,看有多少!"

用不着再多说话,我确实被震动了。人的生命,能排列得这样紧缩,挤压得这样局促么?而且,这又是一些什么样的生命啊。一个一度把亚洲搅得晕晕乎乎的民族,将自己的媚艳和残暴挥洒到如此遥远的地方,然后又在这里划下一个悲剧的句号。多少倩笑和呐喊,多少脂粉和鲜血,终于都暗哑了,凝结了,凝结成一个角落,凝结成一种躲避,躲避着人群,躲避着历史,只怀抱着茂草和鸟鸣,怀抱着羞愧和罪名,不声不响,也不愿让人靠近。

308

是的，竟然没有商人、职员、工人、旅游者、水手、医生跻身其间，只有两支最喧闹的队伍，浩浩荡荡，消失在这么一个不大的园子里。我们不能不把脚步放轻，怕踩着了什么。脚下，密密层层的万千灵魂间，该隐埋着几堆日本史，几堆南洋史，几堆风流史，几堆侵略史。每一堆都太艰深，于是只好由艰深归于宁静，像一个避世隐居、满脸皱纹的老人，已经不愿再哼一声。

三

到底是日本人，挤到了这么一个地方，依然等级森严。

一般士兵只立集体墓碑。除了"纳骨一万余体"外，还有一个含糊其词的所谓"作业队殉难者之碑"，也是一个万人碑，为太平洋战争时战死的士兵而立。另一个"陆海军人军属留魂之碑"，则是马来西亚战争中战死日军的集体墓，原在武吉知马山上，后被抗日人士炸毁，日本人在碎墟中打点收拾残骨，移葬这里。

军曹、兵长、伍长，乃至准尉级的仕官，皆立个人木碑。一根根细长的木桩紧紧地排着，其中稍稍高出周围的是准尉。

少尉以上均立石碑，到了高级军衔大佐，则立大理石碑。

让开这所有的群体，独个儿远远地坐东面西的，则是赫赫有名的日本陆军元帅、日本南方军总司令寺内寿一的大墓。这座墓，傲气十足，俯瞰着自己的数万属下。

作为一个中国人，我对寺内寿一这个名字十分敏感。1937年7月7日芦沟桥事变后，寺内寿一曾被任命为日本华北方面军司令官，在他的指挥下，日军由北平进占山西、陕西、甘肃，直取兰州。在著名的平型关战役中遭受中国军队惨重打击的板垣师团，也属于他的部下。这么一个把古老的黄河流域整个儿浸入血泊的军阀，最终竟然躲到了这个角落！

我呆呆地伫立着,死死地看着这座墓。我深知,几乎未曾有过中国人,会转弯抹角地找到这里,盯着它看。那么,今天也算是你寺内元帅与中国人的久别重逢吧。你躲藏得好偏僻,而我的目光背后,应是华北平原的万里云天。

寺内寿一改任南方派遣军总司令是在 1941 年 10 月东条英机上台组阁之后,他与山本五十六的海军联合舰队相配合,构成了震动世界的太平洋战争。他把他在华北的凶残倾泄到了南洋,从西贡直捣新加坡。他的死亡是在日本投降之后,死因是脑溢血。

元帅的死亡,震动了当时由英军看守的日军战俘营。正是那些早就被解除武装、正在受到公审、正在受到全世界唾骂的战俘,张罗着要为寺内寿一筑坟,而且是筑一座符合元帅身份的坟。从我接触到的一些资料看,为了眼前这座坟,当时日军战俘营里所发生的事,今天想来依然触目惊心。

这些战俘白天在英军的监视下做苦工,到了夜晚空下来,就聚集在宿舍里密谋。他们决定,寺内寿一的墓碑必须采用柔佛(今属马来西亚)南部的一座石山上的石料,因为这座石山上曾发生过日军和英澳联军的激战,好多石块就浸染了日本军人的鲜血。他们要悄悄派出几个目睹当年激战的人去,确定当年日军流血最多的地方,再从那里开采巨石,躲过人们耳目,拼死长途运来。

这些战俘开始行动了。他们正儿八经向看守他们的英国军官提出申请,说想自己动手修建战俘营的宿舍,需要到外面去采伐、搬运一些木料石料。同时,他们又搜集身边带着的日本小玩意儿来笼络英军及其家属。英军同意了他们的申请,结果他们开始大规模地采运石料,不仅为寺内寿一,而且为其他战死的日军筑坟。柔佛那方染血的巨石完全不像修宿舍的材料,只能在星夜秘密偷运。运到离现在墓地8公里之外一座荒弃的橡胶园里，搭起一个帐篷，用两天时间刻琢碑文，刻好之后又运到墓地，恭恭敬敬竖好，浇上水泥加固。我现在死死盯着看的，就是这个墓碑。

这一切，竟然都是一个战败国的俘虏们偷偷做成的，实在让人吃惊。我想，如果有哪位电影大师拍一部影片，就表现一群战俘在黑夜偷运染血巨石来作元帅墓碑的艰苦行程，一定会紧扣人心。山道上，椰林下，低声的呼号，受过伤的肩膀，勒入肌肉的麻绳，摇晃的脚步，警觉的耳朵，尤其是月光下，那一双双不肯认输服罪的眼睛……

资料告诉我，即使在国际法庭公审和处决战犯之后，那些日军战俘，竟还想尽各种办法，通过各种途径，弄到了每一战犯处决时洒血的泥土，汇集起来到这个坟地"下葬"，竖起一个"殉难烈士之碑"。这个碑，我进入墓园不久就看到了的，不知底细的人怎会知道"烈士"是谁？

韩山元先生曾听守墓人说，别看这个坟地冷清，多年来，总有一些上年岁的人专程从日本赶来，跪倒在哪几座墓碑前献酒上香，然后饮泣良久。这些年，这样的老人看不到了，或许他们也都有了自己的墓碑。于是，坟地真正冷清了，不要说战争，就是那星夜运石的呼号，也已成了遥远的梦影。但是，只要你不小心走进了这个地方，在这些墓碑间巡睃一遍，你就会领受到人类精神中极其可怖的一个部分，阴气森森。这里上下有序，排列整齐，傲骨嶙峋，好像还在期待着某种指令……

四

现在该来看看那些可怜的日本妓女了。

论资格，这些妓女要比埋在近旁的军人老得多。大概从本世纪初年以来,日本妓女蜂拥来南洋有过几次高潮,每次都和日本经济的萧条有关。而当时的南洋,由于橡胶和锡矿的开采,经济颇为繁荣,大批在国内不易谋生的日本少女就不远千里,给南洋带来了屈辱的笑颜。

日本女子的美貌和温柔使她们很快压倒了南洋各地的其他娱乐项目,轰轰烈烈地构成了一种宏大的职业。从野心勃勃的创业者到含辛茹苦的锡矿工人,都随时随地能找到适合自己的日本娼寮。各国、各族的嫖客,都在日本妓院中进进出出。在这个时候,日本民族在南洋的形象,显得既柔弱又可怜。

既然日妓南下与日本经济萧条有密切关系,而经济萧条又是日本必须向外扩张的根本动因,那么,不妨说,日本妓女的先来和日本军人的后到,确实存在着某种因果关系。让他们的坟墓紧紧靠在一起,好像是故意在搭建一种历史逻辑。

当日本军队占领南洋时,原先在这里的妓女再加上军妓,日妓的数量更是达到空前,连著名的南华女子中学也解散而成了日本艺妓馆。这简直成了一支与"皇军"可以并驾齐驱的队伍,有人戏称为"大和部队"。据说还有一位日本官员故意向寺内寿一总司令报告:"大和部队已经打进来了。"寺内寿一因此而把不少军妓遣送回国,但日本妓女真正在南洋的锐减,则是在日本投降之后。这些已经够屈辱了的女子,无法在更屈辱的大背景下继续谋生了。事实上,即便是战败的苦难,她们也比军阀们受得深,尽管她们远不是战争的发动者,也没有因战争而有任何得益。

日本妓女在南洋的悲惨命运,已由电影《望乡》表现得淋漓尽致。但是依我看,那毕竟是日本人自己搞的作品。在某些历史关节上无法冷静地开掘。日本妓女在南洋的遭遇,只有与以后日本军队的占领南洋疏通起来,现代日本民族的心态和命运才能梳理得更加完整和透彻。仅仅表现她们在屈辱中思念故乡,显然是把题目做小了。

《望乡》中一个让人难忘的细节是，日本妓女死后安葬南洋，墓碑全都向着故乡。但是，我在这个日本坟地中看到的情景却完全相反：300多个妓女的墓碑，全部向着正西，没有一座向着北方！

也许是不敢，也许是不愿，她们狠狠心拧过头去，朝着另一方向躺下了，不再牵肠挂肚，不再幽恨绵绵，连眼角也不扫一扫那曾经天天思念的地方。

岂止不再眼巴巴地望着故乡，在她们这么多的墓碑上，连一个真名字也没有留下。石碑上刻着的都是"戒名"，如"德操信女"、"端念信女"、"妙鉴信女"，等等。这些姑娘，身陷可怕的泥淖之中，为了保持住一点点生命的信念，便都皈依了佛教，希望在虔诚的祈求间，留住些许朦胧的微光。但是我觉得，她们不具真名，与其说是为了佛教信仰，不如说是要隐瞒自己家族的姓氏，不使遥远的族人因自己而招腥惹臭。

这种情景，与边上那些耀武扬威地写满军衔、官职的军人墓碑有多大的差别啊。我仔细地拨开草丛，读着那一个个姑娘自己杜撰的假名字。她们都有过鲜亮的青春，但很快都羞缩成了一枚枚琐小的石丁，掩埋在异地的荒草中。我认出那些字来了，显然都是死者的小姐妹们凑几个钱托人刻上去的，却又像死者在低声地自报家门。她们没什么文化，好不容易想出几个字来，藏着点儿内心的悲凉："忍芳信女"、"寂伊信女"、"空寂信女"、"幽幻信女"……

我相信，这些墓碑群所埋藏的故事，一定比那边的墓碑群所埋藏的故事更通人性。可惜，这些墓碑群什么资料也没有留下，连让我胡乱猜想的由头也十分依稀。

例如，为什么这座立于昭和初年的墓碑那么精雕细刻呢，这位"信女"一定有过什么动人的事迹,使她死后能招来这么多姐妹的集资。也许,她在当时是一位才貌双全、侠骨慈心的名妓?

又如,为什么这些墓碑上连一个字也没有呢?是因为她们做了什么错事,还是由于遭致什么意外?

还有,这五位"信女"的墓碑为什么要并排在一个墓基上呢?她们是结拜姐妹?显然不仅是这个原因,因为她们必须同时死才会有这样的墓,那么,为什么又要同时死呢?

......

这些,都一定有故事,而且是极其哀怨、极其绚丽的故事,近乎中国明清之间的秦淮诸艳。

发生在妓院里的故事,未必都是低下的。作为特殊的时代的一个特殊交际场所,那里会包藏着许多政治风波、金融搏斗、人生沧桑、民族恩怨乃至国际谍情。也许,日本史和南洋史的某些线头,曾经由这些"信女"的纤纤素手绾接。我在这片草地上走了一圈又一圈,深深可惜着多少动人的故事全都化作了泥土。当地不少文学界的朋友常常与我一起叹息当今南洋文学界成果寥寥,恕我鲁莽,我建议南洋文化的挖掘者,多找找这些坟地。军人的 地,女人的坟地,哪怕它们藏得如此隐蔽。

五

"军人,女人,还有文人!"韩山元先生听我在自言自语,插了一句。

是的,这个坟地里,除了大批军人和女人,竟然还孤零零地插进来一个文人。

这位文人的墓,座落在坟地的最东边。本来,寺内寿一的墓座东朝西,俯瞰整个墓地;但这座文人墓却躲在寺内寿一墓的后边,把它也当作了俯瞰的对象。

仅仅这一点,就使我们这几个文人特别解气。而且墓主还是一位挺有名的日本文学家:二叶亭四迷。我记得他的相片,留着胡子,戴着眼镜,头上的帽子很像中国的毡帽。我应该是在研究鲁迅和周作人的时候顺便了解这位文学家的,他葬在这里,对我也是个意外。不管怎么说,整个坟地中,真正能使我产生亲切感的只能是他了。

他的墓碑上的字也写得漂亮,是一种真正的书法。这又使我们几个多了一份高兴。那些军官的墓碑既然都是战俘们偷偷张罗的,字能好到哪里去?

二叶亭四迷1909年2月在俄国游历时发现患了肺结核,但是这位固执的文学家不相信医生,胡乱自己服药,致使病情严重,后由朋友帮助,转伦敦坐轮船返日本治疗。但是,他并没有能够到达日本,而是死在由哥伦坡驶向新加坡的途中。就这样,他永久留在新加坡了。他进坟地是在1909年5月,不仅那些军人的坟墓还一座也没有,连妓女的坟墓也不会有几座,因为当时,日本妓女还刚刚向南洋进发。

二叶亭四迷早早地踞守着这个坟地,他万万没有料到,这个坟地以后会有这般怪异的拥挤。他更无法设想,多少年后,真正的文人仍然只有他一个,他将永久地固守着寂寞和孤单。

我相信,如果二叶亭四迷地下有灵,他执拗的性格会使他深深地恼怒这个环境。作为日本现实主义文学的一员大将,他最为关注的是日本民族的灵魂。他怎么能忍心,日日夜夜逼视着这些来自自己国家的残暴军士和可怜女性。

但是,二叶亭四迷也许并不想因此而离开。他有民族自尊心,他要让南洋人民知道,本世纪客死外国的日本人,不仅仅只有军人和女人。"还有我,哪怕只有一个:文人!"

不错，文人。并没有什么了不起，但死的时候不用像那些姑娘那样隐姓埋名，葬的时候不用像那些军人那样偷偷摸摸、鬼鬼祟祟。

我相信，每一次妓女下葬，送葬的小姐妹们都会在整个坟地中走走，顺便看看这位文学家的墓碑，尽管她们根本读不懂他的作品；我相信，那些战俘偷偷地把寺内寿一的坟筑在他的近侧，也都会对他龙飞凤舞的墓碑端详良久。二叶亭四迷为这个坟地提供了陌生，提供了间离。军乐和艳曲的涡漩中，突然冒出来一个不和谐的低沉颤音。

不能少了他。少了他，就构不成"军人、女人、文人"的三相结构，就构不成一种寓言式的抽象。现在够了，一半军人，一半女人，最边上居高临下，端坐着一位最有年岁的文人。这么一座坟地，还不是寓言？

这个三相寓言结构竟然隐匿于闹市，沉淀成宁静。民族、历史的大课题，既在这里定格，又在这里混沌。甜酸苦辣的滋味，弥漫于树丛，弥漫于草地。铁栅栏围住的，简直是个历史的浓缩体。我走过许多地方，未曾见过如此具有概括力的所在，概括得令人有点难以置信。

六

离开墓地之后，我们的车又在闹市间胡窜乱逛。不知怎么，大家对街上的日本人特别注意起来。

显而易见，今天的日本人在这座城市地位特殊。前几天读到本地一位女作家的一篇作品，其中写到一个年轻繁忙的华人母亲把自己幼小的女儿托养在公婆家里，没想到一年以后，女儿牙牙学语吐出来的第一句话不是华语，不是方言，也不是英语，而竟然是日语。原来公婆家通用的是夹着日语的英语，而日语的成分又日见提高。这位年轻的母亲真正地发怒了，大声吼道："我不能眼看着自己十月怀胎生下来的孩子，成为一个是华人又不像华人的怪物！"

这种现象，在这里比较典型。日本是亚洲首富，经济界人士竞相趋附是不奇怪的。你看，就在我们的车窗外，那些最豪华的商店门口，停得最多的是日本旅游团的大客车。一大串专供旅游的人力三轮车从我们的车外慢慢前行，不用细看，坐的大多是日本人。

这时我心中忽起一个念头，真想走上前去告诉那些坐在人力车上兴高采烈的日本朋友：就在这座城市，一个草木掩荫的冷僻所在，有一个坟地。无论如何，你们应该去看看的。我们刚去看过。

真的，你们应该去看看。

后　记

　　这本书中的部分篇目曾在《收获》杂志上以全年专栏形式连载过，后来又陆续被海外报刊转载，所以读到和听到的评论也就很多。在所有的评论中，我觉得特别严肃而见水平的是鄂西大学学报所设"《文化苦旅》笔谈"专栏中该校中文系五位教师发表的文章。（这个颇具规格的学报在英译中把《文化苦旅》简称为CPAT，原来他们对它的全译是 Cultural Perplexity in Agonized Travel，似乎略嫌重涩，什么时候很想请英语专家再斟酌一下。）我很惊讶鄂西大学对中国历史文化和当代散文艺术的思考水平，后来曾到武汉打听，得知这所大学躲在该省的边远地区恩施，从武汉出发也要坐很长时间的火车，有一位女作家曾到那里去过，竟象探险家一样述说着那里的风土人情。我问能不能坐飞机去，被告知："坐飞机也得好多小时，是小飞机，而且常常降不下去又回来了，因为那里雾多山多。"我不知道这种说法是否准确，却深感中国大地上藏龙卧虎的处所实在不少。

　　也许是沾了巴金先生主编的《收获》杂志的光吧，《文化苦旅》一开始兆头不坏，北京、上海、天津、广州等地的七家著名出版社和海外出版公司都寄来过出版约请，但不知怎么一来，我竟然被一位专程远道而来的组稿编辑特别谦恭忠厚的口气所感动，把文稿交给了他所在的外省的一家小出版社。结果是，半年后来信说部分稿件在"审阅"过程中被丢失要我补写，补写稿寄

318

去整整一年多之后他们又发现我的文章并不都是轻松的游记，很难成为在每个旅游点兜售的小册子，因此决定大幅度删改后付印，并把这个消息兴高采烈地写信告诉我。当时我远在国外讲学，幸亏《收获》副主编李小林女士风闻后急忙去电话强令他们停止付印，把原稿全部寄回。寄回来的原稿已被改划得不成样子，难以卒读，我几次想把它投入火炉，又幸亏知识出版社的王国伟先生、上海文艺出版社的陈先法先生、上海教育出版社的鲁萍小姐都有心救活它，最后由王国伟先生雇人重新清理抄写使之恢复原样，才使这本书死里逃生。

　　这件事其实怪不得那家出版社，他们是按照自己的工作规范和处世准则在办事，谁叫我事先不打听清楚呢。但我就此联想到，一本书的出版就象一个人的成长一样，都得经历七灾八难，越是斯文遇到的麻烦可能越多。只要一步不慎便会全盘毁弃，能像模像样存活下来其实都是侥幸。况且文人本身的毛病也多，大多既有点孤傲又有点脆弱，不愿意为了一种精神成果而上下其手、四处钻营、曲意奉迎，往往一气之下便愤然投笔，毁琴焚稿。在我们漫长的文化延续史上，真不知有多少远比已出版的著作更有出版资格的精神成果就这样烟消云散了，其间自然还包括很多高人隐士因不想让通行言词损碍玄想深思而故意的不着笔墨。从一定意义上说，人类精神成果的大量耗散和自灭带有一定的必然性，而由于一时的需求、风尚、机遇、利益而使历史上某些人的某些书得以出版面世，则带有很大的偶然性。因此，连篇累牍的书籍文明的隐显有无本身就是一个让人十分困惑的现象。我记得有一位当代青年美术家曾将几十万个木刻印刷汉字层层叠叠地披挂在屋顶和四壁，而细看之下却没有一个字能被我们认识。这个奇特的作品传达出一种难以言表的文化怪诞感，曾使我深深震动。当然话又说回来，历代总有不少热心的文化人企图建立起一种比较健全的社会文化运行机制以求在偶然性和怪诞感中渗入较多明智的选择，尽管至今这还是一种很难完全实现的愿望。

既然如此，我这些零篇散章的出版也仍然是一种侥幸。许多因不趋时尚而投递无门、或因拒绝大删大改而不能付梓的书稿一定会比它好得多。能侥幸就侥幸了吧，读者诸君如果不小心碰到了它，那就随便翻翻。

一九九一年夏